KB096758

특허청 등록
최보규 자기계발코칭 창시자
등록 번호: 제 40-2072344 호
강사는 누구나 한다. 다만
강사 비수기 5개월은 아무나 극복하지 못한다.
강사 비수기 5개월 1
돈을 버는 강사! 돈을 못 버는 강사!
ONLY ONE
방탄강사 기술력
최보규 방탄강사 코칭전문가
서윤희 방탄강사 코칭전문가
BOOKK

강사 비수기 5개월 극복 시스템
방탄강사기술력 12단계 시스템

특허청 등록
최보규 자기계발코칭 창시자
등록 번호: 제 40-2072344 호
강사 비수기 5개월
돈을 버는 강사! 돈을 못 버는 강사!
20,000명 심리 상담, 코칭으로
알게 된 강사 비수기 극복 방법!
세계 최초 오픈!
ONLY ONE
방탄강사
기술력

강사는 누구나 한다. 다만
강사 비수기 5개월은 아무나 극복하지 못한다.

방탄강사기술력 사명

들어라 하지 말고 듣게 하자.
누구처럼 살지 말고 나답게 살자.
좋아하게 하지 말고 좋아지게 하자.
마음을 얻으려 하지 말고 마음을 열게 하자.
믿으라 말하지 말고 믿을 수 있는 사람이 되자.
좋은 사람을 기다리지 말고 좋은 사람이 되어주자.
보여주는(인기) 인생을 사는 것이 아닌
보여지는(인정) 인생을 살아가자.
나 이런 사람이야 말하지 않아도 이런 사람이구나.
몸, 머리, 마음으로 느끼게 하자

-최보규 방탄기술력 창시자 -

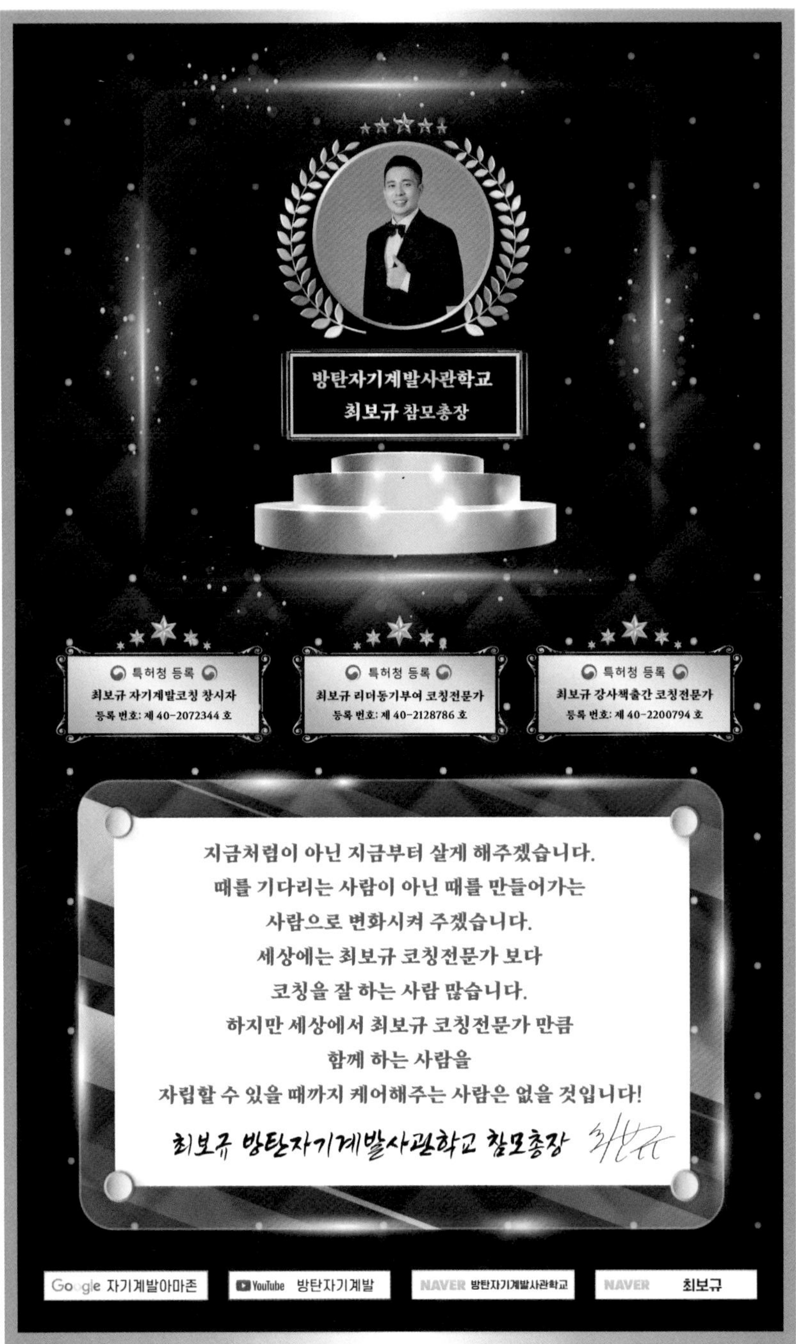
방탄자기계발사관학교
최보규 참모총장
특허청 등록
최보규 자기계발코칭 창시자
등록 번호: 제 40-2072344 호
특허청 등록
최보규 리더동기부여 코칭전문가
등록 번호: 제 40-2128786 호
특허청 등록
최보규 강사책출간 코칭전문가
등록 번호: 제 40-2200794 호
지금처럼이 아닌 지금부터 살게 해주겠습니다.
때를 기다리는 사람이 아닌 때를 만들어가는
사람으로 변화시켜 주겠습니다.
세상에는 최보규 코칭전문가 보다
코칭을 잘 하는 사람 많습니다.
하지만 세상에서 최보규 코칭전문가 만큼
함께 하는 사람을
자립할 수 있을 때까지 케어해주는 사람은 없을 것입니다!
최보규 방탄자기계발사관학교 참모총장
Google 자기계발아마존
YouTube 방탄자기계발
NAVER 방탄자기계발사관학교
NAVER 최보규

강사 비수기 5개월
머리말
강사는 누구나 한다. 다만
강사 비수기 5개월은 아무나 극복하지 못한다.
돈을 버는 강사! 돈을 못 버는 강사!
20,000명 심리 상담, 코칭으로
알게 된 강사 비수기 극복 방법!
세계 최초 오픈!
ONLY ONE
방탄강사
기술력

강사 비수기 5개월!
극복 프로젝트
(100만 프리랜서 비수기 극복)

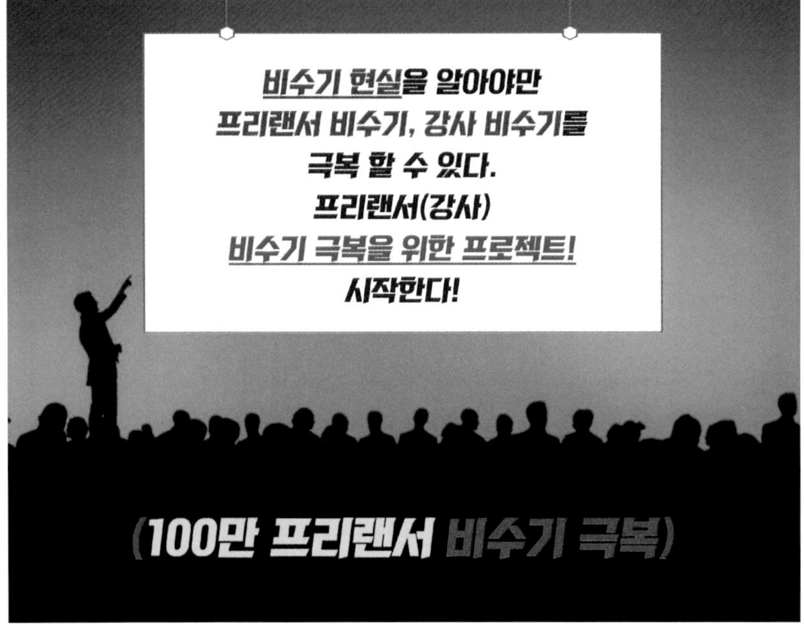
비수기 현실을 알아야만
프리랜서 비수기, 강사 비수기를
극복 할 수 있다.
프리랜서(강사)
비수기 극복을 위한 프로젝트!
시작한다!
(100만 프리랜서 비수기 극복)

강사 비수기 5개월
프리랜서 한 달에 1,000만 원 번다?
강사 한 달에 1,000만 원 벌 수 있다?
억대 연봉은 환상 속에 존재한다.
프리랜서 현실은 90%가 투잡, 쓰리잡, 생활고...

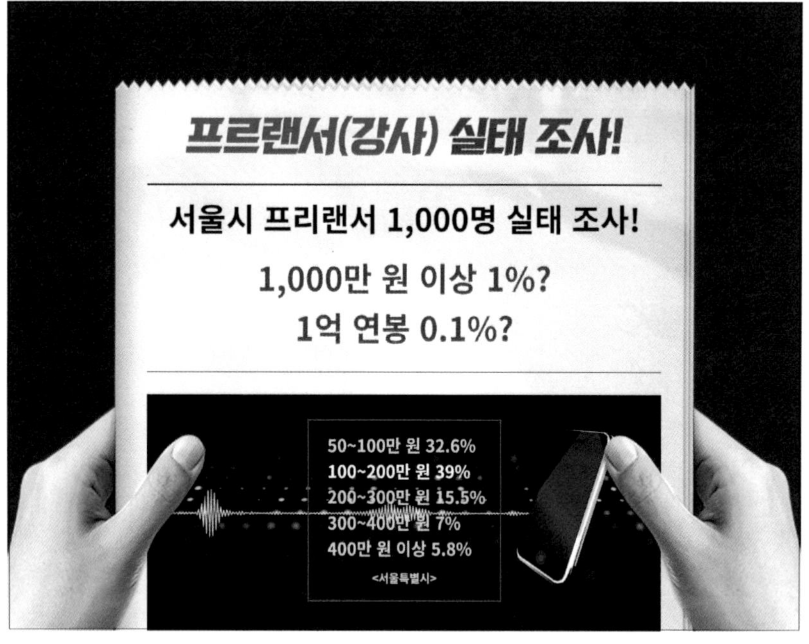
프리랜서(강사) 실태 조사!
서울시 프리랜서 1,000명 실태 조사!
1,000만 원 이상 1%?
1억 연봉 0.1%?
50~100만 원 32.6%
100~200만 원 39%
200~300만 원 15.5%
300~400만 원 7%
400만 원 이상 5.8%
<서울특별시>

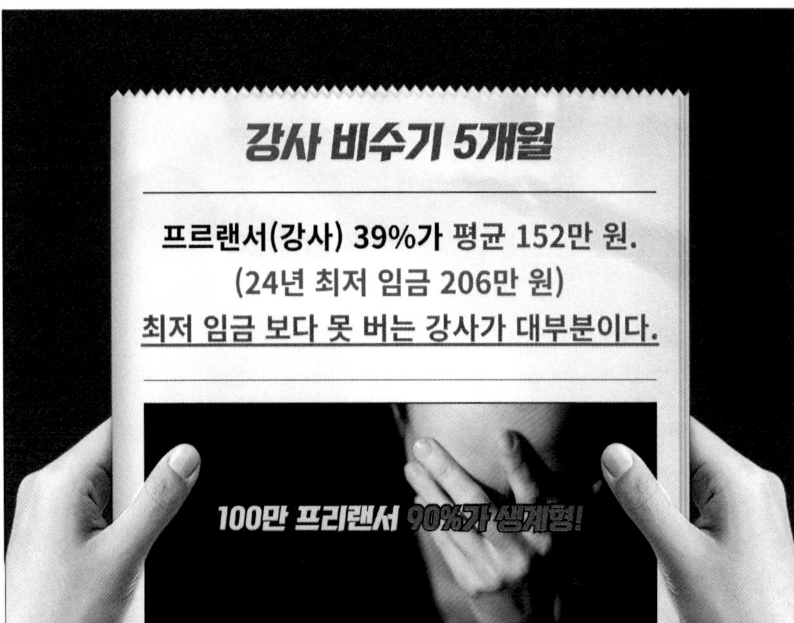
강사 비수기 5개월
프르랜서(강사) 39%가 평균 152만 원.
(24년 최저 임금 206만 원)
최저 임금 보다 못 버는 강사가 대부분이다.
100만 프리랜서 90%가 생계형!

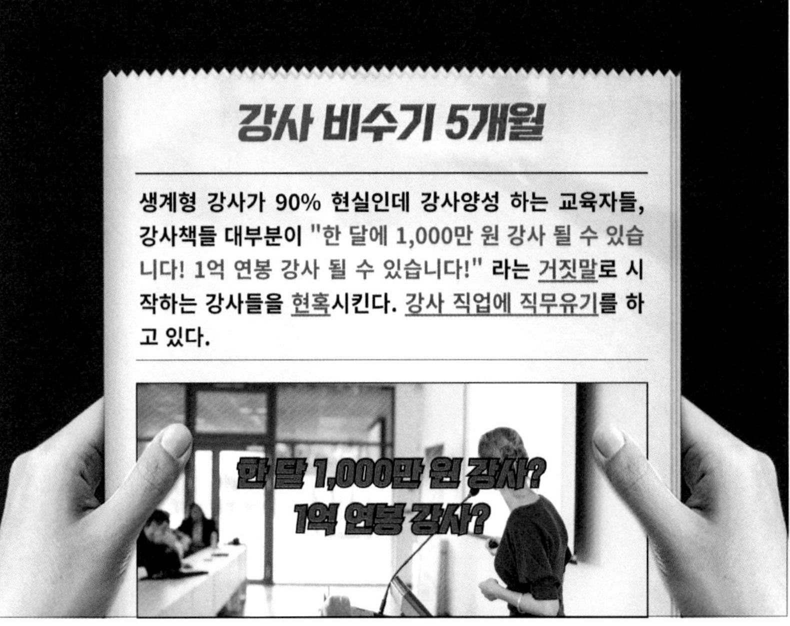
강사 비수기 5개월
생계형 강사가 90% 현실인데 강사양성 하는 교육자들, 강사책들 대부분이 "한 달에 1,000만 원 강사 될 수 있습니다! 1억 연봉 강사 될 수 있습니다!" 라는 거짓말로 시작하는 강사들을 현혹시킨다. 강사 직업에 직무유기를 하고 있다.
한 달 1,000만 원 강사?
1억 연봉 강사?

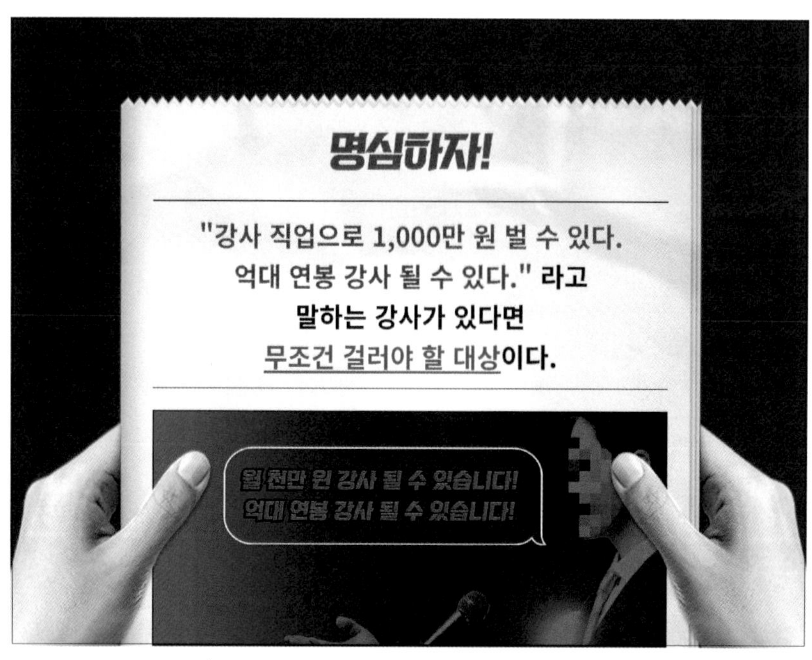
명심하자!
"강사 직업으로 1,000만 원 벌 수 있다.
억대 연봉 강사 될 수 있다." 라고
말하는 강사가 있다면
무조건 걸러야 할 대상이다.
월 천만 원 강사 될 수 있습니다!
억대 연봉 강사 될 수 있습니다!

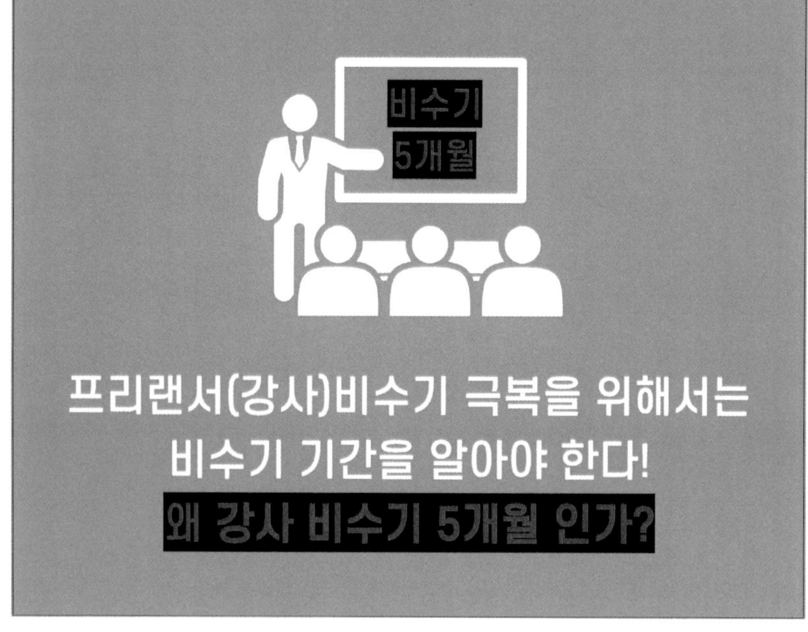
비수기
5개월
프리랜서(강사)비수기 극복을 위해서는
비수기 기간을 알아야 한다!
왜 강사 비수기 5개월 인가?

[강사 비수기 5개월]
여름 비수기 7월 초 ~ 8월 말
(여름 방학, 장마, 무더위)

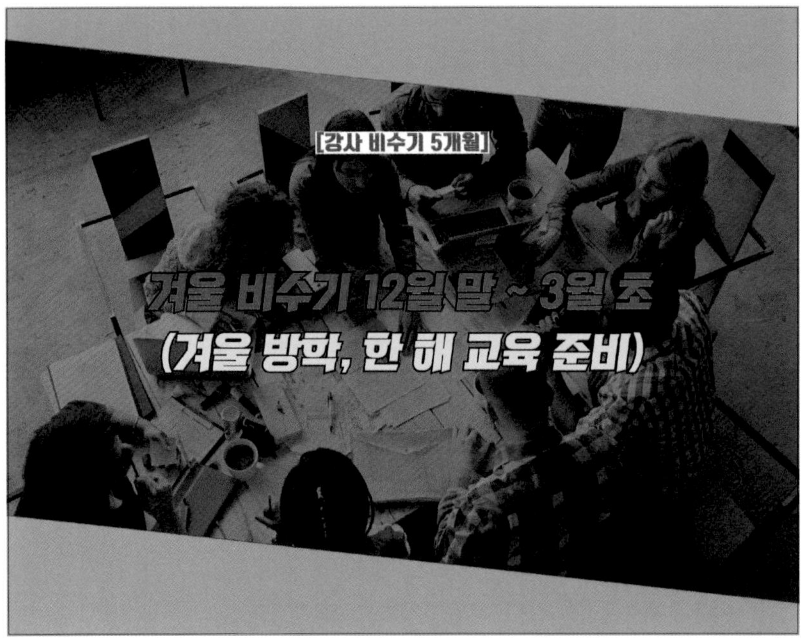
[강사 비수기 5개월]
겨울 비수기 12월 말 ~ 3월 초
(겨울 방학, 한 해 교육 준비)

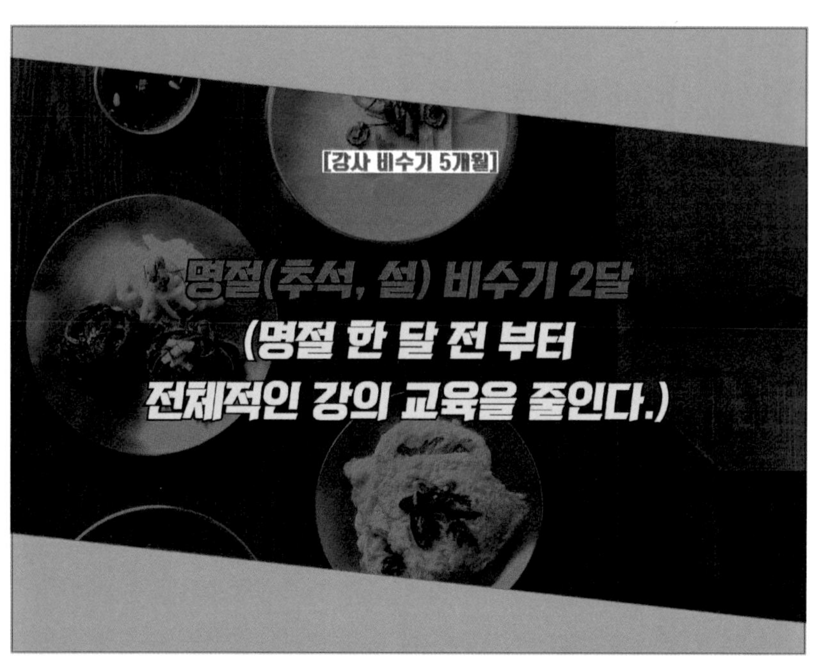
[강사 비수기 5개월]
명절(추석, 설) 비수기 2달
(명절 한 달 전 부터
전체적인 강의 교육을 줄인다.)

[강사 비수기 5개월]
국회의원 선거, 대통령 선거, 지방선거
(선거 한 달 전부터 교육을 줄인다.)

[강사 비수기 5개월]
마스크 상황이 발생했을 때
(무기한 비수기)

[강사 비수기 5개월]
표면적으로 알 수 있는
강사 비수기 기간이 5개월 이라는 것이다.

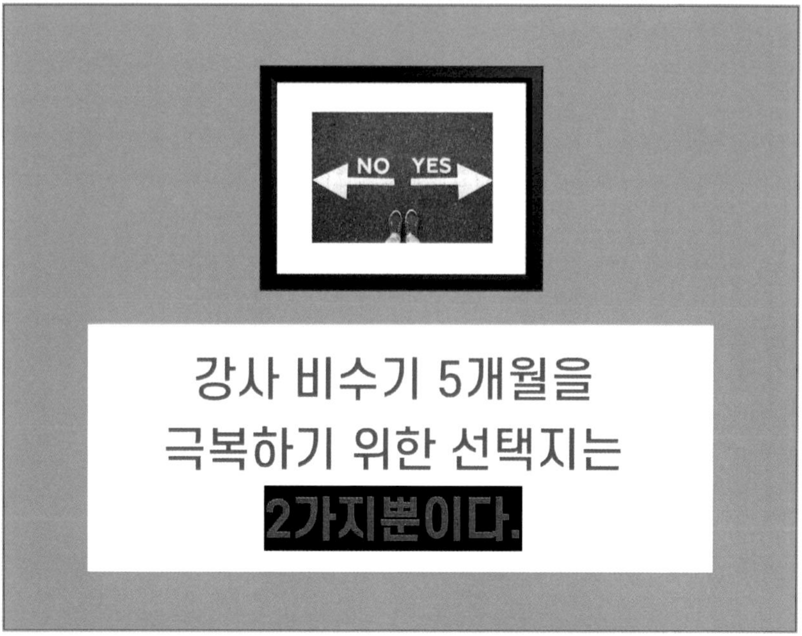

NO YES

강사 비수기 5개월을
극복하기 위한 선택지는
2가지뿐이다.

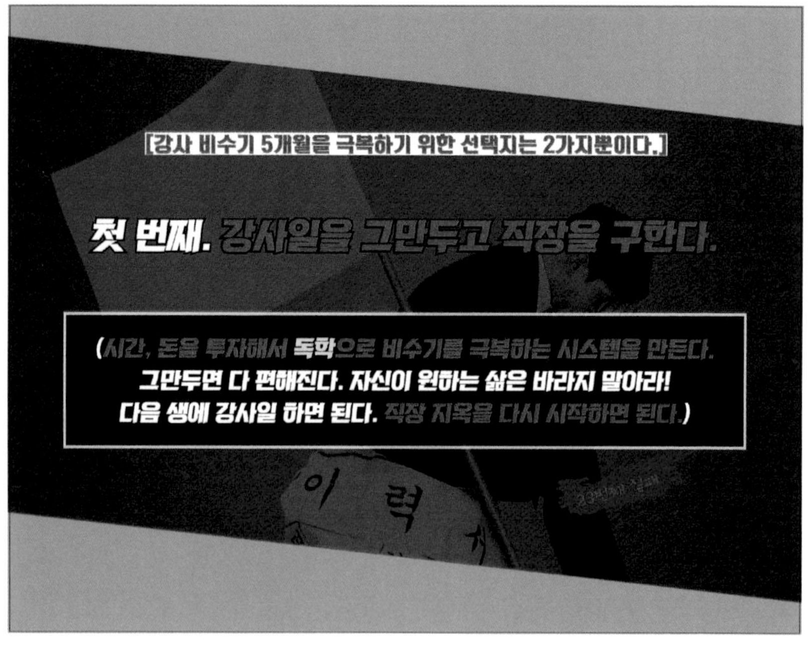

[강사 비수기 5개월을 극복하기 위한 선택지는 2가지뿐이다.]
첫 번째. 강사일을 그만두고 직장을 구한다.
(시간, 돈을 투자해서 독학으로 비수기를 극복하는 시스템을 만든다.
그만두면 다 편해진다. 자신이 원하는 삶은 바라지 말아라!
다음 생에 강사일 하면 된다. 직장 지옥을 다시 시작하면 된다.)
이력서

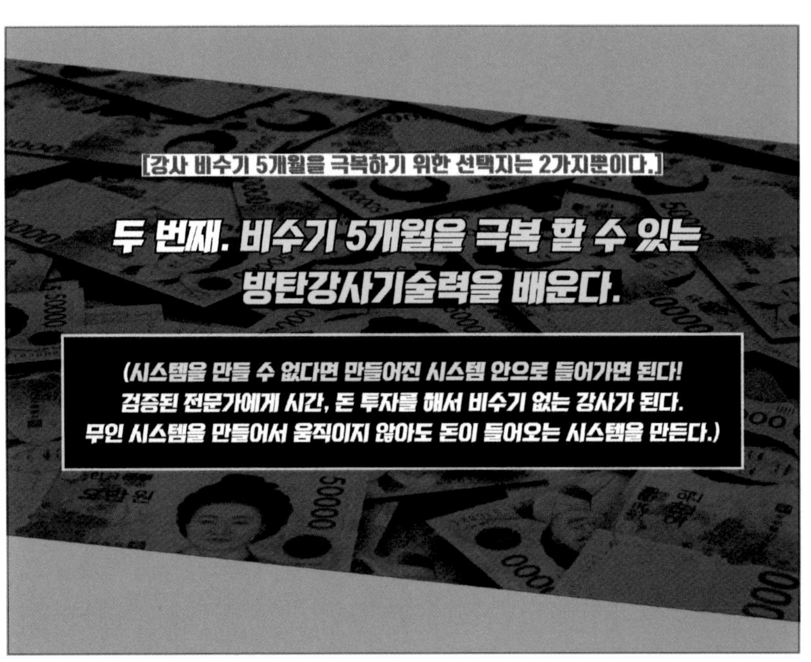
[강사 비수기 5개월을 극복하기 위한 선택지는 2가지뿐이다.]
두 번째. 비수기 5개월을 극복 할 수 있는
방탄강사기술력을 배운다.
(시스템을 만들 수 없다면 만들어진 시스템 안으로 들어가면 된다!
검증된 전문가에게 시간, 돈 투자를 해서 비수기 없는 강사가 된다.
무인 시스템을 만들어서 움직이지 않아도 돈이 들어오는 시스템을 만든다.)

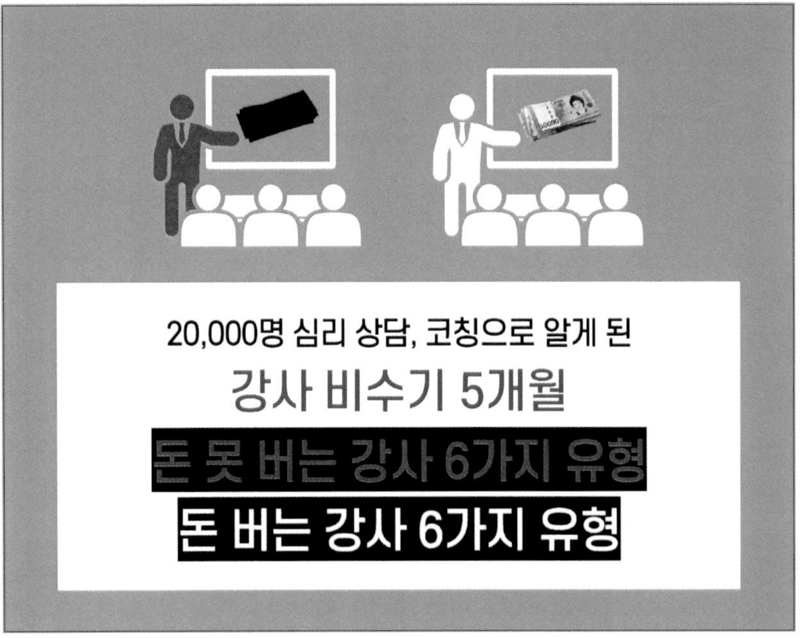
20,000명 심리 상담, 코칭으로 알게 된
강사 비수기 5개월
돈 못 버는 강사 6가지 유형
돈 버는 강사 6가지 유형

20,000명 심리 상담, 코칭으로 알게 된
강사 비수기 5개월 돈 못 버는 강사 6가지 유형

1. 강사 인맥 없음.
2. 강의 거래처 없음.
3. 강사 스펙 없음.
4. 강사료 10만 원 이하 강의만 하는 강사 (평균 10건 강의 중 80%가 10만 원 이하 강의를 하는 강사. 10건 중 8건 평균 강사료가 1시간에 10만 원 이라면 강사 몸값은 10만 원이 되는 것이다.)
5. 강의 경력이 10년, 20년이 되어도 강사료가 그대로인 강의를 하는 강사 (관공서 강의, 학교 강의, 복지관 강의, 의무 교육 강의...강사료가 100년이 지나도 고정되어 있는 강의 분야)
6. 온라인 콘텐츠, 디지털 콘텐츠 디자인 제작을 못하는 강사

#. 6가지 유형 중 한 가지라도 해당되면 돈을 벌 수 없다.

20,000명 심리 상담, 코칭으로 알게 된
강사 비수기 5개월 돈 버는 강사 6가지 유형

1. 강사 양성 교육 시스템(강사 교육, 코칭)이 있는 강사
2. 민간 자격증 교육 시스템(검증된 민간 자격증 발급 기관)이 있는강사
3. 단톡, 밴드, 카페, 모임방(100명 이상)을 운영하는 단체, 협회 장
4. 강사 에이전시(기업과 강사를 연결) 역할을 하는 단체, 협회 장
5. 강의 전문 분야로 온라인 콘텐츠 제작 (PPT 디자인, 영상 디자인, 홍보 디자인)을 할 수 있는 강사
6. 책, 디지털 콘텐츠 제작으로 무인 시스템을 만든 강사

#. 6가지 유형을 모두 하더라도 돈을 무조건 버는 것이 아니다. 극소수 강사만 돈을 번다.(0.1%)

지금까지 내용을 제대로 봤다면 무조건 이런 생각이 들 것이다.

"강사 비수기 5개월 돈 버는 강사 6가지 유형 중에는 하나도 해당이 안 되고 돈을 못 버는 강사 6가지 유형에는 해당되는 게 많은데... 강사일 접어야 되나? 강사 직업 앞이 깜깜하네. 강사일 너무 대충 했다. 강사 직업 보통이 아니다. 강사일 그래도 미련이 남았는데 지금부터라도 제대로 하고 싶은데 방법이 없나?"

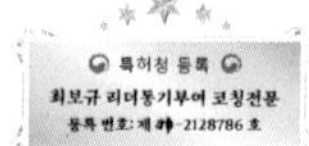

당신에 천재일우 시스템!
강사계의 스티브잡스!
강사계 혁신!

[천재일우(千載一遇): 천 년에 한 번 만난다는 뜻으로 좀처럼 만나기 어려운 기회]

Google 자기계발아마존 | YouTube 방탄자기계발 | NAVER 방탄강사기술력 | NAVER 최보규

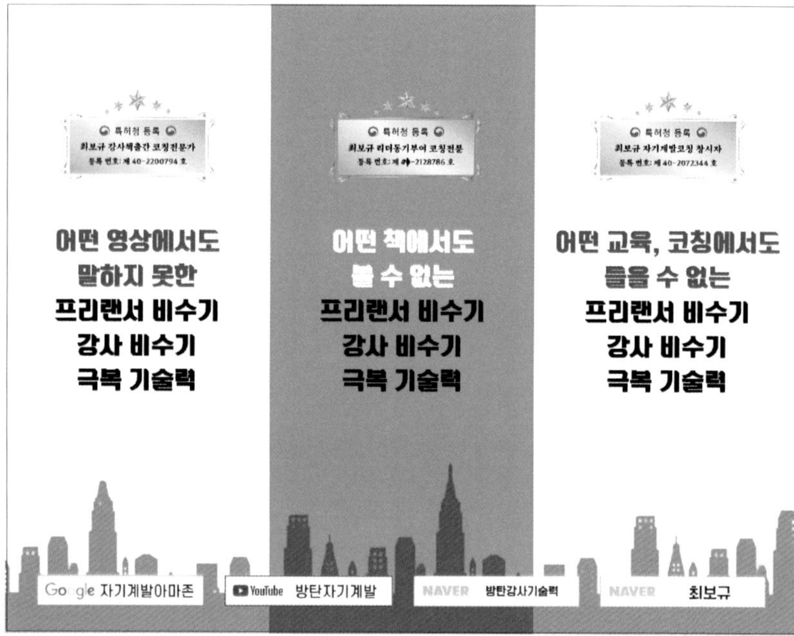

특허청 등록
최보규 강사책출간 코칭전문가
등록 번호: 제 40-2200794 호
특허청 등록
최보규 리더동기부여 코칭전문가
등록 번호: 제 40-2128786 호
특허청 등록
최보규 자기계발코칭 창시자
등록 번호: 제 40-2072344 호
특허청 등록으로 검증된 전문가
최보규 방탄강사기술력 창시자
방탄강사기술력
프리랜서, 강사라면 무조건
방탄강사기술력을 배워야 되는
25가지 이유!
Google 자기계발아마존
YouTube 방탄자기계발
NAVER 방탄강사기술력
NAVER 최보규

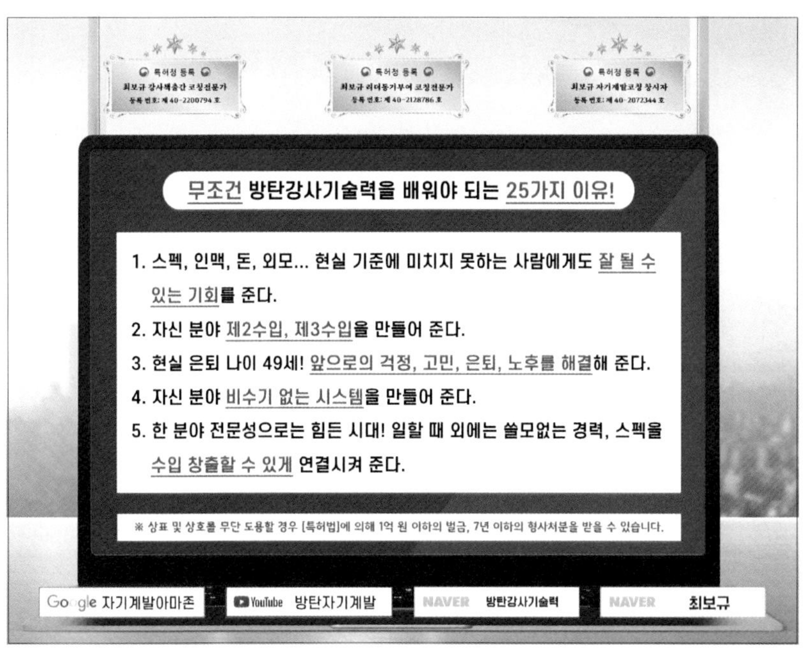
특허청 등록
최보규 강사책출간 코칭전문가
등록 번호: 제 40-2200794 호
특허청 등록
최보규 리더동기부여 코칭전문가
등록 번호: 제 40-2128786 호
특허청 등록
최보규 자기계발코칭 창시자
등록 번호: 제 40-2072344 호
무조건 방탄강사기술력을 배워야 되는 25가지 이유!
1. 스펙, 인맥, 돈, 외모... 현실 기준에 미치지 못하는 사람에게도 잘 될 수 있는 기회를 준다.
2. 자신 분야 제2수입, 제3수입을 만들어 준다.
3. 현실 은퇴 나이 49세! 앞으로의 걱정, 고민, 은퇴, 노후를 해결해 준다.
4. 자신 분야 비수기 없는 시스템을 만들어 준다.
5. 한 분야 전문성으로는 힘든 시대! 일할 때 외에는 쓸모없는 경력, 스펙을 수입 창출할 수 있게 연결시켜 준다.
※ 상표 및 상호를 무단 도용할 경우 [특허법]에 의해 1억 원 이하의 벌금, 7년 이하의 형사처분을 받을 수 있습니다.
Google 자기계발아마존
YouTube 방탄자기계발
NAVER 방탄강사기술력
NAVER 최보규

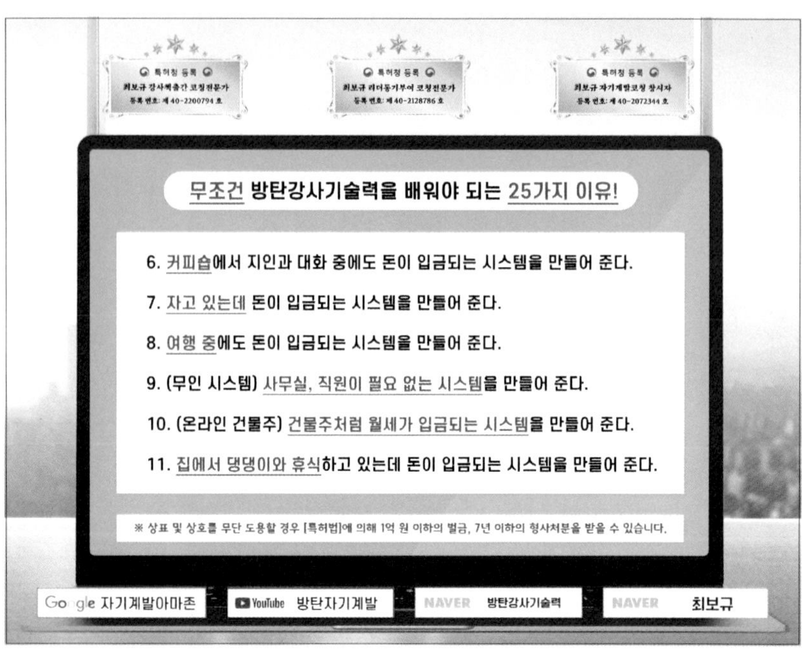
특허청 등록
최보규 강사책출간 코칭전문가
등록 번호: 제 40-2200794 호
특허청 등록
최보규 리더동기부여 코칭전문가
등록 번호: 제 40-2128786 호
특허청 등록
최보규 자기계발코칭 창시자
등록 번호: 제 40-2072344 호
무조건 방탄강사기술력을 배워야 되는 25가지 이유!
6. 커피숍에서 지인과 대화 중에도 돈이 입금되는 시스템을 만들어 준다.
7. 자고 있는데 돈이 입금되는 시스템을 만들어 준다.
8. 여행 중에도 돈이 입금되는 시스템을 만들어 준다.
9. (무인 시스템) 사무실, 직원이 필요 없는 시스템을 만들어 준다.
10. (온라인 건물주) 건물주처럼 월세가 입금되는 시스템을 만들어 준다.
11. 집에서 댕댕이와 휴식하고 있는데 돈이 입금되는 시스템을 만들어 준다.
※ 상표 및 상호를 무단 도용할 경우 [특허법]에 의해 1억 원 이하의 벌금, 7년 이하의 형사처분을 받을 수 있습니다.
Google 자기계발아마존
YouTube 방탄자기계발
NAVER 방탄강사기술력
NAVER 최보규

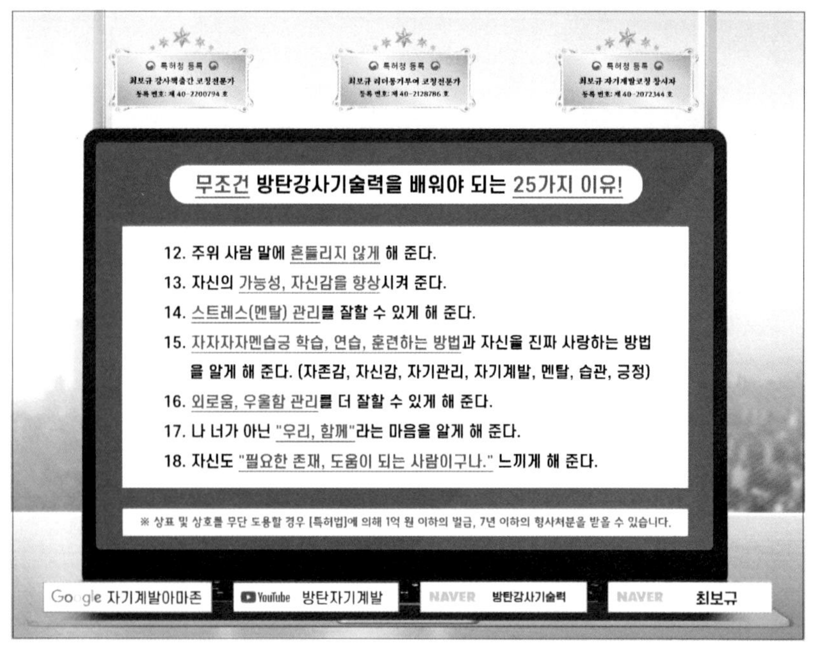
특허청 등록
최보규 강사책출간 코칭전문가
등록 번호: 제 40-2200794 호
특허청 등록
최보규 리더동기부여 코칭전문가
등록 번호: 제 40-2128786 호
특허청 등록
최보규 자기계발코칭 창시자
등록 번호: 제 40-2072344 호
무조건 방탄강사기술력을 배워야 되는 25가지 이유!
12. 주위 사람 말에 흔들리지 않게 해 준다.
13. 자신의 가능성, 자신감을 향상시켜 준다.
14. 스트레스(멘탈) 관리를 잘할 수 있게 해 준다.
15. 자자자자멘습긍 학습, 연습, 훈련하는 방법과 자신을 진짜 사랑하는 방법
을 알게 해 준다. (자존감, 자신감, 자기관리, 자기계발, 멘탈, 습관, 긍정)
16. 외로움, 우울함 관리를 더 잘할 수 있게 해 준다.
17. 나 너가 아닌 "우리, 함께"라는 마음을 알게 해 준다.
18. 자신도 "필요한 존재, 도움이 되는 사람이구나." 느끼게 해 준다.
※ 상표 및 상호를 무단 도용할 경우 [특허법]에 의해 1억 원 이하의 벌금, 7년 이하의 형사처분을 받을 수 있습니다.
Google 자기계발아마존
YouTube 방탄자기계발
NAVER 방탄강사기술력
NAVER 최보규

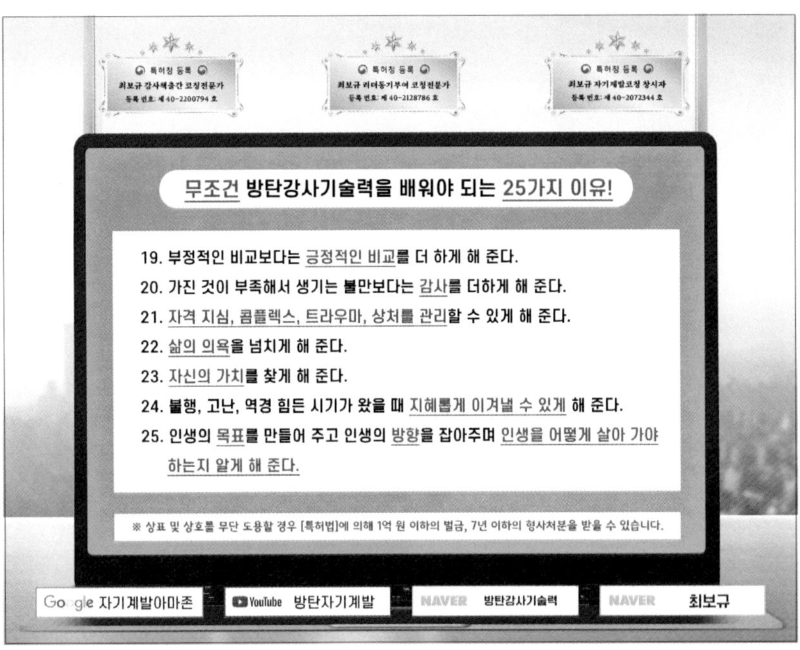
특허청 등록
최보규 강사책출간 코칭전문가
등록 번호: 제 40-2200794 호
특허청 등록
최보규 리더동기부여 코칭전문가
등록 번호: 제 40-2128786 호
특허청 등록
최보규 자기계발코칭 창시자
등록 번호: 제 40-2072344 호
무조건 방탄강사기술력을 배워야 되는 25가지 이유!
19. 부정적인 비교보다는 긍정적인 비교를 더 하게 해 준다.
20. 가진 것이 부족해서 생기는 불만보다는 감사를 더하게 해 준다.
21. 자격 지심, 콤플렉스, 트라우마, 상처를 관리할 수 있게 해 준다.
22. 삶의 의욕을 넘치게 해 준다.
23. 자신의 가치를 찾게 해 준다.
24. 불행, 고난, 역경 힘든 시기가 왔을 때 지혜롭게 이겨낼 수 있게 해 준다.
25. 인생의 목표를 만들어 주고 인생의 방향을 잡아주며 인생을 어떻게 살아 가야 하는지 알게 해 준다.
※ 상표 및 상호를 무단 도용할 경우 [특허법]에 의해 1억 원 이하의 벌금, 7년 이하의 형사처분을 받을 수 있습니다.
Google 자기계발아마존
YouTube 방탄자기계발
NAVER 방탄강사기술력
NAVER 최보규

특허청 등록
최보규 강사책출간 코칭전문가
등록 번호: 제 40-2200794 호
특허청 등록
최보규 리더동기부여 코칭전문가
등록 번호: 제 40-2128786 호
특허청 등록
최보규 자기계발코칭 창시자
등록 번호: 제 40-2072344 호
강사계의 스티브잡스!
강사계 혁신! 방탄강사기술력!
방탄강사기술력은 당신에게
천재일우!
[천재일우(千載一遇): 천 년에 한 번 만난다는 뜻으로
좀처럼 만나기 어려운 기회]
Google 자기계발아마존
YouTube 방탄자기계발
NAVER 방탄강사기술력
NAVER 최보규

방탄강사기술력을 무조건
배워야 되는 25가지 이유
강사는 누구나 한다. 다만
강사 비수기 5개월은 아무나 극복하지 못한다.
돈을 버는 강사! 돈을 못 버는 강사!
20,000명 심리 상담, 코칭으로
알게 된 강사 비수기 극복 방법!
세계 최초 오픈!
ONLY ONE
방탄강사
기술력

커피숍에서 지인과 대화 중에도 돈이 입금되는 시스템?

자고 있는데 돈을 버는 시스템?

여행 중에도 돈이 입금되는 시스템?

사무실, 직원이 필요 없는 시스템?

건물주처럼 월세가 입금되는 시스템?

집에서 댕댕이와 휴식하고 있는데 돈이 입금되는 시스템?

방탄강사기술력은
강사 비수기 극복, 수입 창출만 하는 기술력이 아니다.
"당신은 제가 좋은 사람이 되고 싶도록 만들어요." 말을 들을 수 있는 강사 인재를 양성하는 기술력이다!

Google 자기계발아마존 | YouTube 방탄자기계발 | NAVER 방탄강사기술력 | NAVER 최보규

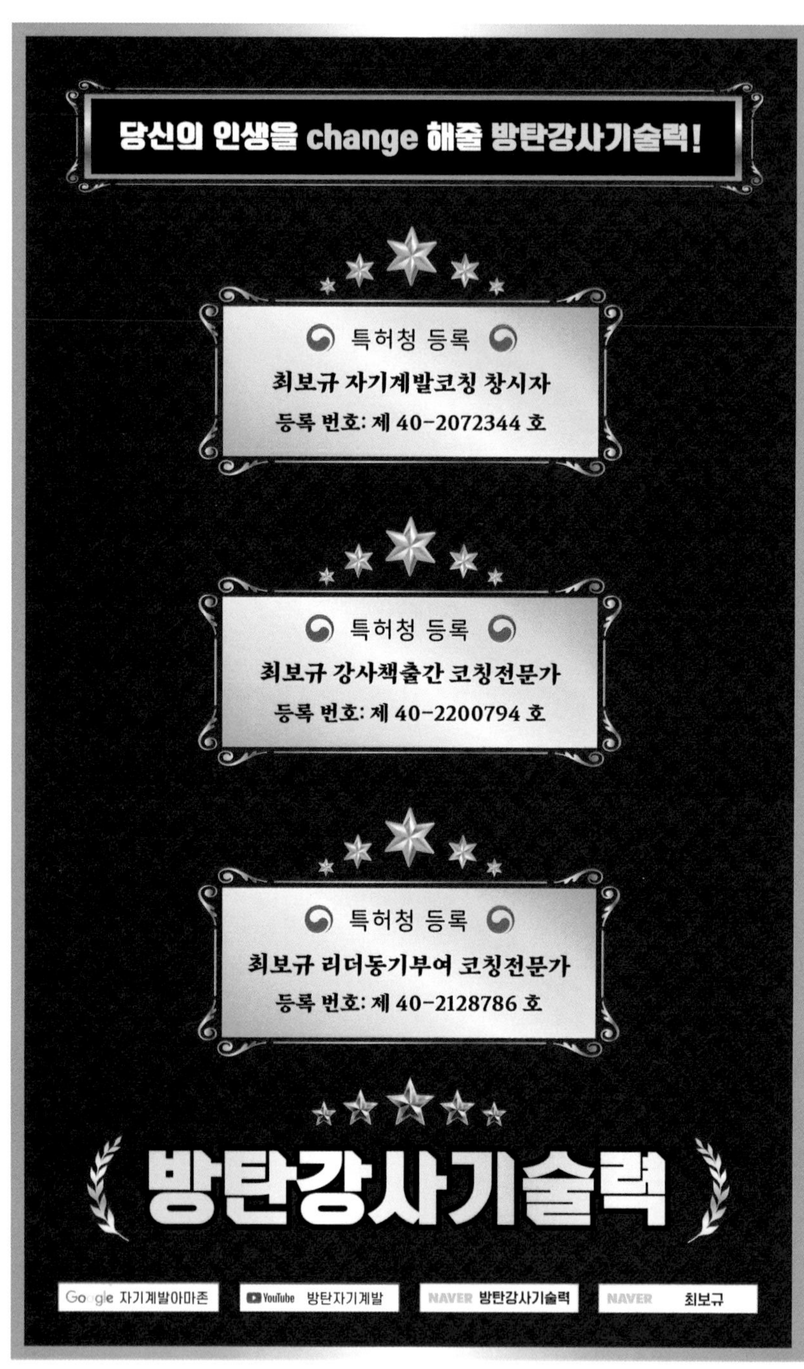
당신의 인생을 change 해줄 방탄강사기술력!
특허청 등록
최보규 자기계발코칭 창시자
등록 번호: 제 40-2072344 호
특허청 등록
최보규 강사책출간 코칭전문가
등록 번호: 제 40-2200794 호
특허청 등록
최보규 리더동기부여 코칭전문가
등록 번호: 제 40-2128786 호
방탄강사기술력
Google 자기계발아마존
YouTube 방탄자기계발
NAVER 방탄강사기술력
NAVER 최보규

평균 희망 은퇴 73세, 현실 은퇴 나이 49세!
100세 시대 언제까지 몸(노동)으로만
일해서 돈을 벌 것인가?

세상, 현실 기준에서 스펙, 돈, 인맥, 자산 등이 없어서 100세까지 노동을 해야 되고 몸까지 아프면 더 답이 없는 상황! 젊을 때는 100가지 중 99가지를 할 수 있지만 나이 들면 100가지 중 99가지를 할 수 없다. 3고 시대, AI 시대, 챗GPT 시대에 자신의 직업이 사라 질 수 있는 상황에서 어떻게 준비, 대비할 것인가?

방탄강사기술력
선택이 아닌 필수!

기업들 희망퇴직 만 40세부터... 희망퇴직 나이 73세이고 대한민국 현실 은퇴 나이 49세! 20대 은퇴 예정자? 30대 은퇴 확정자? 40대 은퇴 위험군?

노벨상 받은 사람, 하버드 대학교 교수, 은퇴 전문가, 노후 전문가들 1,000명 이면 1,000명이 말하는 것은 최고의 은퇴 준비, 노후 준비는 100세까지 현역을 하는 것이다. 왜 가지고 있는 경력을 썩히고 있는가? 쌓은 경력은 사직, 퇴직, 은퇴... 하면 인정해 주지 않는 현실 속에서 쌓은 경력으로 100세까지 지속할 수 있는 JOB이 있다면? 나이 제한 없이 할 수 있는 JOB이 있다면?

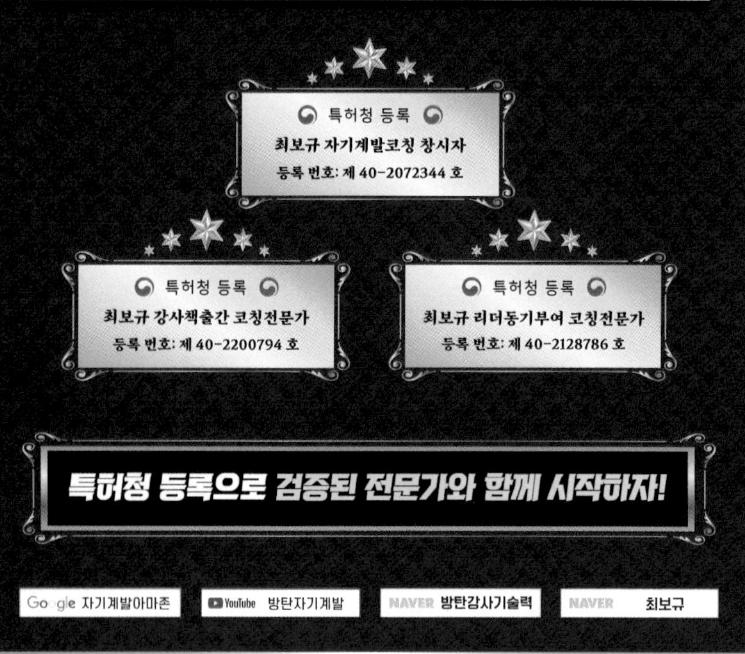

한 분야 전문성으로 힘든 시대다. 이제는 포트폴리오 커리어 시대다. (포트폴리오 커리어: 한 분야 전문성 외 다수에 전문성이 있는 사람) 자신 경력을 왜 썩히고 있는가! 자신 경력을 활용해서 6가지 수입을 발생시킬 수 있는 방탄강사기술력! 언제까지 몸(노동)으로 일할 것인가? 자신 경력이 일하게 하자! 자신 콘텐츠가 일하게 하자! 시스템이 일하게 하자!

직장은 자신 인생을 책임져 주지 않지만
방탄강사기술력은 자신 인생을 책임져 준다.
직장은 자신을 배신하지만
방탄강기술력은 자신을 배신하지 않는다.

Google 자기계발아마존 | YouTube 방탄자기계발 | NAVER 방탄강사기술력 | NAVER 최보규

방탄자기계발사관학교
www.방탄자기계발사관학교.com
최보규 대표
상담, 코칭, 강의, 컨설팅 문의
010-6578-8295
특허청 등록
최보규 자기계발코칭 창시자
등록 번호: 제 40-2072344 호
특허청 등록
최보규 강사책출간 코칭전문가
등록 번호: 제 40-2200794 호
특허청 등록
최보규 리더동기부여 코칭전문가
등록 번호: 제 40-2128786 호
지금처럼 하면 진짜 큰일 난다.
정신 바짝 차리자!
자신을 못 믿겠으면 자신을 믿어주는
특허청 등록으로 검증된
최보규 코칭전문가를 믿고 시작하자!
Google 자기계발아마존
YouTube 방탄자기계발
NAVER 방탄자기계발사관학교
NAVER 최보규

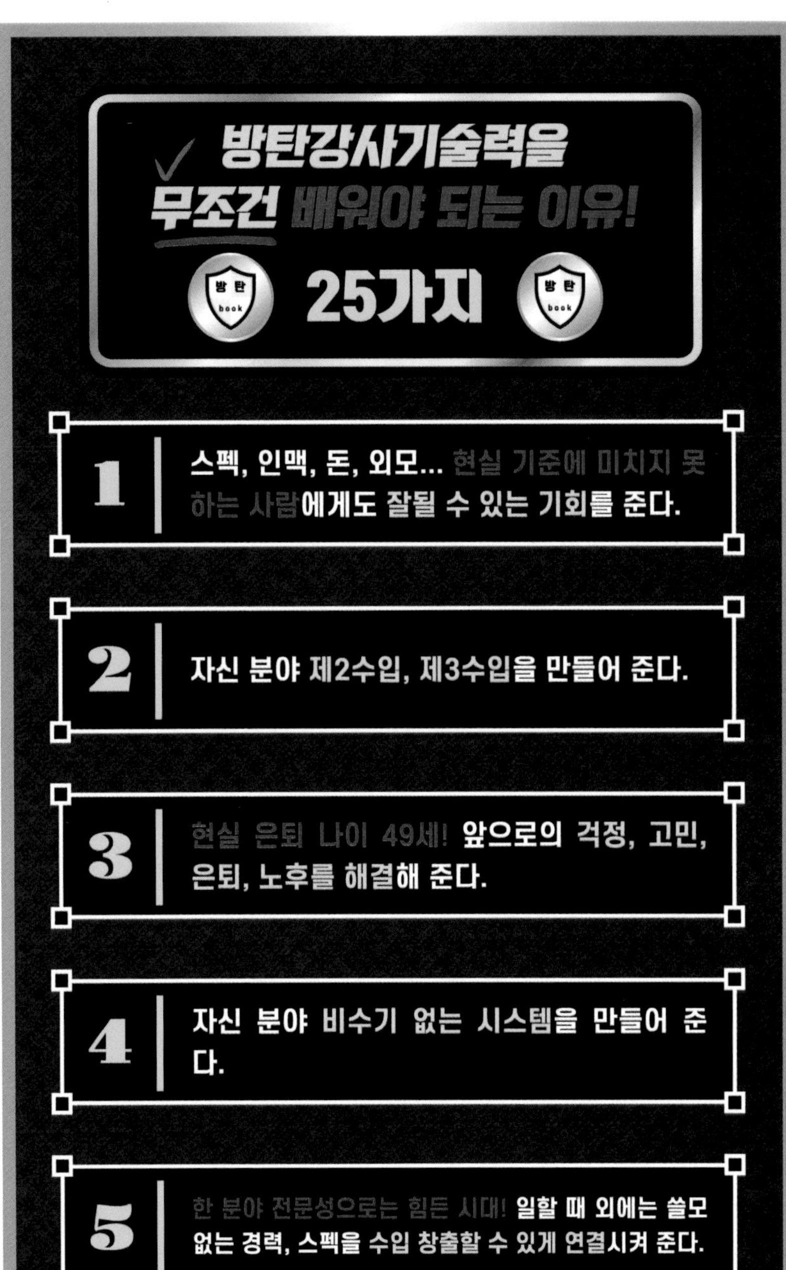
방탄강사기술력을
무조건 배워야 되는 이유!
방탄 book
25가지
방탄 book
1
스펙, 인맥, 돈, 외모... 현실 기준에 미치지 못하는 사람에게도 잘될 수 있는 기회를 준다.
2
자신 분야 제2수입, 제3수입을 만들어 준다.
3
현실 은퇴 나이 49세! 앞으로의 걱정, 고민, 은퇴, 노후를 해결해 준다.
4
자신 분야 비수기 없는 시스템을 만들어 준다.
5
한 분야 전문성으로는 힘든 시대! 일할 때 외에는 쓸모없는 경력, 스펙을 수입 창출할 수 있게 연결시켜 준다.

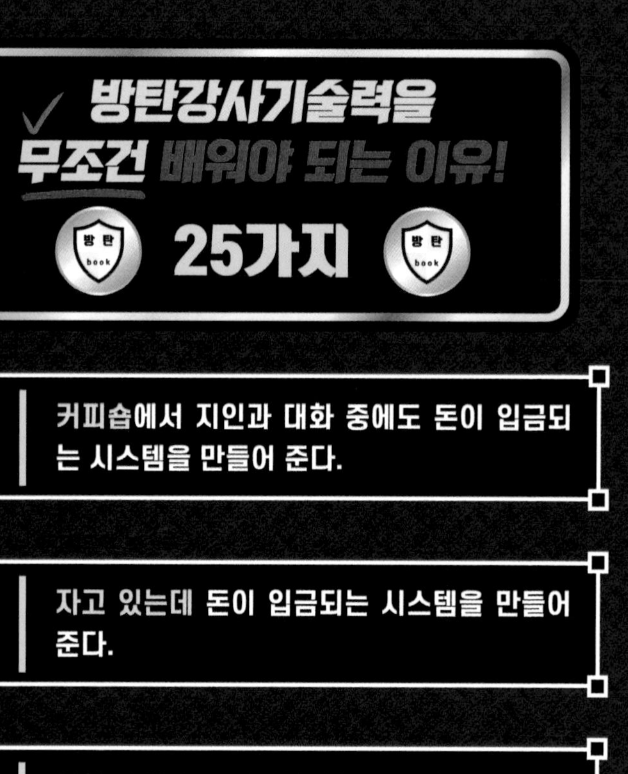

6 커피숍에서 지인과 대화 중에도 돈이 입금되는 시스템을 만들어 준다.

7 자고 있는데 돈이 입금되는 시스템을 만들어 준다.

8 여행 중에도 돈이 입금되는 시스템을 만들어 준다.

9 (무인 시스템) 사무실, 직원이 필요 없는 시스템을 만들어 준다.

10 (온라인 건물주) 건물주처럼 월세가 입금되는 시스템을 만들어 준다.

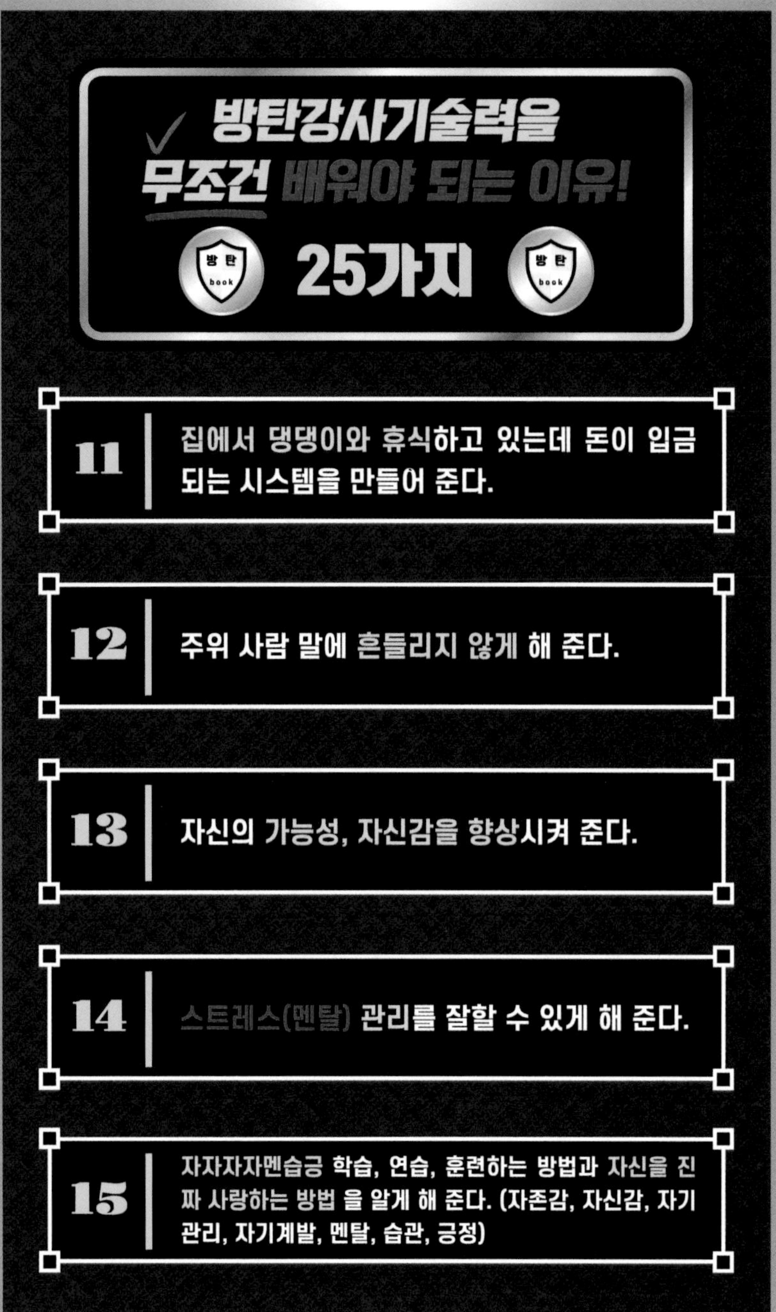
방탄강사기술력을
무조건 배워야 되는 이유!
방탄 book
25가지
방탄 book
11
집에서 댕댕이와 휴식하고 있는데 돈이 입금되는 시스템을 만들어 준다.
12
주위 사람 말에 흔들리지 않게 해 준다.
13
자신의 가능성, 자신감을 향상시켜 준다.
14
스트레스(멘탈) 관리를 잘할 수 있게 해 준다.
15
자자자자멘습긍 학습, 연습, 훈련하는 방법과 자신을 진짜 사랑하는 방법 을 알게 해 준다. (자존감, 자신감, 자기관리, 자기계발, 멘탈, 습관, 긍정)

방탄강사기술력을 무조건 배워야 되는 이유! 25가지

16 외로움, 우울함 관리를 더 잘할 수 있게 해 준다.

17 나 너가 아닌 "우리, 함께"라는 마음을 알게 해 준다.

18 자신도 "필요한 존재, 도움이 되는 사람이구나." 느끼게 해 준다.

19 부정적인 비교보다는 긍정적인 비교를 더 하게 해 준다.

20 가진 것이 부족해서 생기는 불만보다는 감사를 더하게 해 준다.

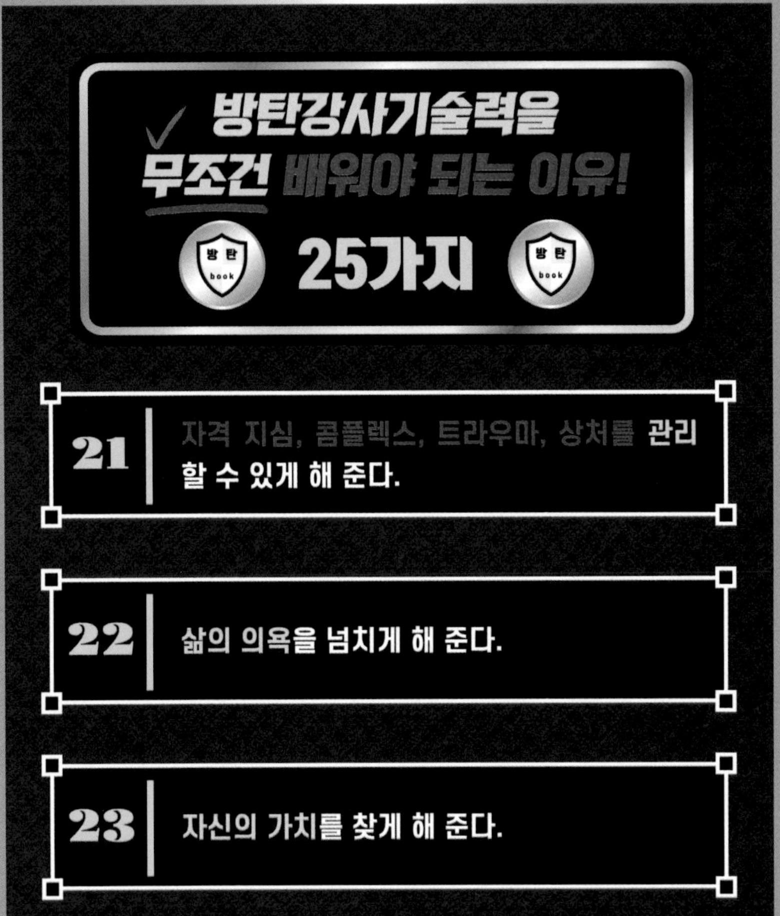
방탄강사기술력을
무조건 배워야 되는 이유!
방탄 book
25가지
방탄 book
21
자격 지심, 콤플렉스, 트라우마, 상처를 관리할 수 있게 해 준다.
22
삶의 의욕을 넘치게 해 준다.
23
자신의 가치를 찾게 해 준다.
24
불행, 고난, 역경 힘든 시기가 왔을 때 지혜롭게 이겨낼 수 있게 해 준다.
25
인생의 목표를 만들어 주고 인생의 방향을 잡아주며 인생을 어떻게 살아 가야 하는지 알게 해 준다.

교육 담당자, 청중들이
바라는 강사, 강의, 코칭
강사는 누구나 한다. 다만
강사 비수기 5개월은 아무나 극복하지 못한다.
돈을 버는 강사! 돈을 못 버는 강사!
20,000명 심리 상담, 코칭으로
알게 된 강사 비수기 극복 방법!
세계 최초 오픈!
ONLY ONE
방탄강사
기술력

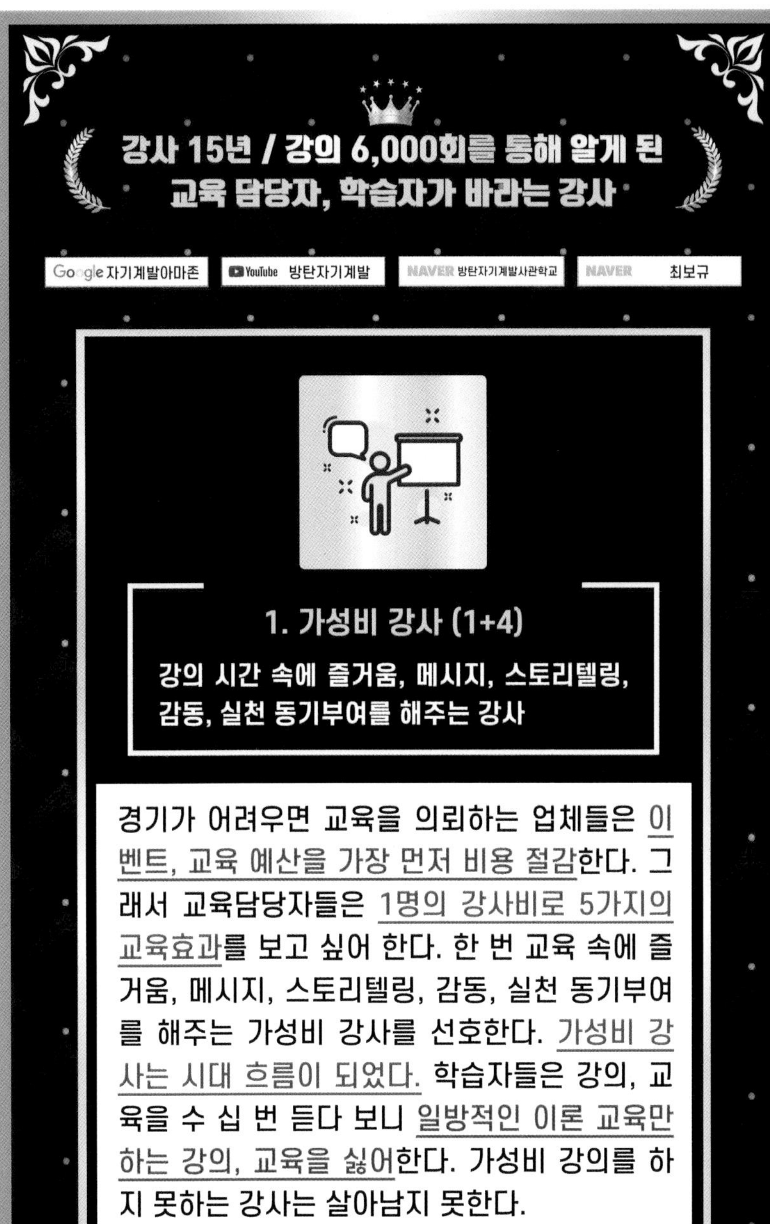
강사 15년 / 강의 6,000회를 통해 알게 된
교육 담당자, 학습자가 바라는 강사
Google 자기계발아마존
YouTube 방탄자기계발
NAVER 방탄자기계발사관학교
NAVER 최보규
1. 가성비 강사 (1+4)
강의 시간 속에 즐거움, 메시지, 스토리텔링,
감동, 실천 동기부여를 해주는 강사
경기가 어려우면 교육을 의뢰하는 업체들은 이벤트, 교육 예산을 가장 먼저 비용 절감한다. 그래서 교육담당자들은 1명의 강사비로 5가지의 교육효과를 보고 싶어 한다. 한 번 교육 속에 즐거움, 메시지, 스토리텔링, 감동, 실천 동기부여를 해주는 가성비 강사를 선호한다. 가성비 강사는 시대 흐름이 되었다. 학습자들은 강의, 교육을 수 십 번 듣다 보니 일방적인 이론 교육만 하는 강의, 교육을 싫어한다. 가성비 강의를 하지 못하는 강사는 살아남지 못한다.

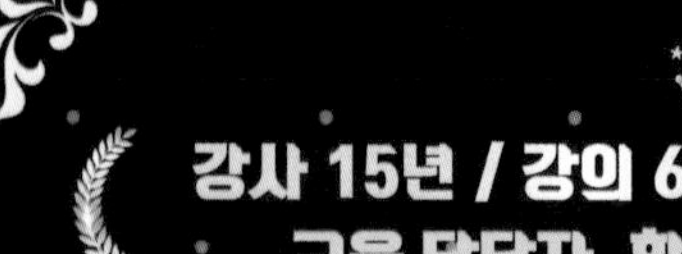

강사 15년 / 강의 6,000회를 통해 알게 된 교육 담당자, 학습자가 바라는 강사

Google 자기계발아마존 | YouTube 방탄자기계발 | NAVER 방탄자기계발사관학교 | NAVER 최보규

2. 스펙, 강사료 값어치를하는 강사

지금까지 들었던 강사와 다른 내공, 가치, 값어치가 다르게 느껴지는 강사

프로필에 있는 스펙은 1시간에 100만 원 강사비를 받는 자격은 되는데 강의 내용이 10만 원 강사보다 못한 강의를 하는 강사들이 많다. 한마디로 스펙, 강사료 값어치를 못 하는 강사가 많다는 것이다. 학습자가 강의를 들었을 때 "이런 강의는 나도 하겠다. 뻔한 강의, 차별화가 없는 강의, 신선함이 없는 강의, 강의 듣는 시간에 잠이나 자는 게 낫겠다. 이런 내용으로 하는 강의라면 강사 개나 소나 다하겠다."라는 마음을 들게 하면 최악의 강사다.

강사 15년 / 강의 6,000회를 통해 알게 된
교육 담당자, 학습자가 바라는 강사

Google 자기계발아마존 | YouTube 방탄자기계발 | NAVER 방탄자기계발사관학교 | NAVER 최보규

2. 스펙, 강사료 값어치를하는 강사

지금까지 들었던 강사와 다른 내공, 가치, 값어치가 다르게 느껴지는 강사

학습자가 강의를 들었을 때 "전에 비슷한 강의 수십 번 들었지만 이강사는 다르다. 프로필에 나온 스펙, 타이틀 값어치를 하는 강사다. 다시 듣고 싶게 하는 강의 내용이다. 강의 내용이 너무 좋아서 강사료를 더 챙겨 주고 싶게 만든다. 학습자를 사랑하는 마음이 느껴지는 강의다. 이런 강의는 10시간도 듣고 싶다."라는 마음을 들게 하는 강사가 가성비 강사이고 스펙, 강사료 값어치를 하는 강사이다. 강사가 스펙 값, 타이틀값, 경력 값을 하는 건 당연한 것이다.

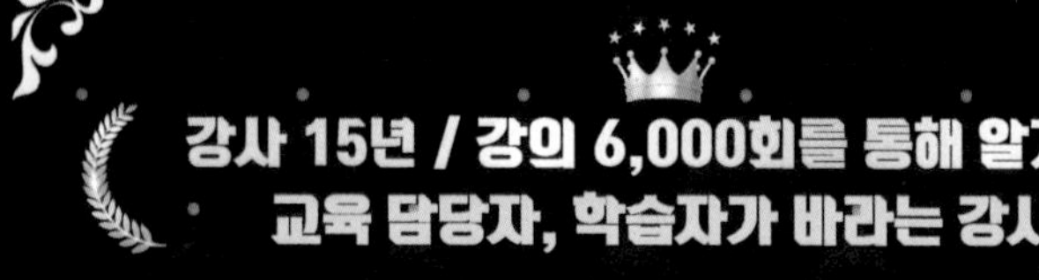

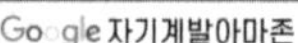

YouTube 방탄자기계발 | NAVER 방탄자기계발사관학교 | NAVER 최보규

3. 실천할 수 있는 강의 사용 설명서를 주는 강사

강의 때 배운 것들 강의 끝난 후 활용할 수 있는 사용 설명서(도구)를 주는 강사

20,000명 심리 상담, 코칭 하면서 알게 된 것은 사람의 심리는 1시간 교육, 강의를 듣더라도 90%는 잊어버리고 10%만 기억을 한다. 10%를 기억하는 사람들 중에 실천하는 사람은 0.1%도 되지 않는다. 아무리 강의, 교육이 좋아도 기억이 나지 않는데 어떻게 생활 속에서 실천을 하겠는가? 돌아서면 다 잊어버리기 때문에 교육, 강의가 끝난 후에도 실천할 수 있는 매개체를 주어야 한다. 눈에 보여야 실천 확률이 높기에 시각적인 실천 동기부여 도구를 주어야 한다. 학습자들이 가장 바라는 것은 교육, 강의가 끝난 후에도 생활 속에서 실천 할 수 있게 해주는 것이다.

강사 15년 / 강의 6,000회를 통해 알게 된
교육 담당자, 학습자가 바라는 강사

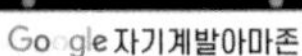

YouTube 방탄자기계발 | NAVER 방탄자기계발사관학교 | NAVER 최보규

1. 가성비 강사 (1+4)

강의 시간 속에 즐거움, 메시지, 스토리텔링, 감동, 실천 동기부여를 해주는 강사

2. 스펙, 강사료 값어치를하는 강사

지금까지 들었던 강사와 다른 내공, 가치, 값어치가 다르게 느껴지는 강사

3. 실천할 수 있는 강의 사용 설명서를 주는 강사

강의 때 배운 것들 강의 끝난 후 활용할 수 있는 사용 설명서(도구)를 주는 강사

최보규 강사의 차별화 강의가 아닌 초월 강사

Google 자기계발아마존 | YouTube 방탄자기계발 | NAVER 방탄자기계발사관학교 | NAVER 최보규

1. 가성비 강사가 되기 위해 강사 15년간 2,000권 독서 / 7,000개 메모 / 자기계발서 150권 출간을 통한 메시지, 스토리텔링 강의.

2. 학습자가 봤을 때 "이런 강의는 나도 하겠다."라는 말을 듣지 않고 쓰리 값(나이값, 스펙값, 강사료값)어치를 하기 위해서 **강사 11계 명 실천**으로 80억 분의 1 검증된 전문가다운 강의를 하는 강사.

3. 교육, 강의가 끝난 후에 생활 속에서 실천 동기부여를 할 수 있는 **도구, 사용 설명서**(강사 사비 제작)를 통해 변화, 성장할 수 있게 해주는 강사.

20,000명 심리 상담, 코칭을 통해 알게 된
일반인, 강사, 리더, CEO, 은퇴자, 프리랜서가 바라는 코칭 전문가

Google 자기계발아마존 | YouTube 방탄자기계발 | NAVER 방탄자기계발사관학교 | NAVER 최보규

1. 가성비 코칭

변화, 성장, 자신 분야 연결을 통해 제2수입, 제3수입 까지 발생시킬 수 있는 코칭

대부분 사람들이 자신 분야 스펙, 경력과 무관한 새로운 분야 코칭을 받고 새로운 분야를 만들려고 한다. 그러다 보니 힘들고 어려운 것이다. 자신 분야 스펙, 경력과 연결시킬 수 있는 분야 코칭을 받는다면 좀 더 수월할 것이다. 지금 시대는 한 분야 전문성으로는 힘든 시대이기에 자신 분야 스펙, 경력을 살려서 수입을 창출할 수 있는 방법이 아닌 기술력을 배울 수 있는 가성비 코칭을 원한다. 방법을 배우면 3개월 밖에 안가지만 기술력을 배우면 100년 간다.

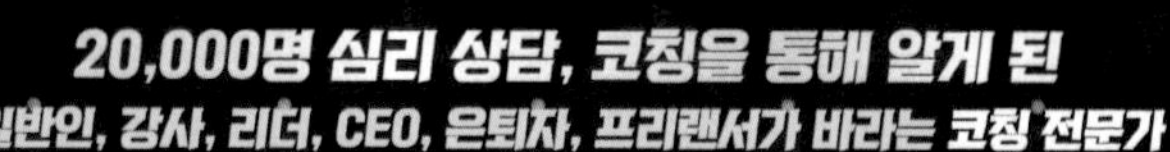

Google 자기계발아마존 | YouTube 방탄자기계발 | NAVER 방탄자기계발사관학교 | NAVER 최보규

2. 시간, 돈 낭비를 하지 않는 코칭

검증이 되지 않는 코칭에 속아 시간과 돈 낭비를 줄여서 빠른 수입 창출 코칭

방탄book기술력 코칭을 하다 보면 대부분 사람들이 처음 코칭 받는 사람은 드물고 여러 번 코칭을 받으면서 시간, 돈 낭비를 하고 난 뒤에 방탄book기술력 코칭을 받는다. 여러 코칭을 받으면서 수백만 원 ~ 수 천만 원을 투자했는데도 제대로 수입을 창출하지 못했다고 하소연하는 사람들이 많다. 속된 말로 혹하는 말에 속아 시간, 돈 낭비를 했다는 것이다. 지금 시대 검증 안된 전문가(사기꾼)들이 너무 많다. 시간, 돈 낭비를 줄이기 위해서는 표면적으로 검증할 수 있는 검증된 전문가인지, 시스템이 있는지 확인을 해야 한다. 예시) 박사, 10권 이상 전문 서적, 특허청 등록…등

20,000명 심리 상담, 코칭을 통해 알게 된
일반인, 강사, 리더, CEO, 은퇴자, 프리랜서가 바라는 코칭 전문가

Google 자기계발아마존 | YouTube 방탄자기계발 | NAVER 방탄자기계발사관학교 | NAVER 최보규

3. 코칭, PT 받은 후 A/S, 피드백, 관리를 해주는 코칭

혼자 스스로 할 수 있을 때까지, 자리 잡을 때까지 멘토가 되어 주는 코칭

코칭 받기 전에는 속된 말로 간, 쓸개 다 빼준다는 말로 혹하게 하여 교육, 코칭을 듣게 한다. 교육, 코칭 끝나면 혼자서 알아서 하라는 식으로 나 몰라 한다. 이런 교육, 코칭이 90%이다. 당연히 교육, 코칭의 기본 전제는 자신이 배운 것을 토대로 스스로 끊임없이 학습, 연습, 훈련을 해야 하지만 스스로 혼자 할 수 있을 때까지는 어느 정도 전문가의 케어가 필요한데 안타깝게도 현실은 그렇지 않다. 교육, 코칭 받을 때는 언제든지 전화하면 피드백 해준다는 말을 하면서 정작 전화하면 안 받거나 피한다. 방탄book기술력 교육, 코칭 받는 사람들 100%가 놀라는 것이 150년 a/s, 피드백, 관리에 놀란다. 자립할 때까지 케어해주고 인연이 되어 준다.

20,000명 심리 상담, 코칭을 통해 알게 된
일반인, 강사, 리더, CEO, 은퇴자, 프리랜서가 바라는 코칭 전문가

Google 자기계발아마존 | YouTube 방탄자기계발 | NAVER 방탄자기계발사관학교 | NAVER 최보규

1. 가성비 코칭

변화, 성장, 자신 분야 연결을 통해 제2수입, 제3수입 까지 발생시킬 수 있는 코칭

2. 시간, 돈 낭비를 하지 않는 코칭

검증이 되지 않는 코칭에 속아 시간과 돈 낭비를 줄여서 빠른 수입 창출 코칭

3. 코칭, PT 받은 후
A/S, 피드백, 관리를 해주는 코칭

혼자 스스로 할 수 있을 때까지, 자리 잡을 때까지 멘토가 되어 주는 코칭

최보규 전문가의 차별화 코칭(PT)이 아닌 초월 코칭(PT)

Google 자기계발아마존 | YouTube 방탄자기계발 | NAVER 방탄자기계발사관학교 | NAVER 최보규

1. 가성비 코칭을 해주기 위해서 자신 분야와 6가지 수입 창출하는 방법을 연결시킬 수 있는 기술력을 체계적으로 교육하는 코칭.

2. 특허청 등록: 제 40-2072344 호 [최보규 자기계발코칭 창시자] 매뉴얼, 시스템이 검증된 전문가로서 시간과 돈 낭비를 줄여주는 코칭.

3. 청출어람 사명감으로 150년 A/S, 피드백, 관리를 해준다는 우주 최강 책임감으로 멘토가 되어주는 코칭.

방탄강사기술력 창시자
소개
강사는 누구나 한다. 다만
강사 비수기 5개월은 아무나 극복하지 못한다.
돈을 버는 강사! 돈을 못 버는 강사!
20,000명 심리 상담, 코칭으로
알게 된 강사 비수기 극복 방법!
세계 최초 오픈!
ONLY ONE
방탄강사
기술력

ONLY ONE
"80억 분의 1 검증된 전문가"
특허청 등록
최보규 자기계발코칭 창시자
등록 번호: 제 40-2072344 호
특허청 등록
최보규 강사책출간 코칭전문가
등록 번호: 제 40-2200794 호
특허청 등록
최보규 리더동기부여 코칭전문가
등록 번호: 제 40-2128786 호
대한민국 강사 섭외 NO1 '강사야'
'강사야' "대표 일타 강사 최보규"
GANGSAYA 강사섭외
최보규
로그인 회원가입
최보규강사
특허청 등록으로 검증된 강사!
방탄 동기부여/리더십/자기계발
동기부여/리더십/자기계발 업데이트!
저서 100권의 내공을 통한 세계 최초 1+4를 주는 가성비 강사!
(강의메세지+즐거움+스토리텔링+실천 사용 설명서 제공)
Google 자기계발아마존
YouTube 방탄자기계발
NAVER 강사야
NAVER 최보규

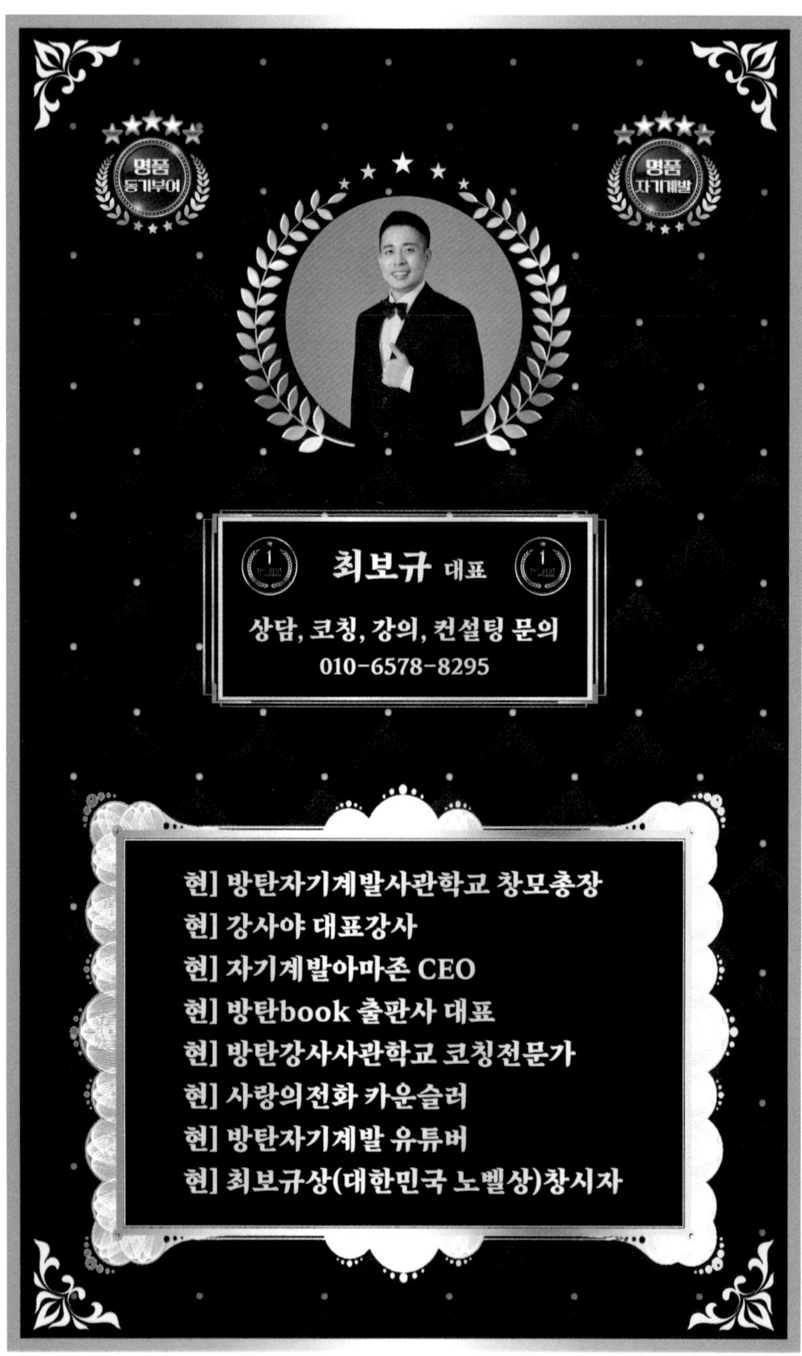
명품
동기부여
명품
자기계발
최보규 대표
상담, 코칭, 강의, 컨설팅 문의
010-6578-8295
현] 방탄자기계발사관학교 창모총장
현] 강사야 대표강사
현] 자기계발아마존 CEO
현] 방탄book 출판사 대표
현] 방탄강사사관학교 코칭전문가
현] 사랑의전화 카운슬러
현] 방탄자기계발 유튜버
현] 최보규상(대한민국 노벨상)창시자

방 탄
book 기술력
전문가
명품
동기부여
명품
자기계발
책150권 출간
상담 17,000회
코칭 13,000회
강의 경력 6,200회
Google 자기계발아마존
YouTube 방탄자기계발
NAVER 방탄자기계발사관학교
NAVER 최보규
최보규
네이버 인물정보 등록 34만 명! (2016년 기준)
대한민국 1% 미만 "네이버 명예의 전당" 인물정보 등록!
전체
프로필
최근활동
도서
프로필
소속 방탄자기계발사관학교/방탄북(BOOK)출판사(대표)
수상 2016년 제1회 세계를 빛낸 천사상 대상
경력 방탄자기계발사관학교/방탄북(BOOK)출판사 대표
방탄자기계발사관학교 대표
2012.05~2016.06 사랑의전화 전화상담 자원봉사자
2014.11 행복사관학교 대표
사이트 유튜브, 블로그, 네이버TV, 페이스북, 공식홈페이지
작품 도서, 관련활동

자기계발서 200권, 전자책 250권 출간으로
삼성(진정성, 전문성, 신뢰성)이 검증된 전문가

Google 자기계발아마존 | YouTube 방탄자기계발 | NAVER 방탄자기계발사관학교 | NAVER 최보규

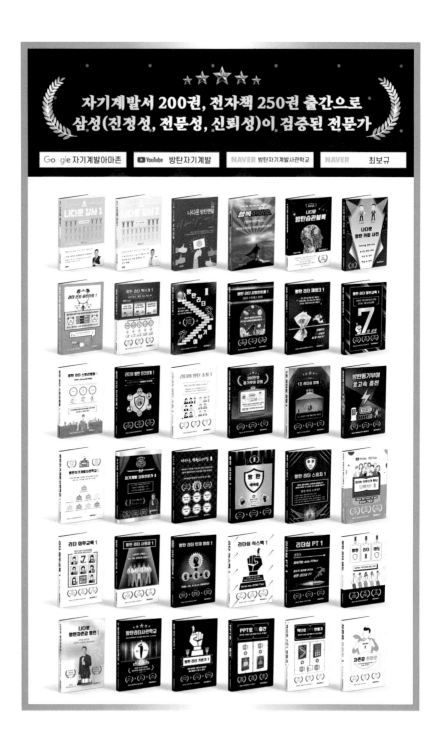

방탄자기계발사관학교
홈페이지 무인시스템
구독하기
방 탄
자기계발
사관학교
방탄자기계발사관학교
www.방탄자기계발사관학교.com
정예 방탄자기계발 전문가를 양성하는 사관학교
특허청 등록
최보규 자기계발코칭 창시자
등록 번호: 제 40-2072344 호
특허청 등록
최보규 리더동기부여 코칭전문가
등록 번호: 제 40-2128786호
방탄자기계발사관학교
아무나 방탄자기계발전문가가 될 수 있었다면 난 절대로 방탄자기계발사관학교를 선택하지 않았을 것이다.
Google 자기계발아마존
YouTube 방탄자기계발
NAVER 방탄자기계발사관학교
NAVER 최보규

방탄자기계발사관학교
홈페이지 무인시스템

방탄자기계발사관학교 소개
1,000,000원

구매하기

PPT로 책 쓰기, 책 출간
200,000원

구매하기

자신 분야 6가지 수입을 창출 방법
200,000원

구매하기

방탄 사랑 사랑 사용 설명서 사랑도 스펙이다
200,000원

구매하기

Google 자기계발아마존 | YouTube 방탄자기계발 | NAVER 방탄자기계발사관학교 | NAVER 최보규

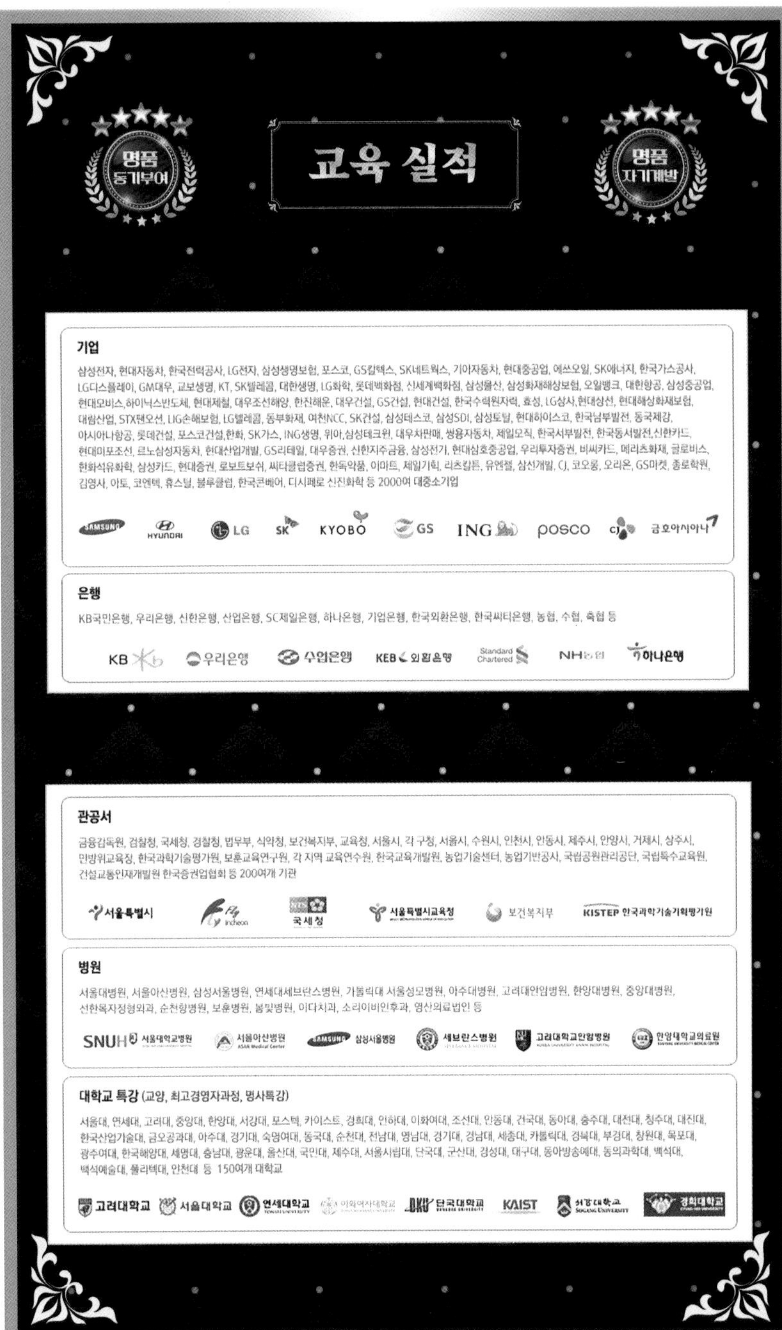

교육 실적

기업

삼성전자, 현대자동차, 한국전력공사, LG전자, 삼성생명보험, 포스코, GS칼텍스, SK네트웍스, 기아자동차, 현대중공업, 에쓰오일, SK에너지, 한국가스공사, LG디스플레이, GM대우, 교보생명, KT, SK텔레콤, 대한생명, LG화학, 롯데백화점, 신세계백화점, 삼성물산, 삼성화재해상보험, 오일뱅크, 대한항공, 삼성중공업, 현대모비스,하이닉스반도체, 현대제철, 대우조선해양, 한진해운, 대우건설, GS건설, 현대건설, 한국수력원자력, 효성, LG상사,현대상선, 현대해상화재보험, 대림산업, STX팬오션, LIG손해보험, LG텔레콤, 동부화재, 여천NCC, SK건설, 삼성테스코, 삼성SDI, 삼성토탈, 현대하이스코, 한국남부발전, 동국제강, 아시아나항공, 롯데건설, 포스코건설,한화, SK가스, ING생명, 위아,삼성테크윈, 대우자판매, 쌍용자동차, 제일모직, 한국서부발전, 한국동서발전,신한카드, 현대미포조선, 르노삼성자동차, 현대산업개발, GS리테일, 대우증권, 신한지주금융, 삼성전기, 현대삼호중공업, 우리투자증권, 비씨카드, 메리츠화재, 글로비스, 한화석유화학, 삼성카드, 현대증권, 로보트보쉬, 씨티클럽증권, 한독약품, 이마트, 제일기획, 리츠칼튼, 유엔젤, 삼선개발, CJ, 코오롱, 오리온, GS마켓, 종로학원, 김영사, 아토, 코엔텍, 휴스틸, 블루클럽, 한국콘베어, 디시페로 신진화학 등 2000여 대중소기업

은행

KB국민은행, 우리은행, 신한은행, 산업은행, SC제일은행, 하나은행, 기업은행, 한국외환은행, 한국씨티은행, 농협, 수협, 축협 등

관공서

금융감독원, 검찰청, 국세청, 경찰청, 법무부, 식약청, 보건복지부, 교육청, 서울시, 각 구청, 서울시, 수원시, 인천시, 안동시, 제주시, 안양시, 거제시, 상주시, 민방위교육장, 한국과학기술평가원, 보훈교육연구원, 각 지역 교육연수원, 한국교육개발원, 농업기술센터, 농업기반공사, 국립공원관리공단, 국립특수교육원, 건설교통인재개발원 한국증권업협회 등 200여개 기관

병원

서울대병원, 서울아산병원, 삼성서울병원, 연세대세브란스병원, 가톨릭대 서울성모병원, 아주대병원, 고려대안암병원, 한양대병원, 중앙대병원, 선한목자정형외과, 순천향병원, 보훈병원, 봄빛병원, 이다치과, 소리이비인후과, 영산의료법인 등

대학교 특강 (교양, 최고경영자과정, 명사특강)

서울대, 연세대, 고려대, 중앙대, 한양대, 서강대, 포스텍, 카이스트, 경희대, 인하대, 이화여대, 조선대, 안동대, 건국대, 동아대, 충주대, 대전대, 청주대, 대진대, 한국산업기술대, 금오공과대, 아주대, 경기대, 숙명여대, 동국대, 순천대, 전남대, 영남대, 경기대, 경남대, 세종대, 카톨릭대, 경북대, 부경대, 창원대, 목포대, 광주여대, 한국해양대, 세명대, 충남대, 광운대, 울산대, 국민대, 제주대, 서울시립대, 단국대, 군산대, 경성대, 대구대, 동아방송예대, 동의과학대, 백석대, 백석예술대, 폴리텍대, 인천대 등 150여개 대학교

명품 동기부여
강의 사진
명품 자기계발
600명 자자자자멘습긍 강의
(자존감, 자신감, 자기관리, 자기계발, 멘탈, 습관, 긍정)
500명 자자자자멘습긍 강의
(자존감, 자신감, 자기관리, 자기계발, 멘탈, 습관, 긍정)

최보규 방탄강사 창시자

저는 입으로 강의하지 않겠습니다.
제 삶으로 강의하겠습니다.
저는 가르치지 않겠습니다.
제 삶으로 가르치겠습니다.
최보규강사는 명강사, 스타강사가 아닙니다!
그래서 한 달에 15권 책을 보고 메모하며
강의 준비, 솔선수범 하고 있습니다!
최보규강사 보다 강의 잘하는 사람은 많습니다!
다만 최보규강사 만큼 학습자를
사랑하는 강사는 세상에 없을 것입니다!

최보규 방탄동기부여 신조

들어라 하지 말고 듣게 하자.
누구처럼 살지 말고 나답게 살자.
좋아하게 하지 말고 좋아지게 하자.
마음을 얻으려 하지 말고 마음을 열게 하자.
믿으라 말하지 말고 믿을 수 있는 사람이 되자.
좋은 사람을 기다리지 말고 좋은 사람이 되어주자.
보여주는(인기) 인생을 사는 것이 아닌
보여지는(인정) 인생을 살아가자.
나 이런 사람이야 말하지 않아도
이런 사람이구나 몸, 머리, 마음으로 느끼게 하자.

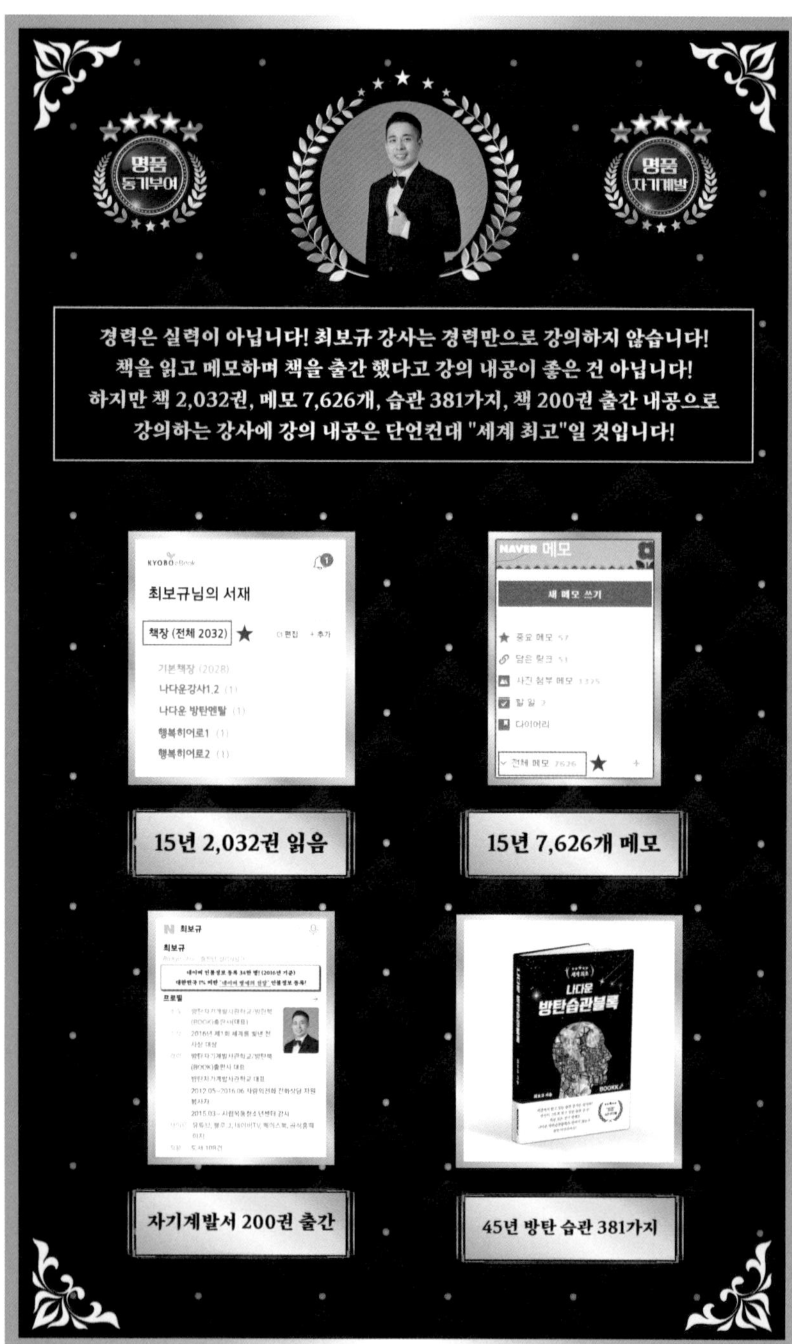
명품 동기부여
명품 자기계발
경력은 실력이 아닙니다! 최보규 강사는 경력만으로 강의하지 않습니다!
책을 읽고 메모하며 책을 출간 했다고 강의 내공이 좋은 건 아닙니다!
하지만 책 2,032권, 메모 7,626개, 습관 381가지, 책 200권 출간 내공으로
강의하는 강사에 강의 내공은 단언컨대 "세계 최고"일 것입니다!
KYOBO eBook
최보규님의 서재
책장 (전체 2032)
기본책장 (2028)
나다운강사1,2 (1)
나다운 방탄멘탈 (1)
행복히어로1 (1)
행복히어로2 (1)
NAVER 메모
새 메모 쓰기
다이어리
15년 2,032권 읽음
15년 7,626개 메모
최보규
프로필
나다운 방탄습관블록
BOOKK
자기계발서 200권 출간
45년 방탄 습관 381가지

최보규 강사 11계명

1. 학습자에게 섬김을 받으려는 강의가 아닌 학습자를 섬길 수 있는 강의를 하겠습니다.
2. 오늘이 마지막 날인 것처럼 강의하고 영원히 살 것처럼 학습자에게 배우겠습니다.
3. 강의 있는 전날에는 최상의 컨디션을 유지 하기 위해 건강관리, 목 관리, 자기관리 하겠습니다.
4. 강의장 1시간 전에 도착해서 강의 마음가짐 준비하겠습니다.
5. 강의장 가장 먼저 도착 강의 끝난 후 가장 늦게 나오겠습니다.
6. 내 삶이 강의고 강의가 내 삶이 되도록 행동하겠습니다.
7. 힘들게 배운 강의 노하우들 아낌없이 주겠습니다.
8. 어떻게 하면 학습자에게 즐거움? 행복? 메시지? 감동? 희망? 사랑?을 줄 것인가에 항상 생각하며 공부하겠습니다.
9. TV보다 책을 더 보겠습니다. 10. 공인이라는 마음으로 솔선수범하겠습니다.
11. 강사의 자존심 아침에 나올 때 신발장에 넣고 나오겠습니다.

방탄강사 백신

★ 잘난 강사가 되지 않고 진실한 강사가 되겠습니다!
잘난 강사는 피하고 싶어지지만 진실한 강사는 곁에 두고 싶어집니다!

★ 대단한 강사가 되지 않고 좋은 강사가 되겠습니다!
대단한 강사는 부담을 주지만 좋은 강사는 행복을 줍니다

★ 멋진 강사가 되지 않고 따뜻한 강사가 되겠습니다!
멋진 강사는 눈을 즐겁게 하지만 따뜻한 강사는 마음을 데워 줍니다.

★ 유명한 강사가 되지 않고 필요한 강사가 되겠습니다!
유명한 강사는 환상을 주지만 필요한 강사는 배움, 성장, 지혜를 줍니다.

최보규 방탄동기부여 전문가
검증된 PT, 강의, 맞춤 코칭, 컨설팅
특허청 등록
최보규 자기계발코칭 창시자
등록 번호: 제 40-2072344 호
최보규 대표
010-6578-8295
특허청 등록
최보규 리더동기부여 코칭전문가
등록 번호: 제 40-2128786 호
방탄자기계발사관학교는 국가등록 민간자격증 발급 기관! 명품 인재 양성 기관!
리더십코칭전문가
동기부여코칭전문가
자기계발코칭전문가
강사코칭전문가
책쓰기코칭전문가
리더 분야
동기부여 분야
자기계발 분야
강의, 강사 분야
책쓰기, 책출간 분야
<저자 최보규>
<저자 최보규>
<저자 최보규>
<저자 최보규>
<저자 최보규>
방탄 리더십
리더 7대의무교육
리더 품위유지의무
리더 은퇴, 재테크
리더 동기부여
리더 스피치
리더 사명감, 인성
리더 기본기, 태도
리더 자존감, 멘탈
리더 습관, 행복
리더 인간관계
인재 양성 매뉴얼
리더 감정컨트롤
리더 스트레스관리
리더 라포형성기법
리더 상담기법
리더 코칭기법
리더 스토리텔링
7대 동기부여
변화,성장동기부여
비전 동기부여
열정 동기부여
사원 동기부여
임원진 동기부여
직급별 동기부여
사랑 동기부여
자존감 동기부여
자신감 동기부여
자기관리 동기부여
자기계발 동기부여
멘탈 동기부여
습관 동기부여
긍정 동기부여
인간관계 동기부여
인재양성 동기부여
행복 동기부여
7대 자기계발
변화,성장자기계발
비전 자기계발
열정 자기계발
사원 자기계발
임원진 자기계발
직급별 자기계발
사랑 자기계발
자존감 자기계발
자신감 자기계발
자기관리 자기계발
자기계발 자기계발
멘탈 자기계발
습관 자기계발
긍정 자기계발
인간관계 자기계발
인재양성 자기계발
행복 자기계발
강사 7대 의무교육
강사 인성, 매너
강사 품위유지의무
강사1~3년 차
강사료 올리기 위한 준비, 스펙 쌓기.
강사4~10년 차
강사료 올리기 의한 준비, 스펙 쌓기.
강사10~20년 차
강사료 올리기 위한 준비, 스펙 쌓기.
강사 스킬UP
강사 트레이닝
강의 스토리텔링 기법
강의 SPOT 기법
강사 양성 매뉴얼
강사 양성 시스템
책 쓰기 동기부여
책 출간 동기부여
작가 품위유지의무
책 쓰기, 책 출간 10G
매뉴얼, 시스템.
100권 출간으로 월세, 연금성 수입 창출전수.
강의 교안으로 책 쓰고 책 출간.
출간한 책으로 강의 교안 작업.
출간한 책으로 온라인, 디지털 콘텐츠 제작.
6가지 수입을 창출 하는 책 쓰기, 책 출간.
100년 지속 할 수 있는 기술력을 배우는 책 쓰기, 책 출간.
Google 자기계발아마존
YouTube 방탄자기계발
NAVER 방탄자기계발사관학교
NAVER 최보규

해보자! 해보자!
자신 가능성을 믿고!
해보자!
해보자!
자신의
사과 씨, 도토리, 포도 씨 믿으세요!
사과 씨 안에 얼마나 많은 사과가 있는지 모른다!
도토리 안에 얼마나 많은 도토리가 있는지 모른다!
포도 씨 안에 얼마나 많은 포도가 있는지 모른다!

명품 자기계발
방탄 동기부여
명품 동기부여
방탄동기부여 전문가
www.방탄자기계발사관학교.com
최보규 대표
상담, 코칭, 강의, 컨설팅 문의
010-6578-8295
어제의 나는 잊어라!
살아온 날로 살아갈 날단정 짓지 말자!
자신을 못 믿겠다면 자신을 믿어주는
최보규 방탄동기부여 전문가를 믿고 시작합시다!
세상, 현실아 덤벼라!
몸, 머리, 마음을
강하게 해드립니다.!
Google 자기계발아마존
YouTube 방탄자기계발
NAVER 방탄동기부여
NAVER 최보규

명품
동기부여
명품
자기계발
특허청 등록
최보규 자기계발코칭 창시자
등록 번호: 제 40-2072344 호
특허청 등록
최보규 강사책출간 코칭전문가
등록 번호: 제 40-2200794 호
특허청 등록
최보규 리더동기부여 코칭전문가
등록 번호: 제 40-2128786 호
살아온 날로 살아갈 날·단정 짓지 말자!
해보자! 해보자! 지금부터 해보자!
NAVER 최보규
NAVER 방탄자기계발사관학교
YouTube 방탄자기계발
Google 자기계발아마존
자기계발, 미래 걱정과 고민은 이제 그만 하세요!
시간과 돈 낭비하지 마시고 검증된 곳에서 학습, 연습, 훈련!
150년 a/s, 피드백, 관리, 케어 받으세요!
방 탄
동기부여
최보규 대표
코칭, PT, 강사, 컨설팅
010. 6578. 8295
nice5889@naver.com

강사 비수기 5개월 극복
PT, 교육, 코칭 시스템
강사는 누구나 한다. 다만
강사 비수기 5개월은 아무나 극복하지 못한다.
돈을 버는 강사! 돈을 못 버는 강사!
20,000명 심리 상담, 코칭으로
알게 된 강사 비수기 극복 방법!
세계 최초 오픈!
ONLY ONE
방탄강사
기술력

ONLY ONE
"80억 분의 1 검증된 전문가"
특허청 등록
최보규 강사책출간 코칭전문가
등록 번호: 제 40-2200794 호
특허청 등록
최보규 자기계발코칭 창시자
등록 번호: 제 40-2072344 호
특허청 등록
최보규 리더동기부여 코칭전문
등록 번호: 제 -2128786 호
대한민국 강사 섭외 NO1 '강사야'
'강사야' "대표 일타 강사 최보규"
THE BEST COMPANY
GANGSAYA 강사섭외
최보규
로그인 회원가입
전체분야 강사프로필 섭외문의 분야별특강 커뮤니티 추천강사
섭외문의무료등록
최보규강사
특허청 등록으로 검증된 강사!
방탄 동기부여/리더십/자기계발
동기부여/리더십/자기계발 업데이트!
저서 100권의 내공을 통한 세계 최초 1+4를 주는 가성비 강사!
(강의메세지+즐거움+스토리텔링+실천 사용 설명서 제공)
Google 자기계발아마존
YouTube 방탄자기계발
NAVER 강사야
NAVER 최보규

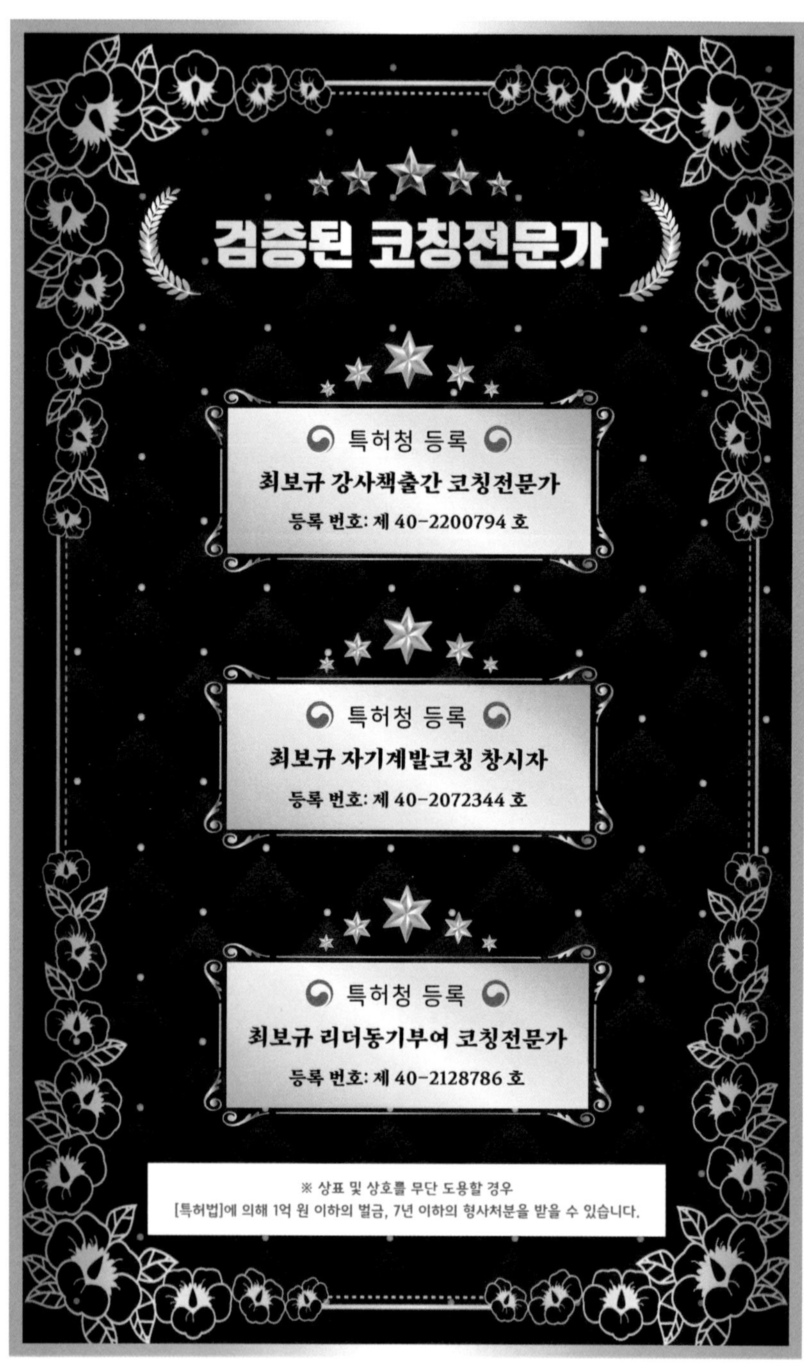
검증된 코칭전문가
특허청 등록
최보규 강사책출간 코칭전문가
등록 번호: 제 40-2200794 호
특허청 등록
최보규 자기계발코칭 창시자
등록 번호: 제 40-2072344 호
특허청 등록
최보규 리더동기부여 코칭전문가
등록 번호: 제 40-2128786 호
※ 상표 및 상호를 무단 도용할 경우
[특허법]에 의해 1억 원 이하의 벌금, 7년 이하의 형사처분을 받을 수 있습니다.

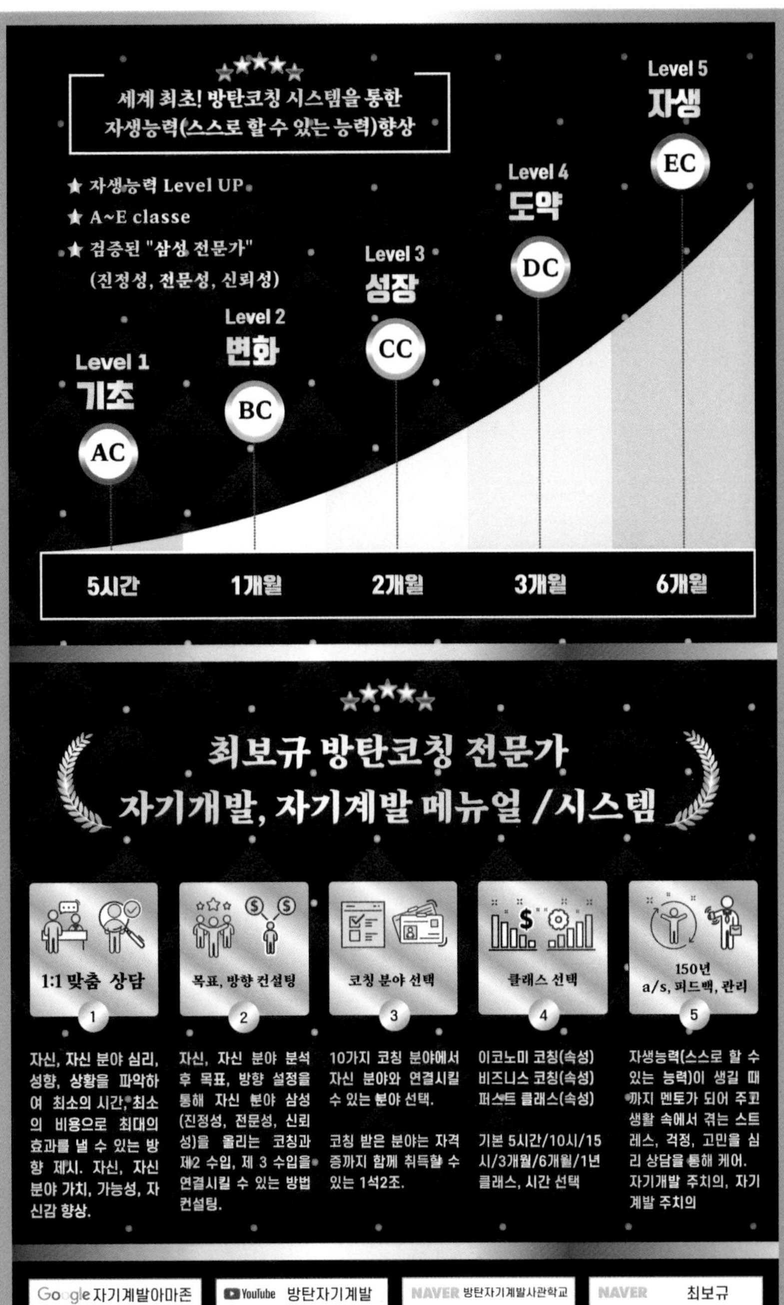
세계 최초! 방탄코칭 시스템을 통한
자생능력(스스로 할 수 있는 능력)향상
★ 자생능력 Level UP
★ A~E classe
★ 검증된 "삼성 전문가"
(진정성, 전문성, 신뢰성)
Level 1
기초
AC
Level 2
변화
BC
Level 3
성장
CC
Level 4
도약
DC
Level 5
자생
EC
5시간
1개월
2개월
3개월
6개월
최보규 방탄코칭 전문가
자기개발, 자기계발 메뉴얼 /시스템
1:1 맞춤 상담
1
자신, 자신 분야 심리, 성향, 상황을 파악하여 최소의 시간, 최소의 비용으로 최대의 효과를 낼 수 있는 방향 제시. 자신, 자신 분야 가치, 가능성, 자신감 향상.
목표, 방향 컨설팅
2
자신, 자신 분야 분석 후 목표, 방향 설정을 통해 자신 분야 삼성(진정성, 전문성, 신뢰성)을 올리는 코칭과 제2 수입, 제 3 수입을 연결시킬 수 있는 방법 컨설팅.
코칭 분야 선택
3
10가지 코칭 분야에서 자신 분야와 연결시킬 수 있는 분야 선택.
코칭 받은 분야는 자격증까지 함께 취득할 수 있는 1석2조.
클래스 선택
4
이코노미 코칭(속성)
비즈니스 코칭(속성)
퍼스트 클래스(속성)
기본 5시간/10시/15시/3개월/6개월/1년 클래스, 시간 선택
150년
a/s, 피드백, 관리
5
자생능력(스스로 할 수 있는 능력)이 생길 때까지 멘토가 되어 주고 생활 속에서 겪는 스트레스, 걱정, 고민을 심리 상담을 통해 케어.
자기개발 주치의, 자기계발 주치의
Google 자기계발아마존
YouTube 방탄자기계발
NAVER 방탄자기계발사관학교
NAVER 최보규

검증된 전문가 교육시스템

회원제를 통한 맞춤 학습, 연습, 훈련
오프라인 전문상담사가 검진 후 특별맞춤 학습, 연습, 훈련

검증된 강사코칭 전문가

세계 최초 강사 백과사전
강사 사용설명서를 만든 전문가!
150년 A/S, 관리,해주는 책임감!

검증된 책 쓰기 전문가 100권

행복히어로
나다운 강사 1, 2
나다운 방탄멘탈
나다운 방탄습관블록
나다운 방탄 카피 사전
나다운 방탄자존감 명언 I, II
방탄자기계발 사관학교
자기계발코칭전문가 1,2,3,4,5,6
나다운 방탄리더십 1,2,3,4,5
외 100권

검증된 자기계발 전문가

방탄행복 창시자!
방탄멘탈 창시자!
방탄습관 창시자!
방탄자존감 창시자!
방탄자기계발 창시자!
방탄강사 창시자!
방탄리더십 창시자!

검증된 상담 전문가

20,000명 심리 상담, 코칭!
독학하기 힘든 자자자자멘습긍
(자존감, 자신감, 자기관리, 자기계발, 멘탈, 습관, 긍정)
1:1 케어까지 해주며 행복 주치의가 되어주는 전문가!

강력추천

이런 사람들 반드시 상담, 코칭 받으세요!

현재 상황에 가장 필요한 것을 상담 후 가장 효율적인 시스템을 적용합니다.

변화, 성장, 배움, 행동 동기부여, 셀프케어

1

지금처럼이 아니라 지금부터 다시 시작하고 때를 기다리는 사람이 아닌 때를 만들고 싶은 분

자신분야 전문성
(진정성, 전문성, 신뢰성)

2

경력은 스펙이 아니다! 자신 분야 차별화로 부캐릭터를(부업)만들어 자신 몸값을 올리고 싶은 분

자신분야 자동 시스템(돈) 연결

3

움직이지 않아도 자동으로 돌아가는 돈 버는 시스템을 만들고 싶은 분

인고의 시간을 거쳐 쌓은 소중한 자신 분야 경력을
왜? 썩히고 있는가?
쌓은 경력으로 온라인 건물주가 될 수 있다?
자신 분야를 방탄자기계발과 연결 수입 창출!
자신 분야
방탄자기계발
몸값 상승
책 출간
(종이책, PDF)
(인세 유산)
멘토가 150년
A/S, 관리
방 탄
동기부여
디지털콘텐츠
수입(100년)
불특정 다수와
비즈니스 연결
방 탄
자기계발
온라인콘텐츠
수입(100년)
코칭 수입
(100년)
온라인 건물주
(월세, 연금성)
재능 마켓
수입(100년)

해보자! 해보자!
자신 가능성을 믿고!
해보자!
해보자!
자신의
사과 씨, 도토리, 포도 씨 믿으세요!
사과 씨 안에 얼마나 많은 사과가 있는지 모른다!
도토리 안에 얼마나 많은 도토리가 있는지 모른다!
포도 씨 안에 얼마나 많은 포도가 있는지 모른다!

80%는 교육으로 만들어진다? 300% 틀렸습니다!

세계 최초! 방탄동기부여 효율적인 교육 시스템!

1단계

교육

= 20%

2단계

스스로
학습, 연습, 훈련

= 30%

3단계

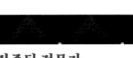

검증된 전문가
a/s,관리,피드백

= 50%

150년
a/s,관리,피드백

평균적으로 학습자들은 교육만 받으면 80% 효과를 보고 동기부여가 되어 행동으로 나올 것이라고 착각합니다.
그러다 보니 교육받는 동안 생각만큼, 돈을 지불한 만큼 자신 기준의 미치지 못하면 효과를 보지 못할 거라고 지레짐작으로 스스로가 한계를 만들어 버립니다. 그래서 행동으로 옮기지 못하는 것이 상황, 교육자가 아닌 자기 자신이라는 것을 모릅니다.

20,000명 심리 상담, 코칭, 리더 자기계발서 100권 출간, 리더 습관 320가지 만듦, 시행착오, 대가 지불, 인고의 시간을 통해 가장 효율적이며 효과적인 교육 시스템은 2:3:5라는 것을 알게 되었습니다.

교육 듣는 것은 20%밖에 되지 않습니다. 교육을 듣고 스스로가 생활 속에서 배웠던 것을 토대로 30% 학습, 연습, 훈련해야 합니다.
학습, 연습, 훈련한 것을 가장 중요한 50%인 검증된 전문가에게 꾸준히 a/s, 관리, 피드백을 받아야만 2:3:5공식 효과를 볼 수 있습니다.

명품 자기계발
Best 6
명품 동기부여
검증된 방탄 PT 분야
동기부여 방탄 PT
1
BEST Seller
자격증 발급기관
<저자 최보규>
동기부여코칭전문가
방탄자기계발사관학교
압도적 차이를 만드는 방탄 PT!
앞서가는 사람은 방탄 PT 받는다!
7대 동기부여 PT
비전 동기부여 PT
열정 동기부여 PT
목표 동기부여 PT
자존감 동기부여 PT
자신감 동기부여 PT
변화 동기부여 PT
성장 동기부여 PT
멘탈 동기부여 PT
습관 동기부여 PT
긍정 동기부여 PT
인간관계 동기부여 PT
행복 동기부여 PT
스피치 동기부여 PT
love 동기부여 PT
Smile 동기부여 PT

검증된 방탄 PT 분야

리더 인간관계 PT

2

자격증 발급기관

리더의 방탄 인간관계 1

<저자 최보규>

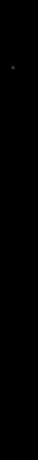

자기계발코칭전문가

위 사람은 방탄자기계발사관학교에서 시행한
자기계발코칭전문가 2급 시험에
합격하였기에 권위와 특권을 부여합니다.

2021년 12월 12일

방탄자기계발사관학교

- ☑ 7대 인간관계 PT
- ☑ 인간관계 기본기 PT
- ☑ 인간관계 태도 PT
- ☑ 인간관계 사명감 PT
- ☑ 인간관계 자존감 PT
- ☑ 인간관계 자신감 PT
- ☑ 인간관계 자기관리 PT
- ☑ 인간관계 자기계발 PT

- ☑ 인간관계 멘탈 PT
- ☑ 인간관계 습관 PT
- ☑ 인간관계 긍정 PT
- ☑ 인간관계 감정컨트롤 PT
- ☑ 인간관계 행복 PT
- ☑ 인간관계 스피치 PT
- ☑ 인간관계 love PT
- ☑ 인간관계 Smile PT

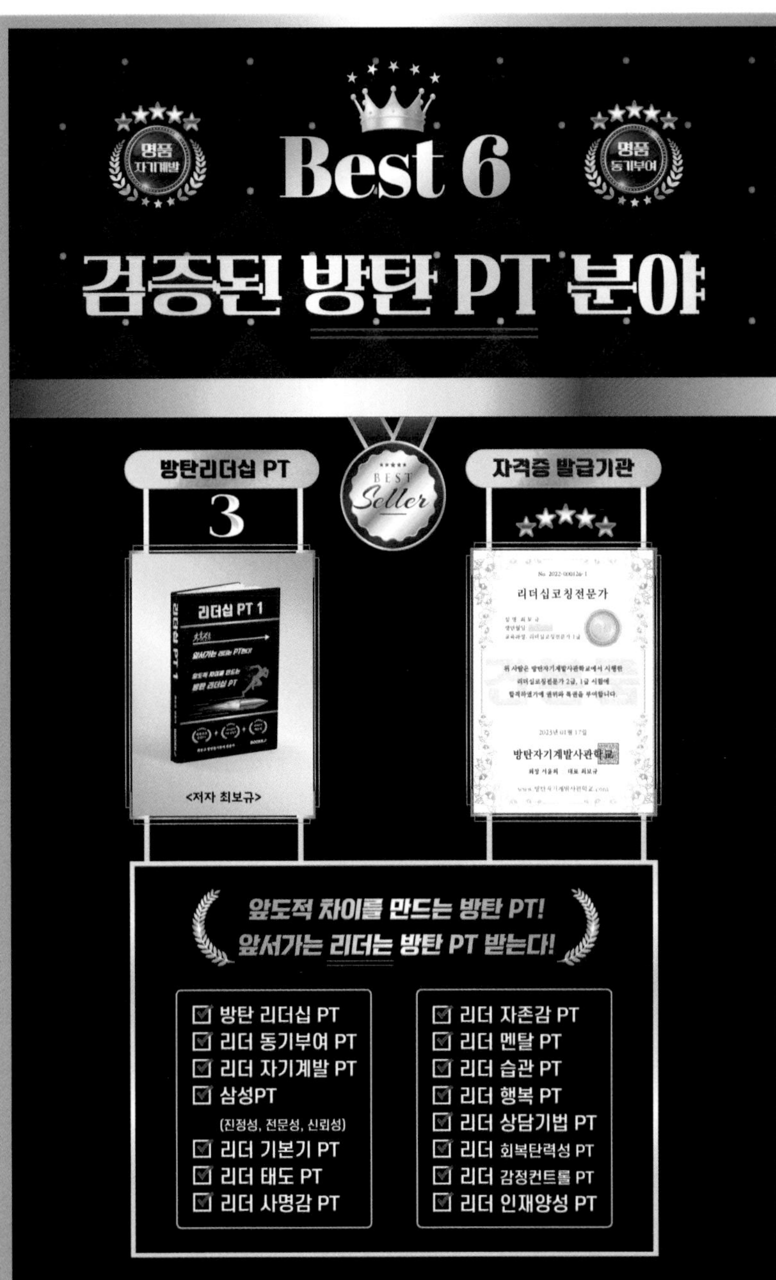
명품 자기계발
Best 6
명품 동기부여
검증된 방탄 PT 분야
방탄리더십 PT
3
BEST Seller
자격증 발급기관
리더십 PT 1
<저자 최보규>
리더십코칭전문가
방탄자기계발사관학교
앞도적 차이를 만드는 방탄 PT!
앞서가는 리더는 방탄 PT 받는다!
방탄 리더십 PT
리더 동기부여 PT
리더 자기계발 PT
삼성PT
(진정성, 전문성, 신뢰성)
리더 기본기 PT
리더 태도 PT
리더 사명감 PT
리더 자존감 PT
리더 멘탈 PT
리더 습관 PT
리더 행복 PT
리더 상담기법 PT
리더 회복탄력성 PT
리더 감정컨트롤 PT
리더 인재양성 PT

명품 자기계발
Best 6
명품 동기부여
검증된 방탄 PT 분야
자기계발 방탄 PT
4
BEST Seller
자격증 발급기관
자기계발 코칭전문가 Ⅱ
<저자 최보규>
자기계발코칭전문가
방탄자기계발사관학교
압도적 차이를 만드는 방탄 PT!
앞서가는 리더는 방탄 PT 받는다!
7대 자기계발 PT
방탄 기본기 PT
방탄 태도 PT
방탄 사명감 PT
방탄 자존감 PT
방탄 자신감 PT
방탄 자기관리 PT
방탄 자기계발 PT
방탄 멘탈 PT
방탄 습관 PT
방탄 긍정 PT
방탄 인간관계 PT
방탄 행복 PT
방탄 스피치 PT
방탄 love PT
방탄 Smile PT

명품 자기계발
Best 6
명품 동기부여
검증된 방탄 PT 분야
방탄 강사 방탄 PT
5
BEST Seller
자격증 발급기관
나다운 강사 1
<저자 최보규>
강사코칭전문가
방탄자기계발사관학교
압도적 차이를 만드는 방탄 PT!
앞서가는 강사는 방탄 PT 받는다!
강사 7대 의무교육 PT
강사 인성, 매너 PT
강사 품위유지의무 PT
강사1~3년차 PT
강사 3~10년차 PT
강사 10~20년차 PT
강사료 UP PT
비수기 극복 PT
강사 스킬UP PT
강사 SPOT 기법 PT
강사 스토리텔링 기법 PT
강사, 작가 트레이닝 PT
강사 양성 매뉴얼 제작 PT
강의 분야 개발 PT
강사 코칭 시스템 제작 PT
강의 영상 제작 PT

명품 자기계발
Best 6
명품 동기부여
검증된 방탄 PT 분야
책 쓰기, 출간 방탄 PT
6
BEST Seller
자격증 발급기관
최보규의 책 쓰기 10G
<저자 최보규>
책쓰기코칭전문가
방탄자기계발사관학교
압도적 차이를 만드는 방탄 PT!
앞서가는 리더는 방탄 PT 받는다!
작가 7대 의무교육 PT
책 쓰기 동기부여 PT
책 출간 동기부여 PT
책 쓰기 10G PT
리더 책 쓰기 PT
강사 책 쓰기 PT
일반인 책 쓰기 PT
6가지 수입 창출 PT
온라인 건물주 책 출간 PT
작가 품위유지의무 PT
강사 되기 위한 책 출간 PT
강의 교안으로 책 출간 PT
출간한 책으로 교안 작업 PT
출간한 책으로 영상제작 PT
100년 지속 할 수 있는 기술력을 배우는 책 쓰기, 출간

자신 분야 스펙, 내공, 가치, 값어치
카페에서 냅킨에
그린 그림이 1억?

카페에 피카소가 앉아 있었습니다. 한 손님이 다가와 종이 냅킨 위에 그림을 그려 달라고 부탁했습니다. 피카소는 상냥하게 고개를 끄덕이곤 빠르게 스케치를 끝냈습니다. 냅킨을 건네며 1억 원을 요구했습니다.
손님이 깜짝 놀라며 말했습니다. 어떻게 그런 거액을 요구할 수 있나요? 그림을 그리는 데 1분밖에 걸리지 않았잖아요. 이에 피카소가 답했습니다.

아니요. 40년이 걸렸습니다. 냅킨의 그림에는 피카소가 40여 년 동안 쌓아온 노력, 고통, 열정, 명성이 담겨 있었습니다. 피카소는 자신이 평생을 바쳐서 해온 일의 가치를 스스로 낮게 평가하지 않았습니다.

《확신》

★★★★★ 차별이 아닌 초월 혜택 ★★★★★

Google 자기계발아마존 | YouTube 방탄자기계발 | NAVER 방탄book기술력 | NAVER 최보규

이코노미 PT

기본 5H : 500,000원

- ☑ 150년 A/S (세계 최초)
- ☑ 마스터한 분야 자격증 1종 취득
- ☑ 방탄자기계발사관학교 강사 위촉
- ☑ 방탄자기계발사관학교 마스터 위촉
- ☑ 비지니스 PT 10% 할인 (10만원 상당)
- ☑ 퍼스트클래스 PT 10% 할인 (30만원 상당)
- ☑ 마스터한 분야 실전 2시간 강의 교안 제공. (강사료 200만원 상당)

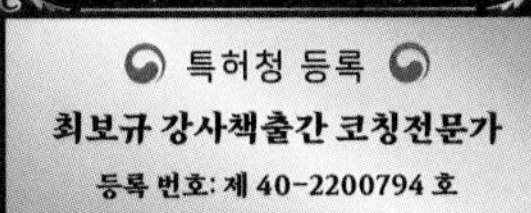

★★★★★ 차별이 아닌 초월 혜택 ★★★★★

Google 자기계발아마존 | YouTube 방탄자기계발 | NAVER 방탄book기술력 | NAVER 최보규

비지니스 PT

기본 10H : 1,000,000원

- ☑ 150년 A/S, 피드백
- ☑ 마스터한 분야 자격증 1종 취득
- ☑ 방탄자기계발사관학교 전임 강사 위촉
- ☑ 방탄자기계발사관학교 전임 마스터 위촉
- ☑ 퍼스트클래스 PT 10% 할인 (30만원 상당)
- ☑ 강사 맞춤 트레이닝 비대면 1회 제공 (50만원 상당)
- ☑ 마스터한 분야 실전 2시간 강의 교안 제공, 1:1 맞춤 교안 설명 (강사료 200만원 / 1:1 맞춤 100만원 상당)

특허청 등록
최보규 강사책출간 코칭전문가
등록 번호: 제 40-2200794 호
명품 자기계발
명품 동기부여
차별이 아닌 초월 시스템
타사와 비교불가 초월 혜택!
자신 분야 온라인 건물주가 되어 100년 수입 창출!
Google 자기계발아마존
YouTube 방탄자기계발
NAVER 방탄book기술력
NAVER 최보규
퍼스트클래스 PT
기본 15H : 3,000,000원~
CHECK POINT
기본 1회(15H) / (2회 ~ 5회 선택 사항)
6가지 수입 창출 자동 시스템 구축
150년 A/S, 피드백, VIP맞춤 관리

★★★★★ 차별이 아닌 초월 혜택 ★★★★★

Google 자기계발아마존

YouTube 방탄자기계발

NAVER 방탄book기술력

퍼스트클래스 PT

기본 15H : 3,000,000원~

- ☑ 150년 A/S, 피드백, VIP맞춤 관리
- ☑ 자격증 3종 취득 (150만원 상당)
- ☑ 방탄자기계발사관학교 지회장 위촉
- ☑ 종이책, 전자책 출간 후 네이버 인물 등록
- ☑ 20H, 30H, 40H, 50H PT 20% 할인
- ☑ 강사 맞춤 트레이닝 대면 1회 제공 (50만원 상당)
- ☑ 프로필 유튜브 홍보 영상 제작 (100만원 상당)
- ☑ 마스터한 분야 풀 패키지 (교안 제공, 1:1 맞춤 교안 설명, 청강 1회 제공) (강사료 200만원 / 1:1 맞춤 100만원 / 청강 1회 200만원 상당)

특허청 등록
최보규 강사책출간 코칭전문가
등록 번호: 제 40-2200794 호
명품 자기계발
명품 동기부여
차별이 아닌 초월 시스템
타사와 비교불가 초월 혜택!
자신 분야 온라인 건물주가 되어 100년 수입 창출!
Google 자기계발아마존
YouTube 방탄자기계발
NAVER 방탄book기술력
NAVER 최보규
방탄book기술력 전문가 과정 속성 PT
방탄
book 기술력
전문가
기본 30H : 5,000,000원~
CHECK POINT
기본 1회(5H) / (5회 ~ 10회 선택 사항)
6가지 수입 창출 자동 시스템 구축
150년 A/S, 피드백, VIP맞춤 관리

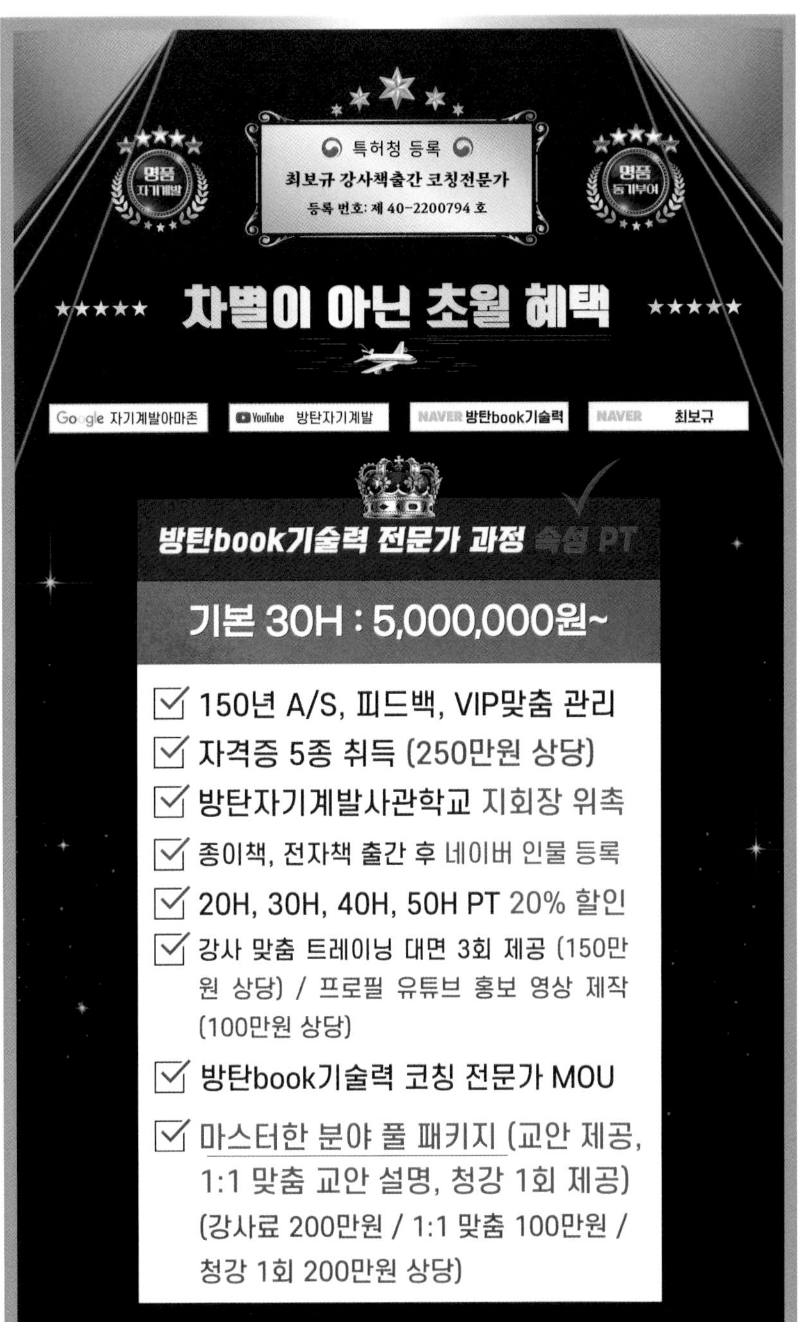

특허청 등록
최보규 강사책출간 코칭전문가
등록 번호: 제 40-2200794 호
명품 자기계발
명품 동기부여
차별이 아닌 초월 혜택
Google 자기계발아마존
YouTube 방탄자기계발
NAVER 방탄book기술력
NAVER 최보규
방탄book기술력 전문가 과정 속성 PT
기본 30H : 5,000,000원~
150년 A/S, 피드백, VIP맞춤 관리
자격증 5종 취득 (250만원 상당)
방탄자기계발사관학교 지회장 위촉
종이책, 전자책 출간 후 네이버 인물 등록
20H, 30H, 40H, 50H PT 20% 할인
강사 맞춤 트레이닝 대면 3회 제공 (150만원 상당) / 프로필 유튜브 홍보 영상 제작 (100만원 상당)
방탄book기술력 코칭 전문가 MOU
마스터한 분야 풀 패키지 (교안 제공, 1:1 맞춤 교안 설명, 청강 1회 제공) (강사료 200만원 / 1:1 맞춤 100만원 / 청강 1회 200만원 상당)

특허청 등록
최보규 강사책출간 코칭전문가
등록 번호: 제 40-2200794 호
명품 자기계발
명품 동기부여
차별이 아닌 초월 시스템
타사와 비교불가 초월 혜택!
자신 분야 온라인 건물주가 되어 100년 수입 창출!
Google 자기계발아마존
YouTube 방탄자기계발
NAVER 방탄book기술력
NAVER 최보규
방탄book기술력 전문가 과정 6개월 PT
방 탄
book 기술력
전문가
기본 30H : 10,000,000원~
CHECK POINT
기본 1회(5H) / (5회 ~ 10회 선택 사항)
6가지 수입 창출 자동 시스템 구축
150년 A/S, 피드백, VIP맞춤 관리

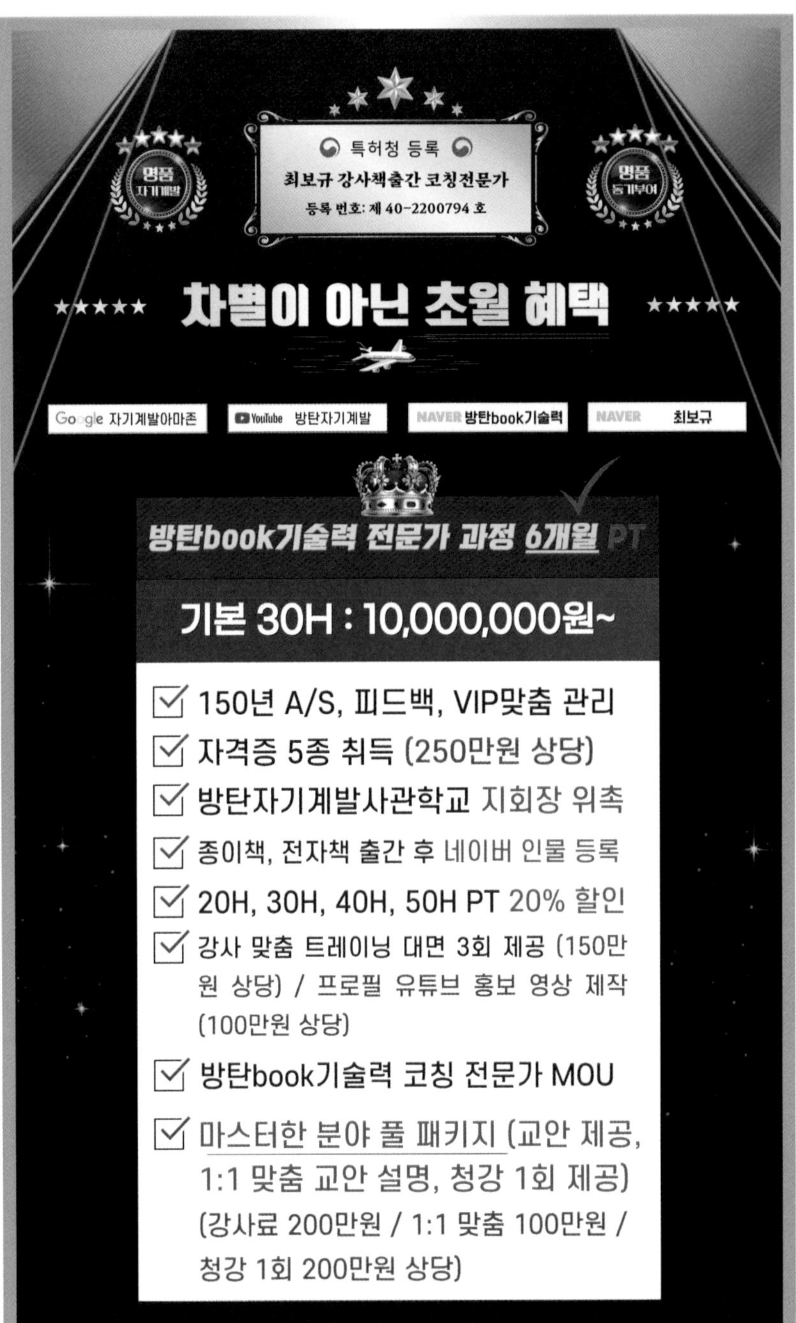
특허청 등록
최보규 강사책출간 코칭전문가
등록 번호: 제 40-2200794 호
명품 자기계발
명품 동기부여
★★★★★ 차별이 아닌 초월 혜택 ★★★★★
Google 자기계발아마존
YouTube 방탄자기계발
NAVER 방탄book기술력
NAVER 최보규
방탄book기술력 전문가 과정 6개월 PT
기본 30H : 10,000,000원~
150년 A/S, 피드백, VIP맞춤 관리
자격증 5종 취득 (250만원 상당)
방탄자기계발사관학교 지회장 위촉
종이책, 전자책 출간 후 네이버 인물 등록
20H, 30H, 40H, 50H PT 20% 할인
강사 맞춤 트레이닝 대면 3회 제공 (150만원 상당) / 프로필 유튜브 홍보 영상 제작 (100만원 상당)
방탄book기술력 코칭 전문가 MOU
마스터한 분야 풀 패키지 (교안 제공, 1:1 맞춤 교안 설명, 청강 1회 제공) (강사료 200만원 / 1:1 맞춤 100만원 / 청강 1회 200만원 상당)

CLASS	내용
class 1	자신 분야 연결 6가지 수입 창출 기술력 컨설팅
class 2	자신 분야 삼성(진정성, 전문성, 신뢰성) 향상 책 쓰기, 책 출간 기술력 PT
class 3	자신 전문 분야로 제2수입 창출 기술력 PT
class 4	자신 전문 분야로 제3수입 창출 기술력 PT
class 5	온라인, 디지털 콘텐츠 기획, 제작 기술력 PT (4,5,6 수입 / 100년 지속적인 수입 창출 PT)

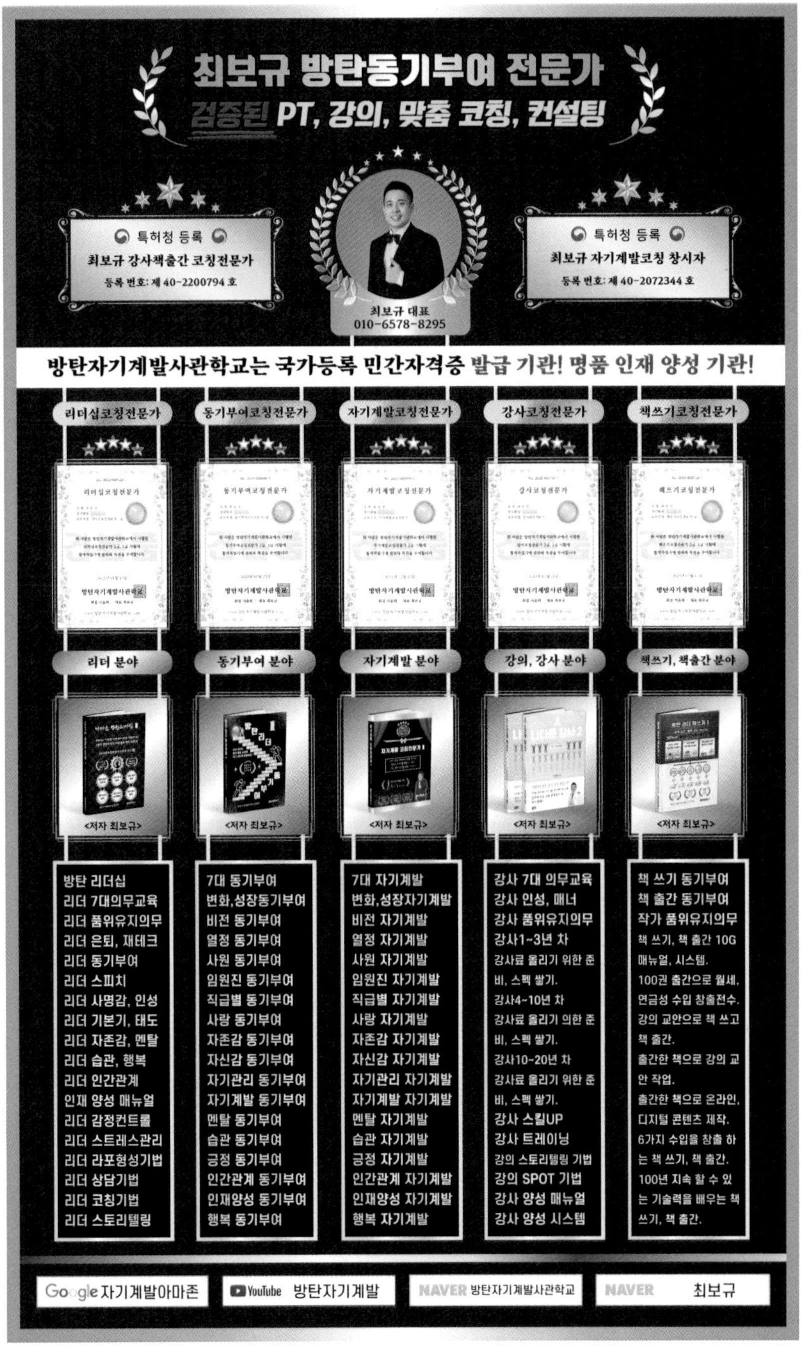

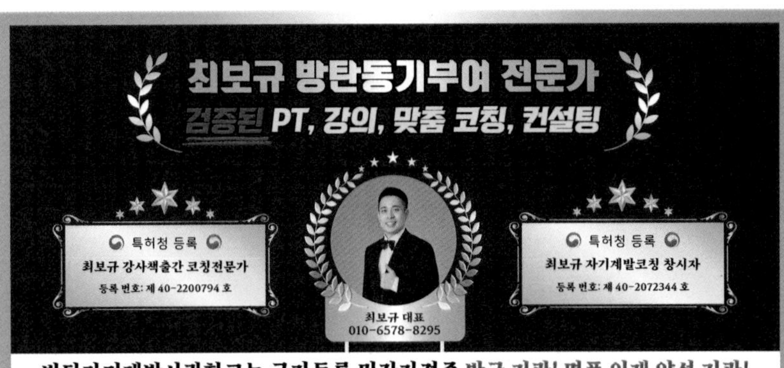

최보규 방탄동기부여 전문가
검증된 PT, 강의, 맞춤 코칭, 컨설팅
특허청 등록
최보규 강사책출간 코칭전문가
등록 번호: 제 40-2200794 호
최보규 대표
010-6578-8295
특허청 등록
최보규 자기계발코칭 창시자
등록 번호: 제 40-2072344 호
방탄자기계발사관학교는 국가등록 민간자격증 발급 기관! 명품 인재 양성 기관!
리더십코칭전문가
동기부여코칭전문가
자기계발코칭전문가
강사코칭전문가
책쓰기코칭전문가
리더 분야
동기부여 분야
자기계발 분야
강의, 강사 분야
책쓰기, 책출간 분야
<저자 최보규>
<저자 최보규>
<저자 최보규>
<저자 최보규>
<저자 최보규>
방탄 리더십
리더 7대의무교육
리더 품위유지의무
리더 은퇴, 재테크
리더 동기부여
리더 스피치
리더 사명감, 인성
리더 기본기, 태도
리더 자존감, 멘탈
리더 습관, 행복
리더 인간관계
인재 양성 매뉴얼
리더 감정컨트롤
리더 스트레스관리
리더 라포형성기법
리더 상담기법
리더 코칭기법
리더 스토리텔링
7대 동기부여
변화,성장동기부여
비전 동기부여
열정 동기부여
사원 동기부여
임원진 동기부여
직급별 동기부여
사랑 동기부여
자존감 동기부여
자신감 동기부여
자기관리 동기부여
자기계발 동기부여
멘탈 동기부여
습관 동기부여
긍정 동기부여
인간관계 동기부여
인재양성 동기부여
행복 동기부여
7대 자기계발
변화,성장자기계발
비전 자기계발
열정 자기계발
사원 자기계발
임원진 자기계발
직급별 자기계발
사랑 자기계발
자존감 자기계발
자신감 자기계발
자기관리 자기계발
자기계발 자기계발
멘탈 자기계발
습관 자기계발
긍정 자기계발
인간관계 자기계발
인재양성 자기계발
행복 자기계발
강사 7대 의무교육
강사 인성, 매너
강사 품위유지의무
강사1~3년 차
강사료 올리기 위한 준비, 스펙 쌓기.
강사4~10년 차
강사료 올리기 의한 준비, 스펙 쌓기.
강사10~20년 차
강사료 올리기 위한 준비, 스펙 쌓기.
강사 스킬UP
강사 트레이닝
강의 스토리텔링 기법
강의 SPOT 기법
강사 양성 매뉴얼
강사 양성 시스템
책 쓰기 동기부여
책 출간 동기부여
작가 품위유지의무
책 쓰기, 책 출간 10G 매뉴얼, 시스템.
100권 출간으로 월세, 연금성 수입 창출전수.
강의 교안으로 책 쓰고 책 출간.
출간한 책으로 강의 교안 작업.
출간한 책으로 온라인, 디지털 콘텐츠 제작.
6가지 수입을 창출 하는 책 쓰기, 책 출간.
100년 지속 할 수 있는 기술력을 배우는 책 쓰기, 책 출간.
Google 자기계발아마존
YouTube 방탄자기계발
NAVER 방탄자기계발사관학교
NAVER 최보규

강사 비수기 5개월
목차
강사는 누구나 한다. 다만
강사 비수기 5개월은 아무나 극복하지 못한다.
돈을 버는 강사! 돈을 못 버는 강사!
20,000명 심리 상담, 코칭으로
알게 된 강사 비수기 극복 방법!
세계 최초 오픈!
ONLY ONE
방탄강사
기술력

목차

1장. 강사 비수기 5개월
극복하기 위한 프로젝트
강사는 누구나 한다. 다만
강사 비수기 5개월은 아무나 극복하지 못한다.
돈을 버는 강사! 돈을 못 버는 강사!
20,000명 심리 상담, 코칭으로
알게 된 강사 비수기 극복 방법!
세계 최초 오픈!
ONLY ONE
방탄강사
기술력

★ 100만 프리랜서, 강사 비수기 현실
- 비수기 현실을 알아야만 비수기를 극복할 수 있다.

20,000명 심리 상담, 코칭 하면서 알게 된 것은 자신 분야 비수기가 어떻게 되는지 제대로 알지 못하고 프리랜서를 하는 사람들이 너무 많았다.

수많은 분야에서 프리랜서를 하고 있는 사람들이 많다. 프리랜서가 자신 분야에서 살아남기 위해서는 가장 먼저 알아야 할 것은 프리랜서 분야에 현실을 알아야 한다. 프리랜서 분야 현실을 알아야만 돈을 벌 수 있는 것이다. 다음으로 나오는 프리랜서 현실의 냉정함을 알게 해주는 내용이다.

서울시 '프리랜서 노동환경'국내 최초 실태조사
서울시가 작가, 프로그래머 등 각 분야별 프리랜서들의 열악한 노동환경 개선에 나선다. 프리랜서 1,000명을 대상으로 국내 첫 노동환경 실태조사를 실시, 결과를 발표하고 프리랜서 업계의 불공정 관행의 고리를 끊고 사회안전망 조성을 위한 종합대책을 마련하겠다고 밝혔다.

이번조사는 지난해 실시한 문화예술분야 만화·웹툰 분야 불공정 실태조사의 후속조치로서, 문화예술분야의 작가, 뮤지션 등과 IT· 기술 분야 프로그래머, 디자이너 등 서울시에서 활동하고 있는 전 영역의 프리랜서를 대상으로 실시했다.

<프리랜서 절반 이상 정기적인 일감이 없고, 경력이 낮을수록 일감도 적어져>

또한, 프리랜서의 절반 이상(54.6%)이 정기적이고 지속적인 일감이 없는 것으로 조사되었다. 정기적이고 지속적인 일감이 있는 경우에도 일감을 받는 곳이 단 1곳에 불과하다는 응답이 가장 높은 비율(66.7%)을 차지하였으며, 프리랜서로 일한 경력이 낮을수록 일감이 더 적어지는 경향이 나타났다.

<학업 등 개인적인 사정으로 프리랜서를 선택하는 비율이 가장 높아>

한편, 프리랜서 형태의 일자리를 시작하게 된 동기가 무엇인지를 묻는 질문에 대해서는 '학업 등 개인적인 사정으로 인하여' 프리랜서를 선택하는 비율(22.3%)이 가장 높게 나타났다. 그 다음으로는 '일정한 직장에 얽매이지 않고 좀 더 자유로운 삶을 살고 싶어서'(21.3%)라는 응답이 높게 나타났으며, 이어서 '일하는 분야의 특성상 프리랜서 형태의 일자리가 대부분이어서'(12.6%)라는 응답과 '구직 과정 중 직장 취업 중에 임시로'(12.2%) 프리랜서를 선택했다는 응답 순으로 조사되었다.

<프리랜서 위해 필요한 정책으로'법률·세무 관련 상담

및 피해구제 지원'가장 선호>
프리랜서를 위해 필요한 정책이 무엇인지를 묻는 질문에 대해서는 '법률이나 세무 관련 상담 및 피해 구제 지원' 이 중요하다는 응답(5점 만점 3.43점)이 가장 높았고 '부당 대우 및 각종 인권침해에 대한 모니터링 강화'(3.42점)를 선호하는 응답도 높게 나타났다.

서울시에서는 프리랜서 실태조사 결과와 토론회에서 논의된 사례와 문제점들을 종합하여 프리랜서들이 지원방안을 마련할 예정이며, 아울러 법·제도적 개선 방안을 마련하기 위해 중앙정부 및 관계 부처와도 적극적으로 협의할 예정이다.

서울시장은 "최근 고용환경의 악화 및 새로운 일자리의 등장 등으로 인하여 프리랜서의 형태로 일하는 사람들이 크게 증가하고 있지만 이를 위한 보호와 지원제도는 아직 마련되어 있지 않다"며, "서울은 특히 국내 프리랜서들이 가장 많이 활동하고 있는 지역인 만큼 시 차원에서 선도적으로 관련부서 TF구성 등을 통해 프리랜서 보호 및 지원을 위한 종합대책을 마련하겠다." 고 말했다.
시민들은 프리랜서로 일할 때 정해진 임금도 없었고, 그 임금 마저도 받지 못할 때가 많다며 프리랜서의 부당한

처우를 개선해줘야 된다고 전했다.

<ENB교육뉴스방송(http://www.enbnews.org)>

경기도, '전국 최초' 경기도 프리랜서 실태조사…전체 40.6%는 연소득 2천만 원 미만, 87.4%는 부당행위 경험.

프리랜서에 대한 실태조사는 이번이 국내에서는 처음으로 도는 조사결과를 바탕으로 프리랜서들을 위한 플랫폼을 구축하는 등 경기도 프리랜서 종합지원계획을 수립할 방침이다. 경기도에 따르면 조사 결과, 도내 프리랜서의 연평균 소득은 2,810만 원 수준이며, 전체 프리랜서의 40.6%는 연간 총 소득이 2,000만 원 미만이라고 응답했다. 직종별로는 ▲교육·컨설팅·연구·법률 서비스 관련 업종이 31.0%로 가장 많았으며 ▲정보통신(IT) 개발 서비스(12.4%) ▲의료·보건 및 사회복지 서비스(12.4%) ▲음악·연극·미술·만화·게임(10.3%) 순으로 나타났다. 교육·컨설팅·연구·법률 서비스 관련 업종은 전국 평균과 유사했지만 나머지 업종은 전국 대비 상대적으로 높게 나타났다.

1인 자영업형 프리랜서의 일감 수주처는 회사/기관/개인사업자(47.8%)가 가장 많았고, 개인 고객(31.3%), 일감 중개자/플랫폼(20.9%)순이었다. 또한 71.7%가 복수의 일감 수주처를 보유하고 있었다.
프리랜서를 시작하게 된 동기는 독립적인 일을 하면서 수입을 창출하기 위해 자발적으로 시작(52.0%)한 경우가 많았고, 같은 이유(일의 자율성과 독립성 51.7%)로 프리랜서 활동을 지속하고 있다는 답변이 가장 많았다.
일감의 입수 경로는 친구/선후배 등 지인(66.9%)이 가장 높았고 개별영업(44.7%), 민간 취업사이트/인터넷 카페(42.5%) 순이었다.

활동관련 고충을 살펴보면 프리랜서는 적성·흥미 일치도(69.9%), 자율성과 권한에 대한 만족도(59.7%)는 높으나, 보수/소득수준(18.7%), 보수의 책정 기준(18.3%), 직업 안정성(13.4%) 등과 같은 경제적 요인에 대한 만족도는 매우 낮게 나타났다.

프리랜서 활동 시 가장 큰 애로사항은 소득의 불안정(79.5%), 일감 구하기(68.2%), 낮은 작업단가(62.4%)와 같은 경제적인 요인과 교육기회 부족(50.9%), 불공정한 계약 관행(47.2%) 등이었다.

또한 부당행위를 경험한 프리랜서는 87.4%로 매우 높았으며, 계약조건 이외의 작업 요구, 부당한 작업내용 변경요구, 터무니없는 보수 제시 및 적용 등의 내용이었다. 부당행위에 대한 대응은 개인적인 처리(53.9%)나 참고 견딘다(43.4%)로 소극적이었다.

<이코노뉴스(http://www.econonews.co.kr)>

서울특별시, 경기도 프리랜서 실태조사에서 필자가 보는 핵심은 프리랜서 월평균 수입 152만 9천 원으로 2024년 기준 서울시 최저 임금(206만 원)보다 낮다는 것이다. 한마디로 100만 프리랜서 90%가 생계형이라는 것이다. 최저 임금 보다 못 받는 강사들이 90%다. 이것이 프리랜서 분야, 강사 분야에 어두운 현실이다.

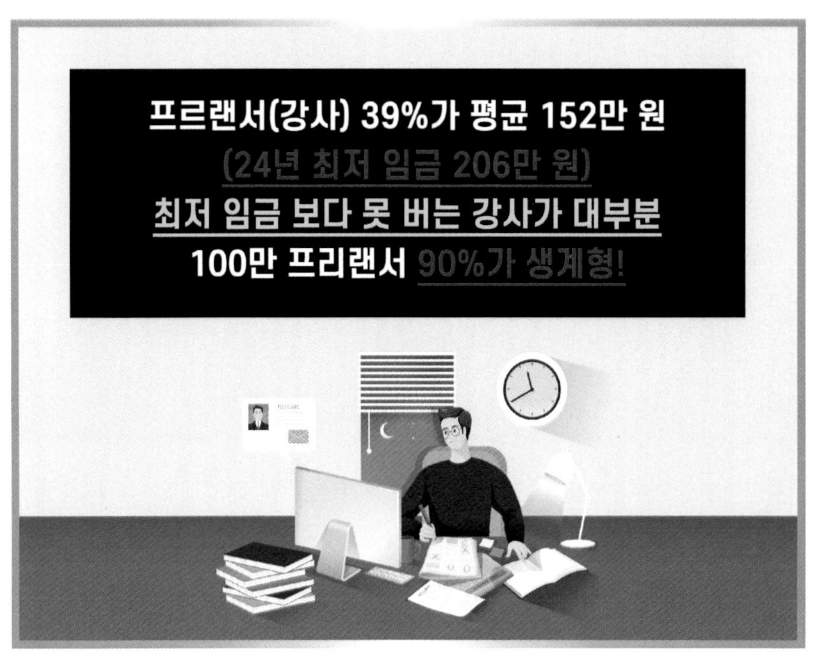

이런 현실인데 "프리랜서, 강사 월 1,000만 원 벌 수 있다! 억대 연봉 될 수 있다!"라는 인성, 양심, 개념 없는 프리랜서, 강사들 말에 세뇌가 되어서 교육, 코칭을 받지만 시간, 돈 낭비만 하는 강사들이 대부분이다.

- 프리랜서, 강사의 경쟁상대는 비수기 5개월이다?

자신 분야 경쟁상대를 생각하면 동조 업계 사람들이라고 생각을 할 것이다. 동조 업계라는 말은 100% 틀렸다. **다음으로 나오는 프리랜서, 강사의 경쟁상대가 동조 업계 종사하는 프리랜서, 강사가 아니라 왜 비수기 5개월인지를 깨닫게 해주는 내용이다.**

에버랜드에 경쟁상대는 롯데월드? 롯데월드에 경쟁상대는 에버랜드? 에버랜드에 경쟁상대는 롯데월드가 아니라 미세먼지, 코로나다! 이 말을 들으면 두 부류의 사람이 나온다.

첫 번째 부류 "그렇구나!" 땡! 끝!
두 번째 부류 "맞네! 맞아!"
"앞으로 자신의 분야 경쟁 상대를 1차원적인 동조 업계만 생각하면 안 되는구나! 정신 차려야겠다. 한 방에 훅 가겠는데"

첫 번째 부류가 100명 중 90%다. 우리는 너무 생각 없이 산다. 그 누구보다 무서운 경쟁상대는 자신의 무지다!
토끼와 거북이 달리기에서는 서로가 경쟁 상대였다. 지금 시대 토끼와 거북이 달리기에서의 경쟁상대는 미세먼지, 코로나다. 경기 자체를 할 수 없기 때문이다.
지금 4차 산업 시대, AI 시대, 포스트 코로나 시대, 5G~10G 시대...자신의 분야 경쟁상대 본질을 다시 잡아야 한다. 단순하게 같은 업종에 종사하는 사람들이 아니다.

현대차의 경쟁상대는 BMW가 아니라 경쟁상대의 본질은 전기차다. 보험설계사의 경쟁 상대는 타 보험설계사가 아니라 경쟁상대의 본질은 다이렉트가입 인터넷이다.

강사의 경쟁상대는 같은 업종 강사가 아니라 코로나로 인해 비대면 화상 강의 시스템이다. 한마디로 모든 업종의 경쟁상대는 디지털이라는 것이다. 자신 분야 아날로그 방식 80%를 디지털 방식으로 50% 이상 바꾸지 않으면 살아남기 힘들다.

《나다운 방탄리더십》

경쟁상대의 고정관념을 깨야 한다. 표면적으로 보이는 경쟁상대가 아니다. 시대 흐름에 맞게 직시하고 통찰력으로 자신 분야의 경쟁상대를 봐야 한다.

지금 시대에 모든 분야 경쟁상대 공통점은(AI 시대, 챗GPT 시대, 유튜브 시대, 숏츠 시대) 화려한 이미지, 영상에 노출이 되어 있는 사람들의 시선이다. 하루만 해도 영상, 이미지, 글... 눈이 아플 정도로 화려한 것을 수 만 개는 본다. 한마디로 지금 시대 사람들의 평균 시각적인 수준이 높다는 것이다. 이런 상황에서 자신 분야를 영상, 이미지로 어필을 해야 하는데 평범하다면 선택받지 못한다. 호기심을 유발, 궁금증 유발 "이런 디자인은 처음 보는데 너무 신선하다. 럭셔리하다."라는 마음이 들어서 보고 싶도록 영상, 이미지 디자인을 제작해야만 선택할 확률이 높아지는 것이다.

다음은 지금 현실 사람들의 집중력에 대한 내용이다.

겨우 8초, 금붕어보다 못한 인간의 집중력
소위 'MZ'라고 불리는 요즘 젊은 세대는 어렸을 때부터 늘 새로운 자극으로 가득한 디지털 환경에 노출된 채 자랐다. 그래서인지 한 가지 주제에 오랫동안 집중하기 상당히 어려운 뇌 구조를 지녔다고 한다. 뭔가에 집중할 수 있는 시간(Attention Span)에 관한 연구를 살펴보자. 아동이 주의해서 집중할 수 있는 시간은 얼마나 될까? '자신의 나이×1분' 정도라고 한다. 6세 어린이는 약 6분 정도 집중할 수 있다는 뜻이다. 이 시간은 개인에 따라 차이가 있고, 몰입하면 10~15분까지는 늘어날 수 있다. 너무 지루하지도 않고 그렇다고 아주 재미있지도 않은 평범한 수업을 하고 있다고 하자. 십 대 학생들은 보통 수업을 듣기 시작하면 약 10분 후부터 집중력이 떨어진다. 일반적으로 이들이 뭔가에 주의해서 집중할 수 있는 시간은 20분을 넘기기 어렵다. 따라서 수업 시작 후 10~20분이 지나면 신경전달물질이 고갈된 학생들은 이내 집중에 어려움을 느끼고 주의가 산만해진다. 그래서 유튜브 영상의 평균 길이는 15~20분이고, 테드(TED) 강연 길이는 18분이다. 집중력을 감안해 메시지를 확실히 전달하기 위한 시간이다. 드롭박스의 마케팅 신화를 쓴 실리콘밸리 최고의 마케터 션 앨리스(Sean Ellis)가 한 말을 약간 각색하여 들어보자.

"고객의 주의집중을 원하신다고요? 사업 규모의 확장을 위해서는 시장이 원하는 언어를 사용해야 합니다. 언어의 시장 적합성이 무엇보다 중요하죠. 잠재 고객의 마음을 움직일 수 있는 말을 상상해 보세요. 당신이 만든 제품을 고객이 마주할 때 어떻게 해야 가장 효율적으로 전달할 수 있을지 생각해 보셨나요? 고객이 좋아하지 않는 언어로 구애한다면 실패입니다. 제품 가치를 알아줄 상대방이 없는 곳에서 헛스윙을 하는 거라고 생각하면 됩니다." 여기서 왜 고객의 마음을 끌어당길 언어에 몰두해야 하는지 그 이유가 나온다. 스마트폰이 생기기 전 고객이 광고에 집중할 수 있는 시간은 12초였다. 이제는 8초로 뚝 떨어졌다. 9초인 금붕어보다 못하다.

주의집중 시간의 변화
12초 - 2000년 인간의 평균 주의집중 시간
8초 - 2015년 인간의 평균 주의집중 시간
9초 - 금붕어의 주의집중 시간

인간의 평균 주의집중 시간, 금붕어의 주의집중 시간은 왜 이런 일이 발생했을까? 주변의 수많은 자극에 적응하다 보니 주의력이 줄어들었다는 것이 통설이다. 생각해 보라. 우리는 매일매일 넘치는 정보의 홍수 속에서 살아가고 있다. 수시로 오는 문자와 카카오톡 메시지, 귀찮아 들여다보지도 않는 이메일처럼 하루하루 우리의 신경을 산만하게 하는 요소가 차고 넘친다. 그 결과 집중해서 주의를 지속하는 시간이 줄어드는 것은 당연한 결과다. 게다가 여러 일을 한꺼번에 하는 멀티태스킹형 업무 방식에 길들여진 젊은 세대에게 이런 현상은 더욱 심각하게 다가올 수밖에 없다.

뇌 신경세포를 뜻하는 뉴런과 마케팅의 합성어인 뉴로마케팅(Neuro Marketing)의 연구 결과를 보자. 브랜드의 색상이 소비자로 하여금 다양한 감정을 불러일으킨다고 한다. 소비자들이 상품을 구매하는 데 있어 시각적 효과가 약 95%를 차지한다고 하니, 디자인과 색감이 큐레이터에게는 아주 중요하다. 색은 브랜드를 인식하는 강력한 수단으로, 그리고 소비자의 신뢰를 확보하는 무기로 작용한다. 빨간색 코카콜라와 초록색 스타벅스 로고가 소비자의 지갑을 열게 하는 강력한 마케팅 도구로 활용되고 있다는 것은 마케팅 세계에서는 익히 아는 이야기다.

《감정 경제학》

지금 시대 사람들의 집중력이 금붕어보다 못하기 때문에 프리랜서, 강사 분야에서 살아남기 위해서는 자신 분야 영상 디자인 제작, 이미지 디자인 제작으로 디지털 콘텐츠를 만들어야 된다. 한마디로 프리랜서, 강사 분야에 필수 스펙은 디지털 콘텐츠 제작이다. 강사가 잘 하는 것이 무엇인가? PPT제작, 스피치다.

강사가 PPT 제작(디자인), 스피치를 하지 못한다면 강사 직업을 제대로 하고 있지 않는 것이다. 스피치만 잘한다고 강사가 아니다. 그런데 안타깝게도 20,000명 심리 상담 코칭 하면서 알게 된 것은 스피치만 하는 강사가 90%다. PPT 디자인을 하는 강사가 극소수다.

강사가 PPT 디자인을 못 하다 보니 강사 초보 시절에 강사 양성 교육 때 받은 PPT 교안을 10년 동안 쓰는 강사들이 많다. 10년 전 교육 영상(시대에 맞지 않고 화질이 떨어지는 영상), 10년 전 사진(시대에 맞지 않고 촌스러운 이미지), 10년 전 동기부여 메시지(귀가 아플 정도로 들었던 뻔한 동기부여), 10년 전 스토리텔링(누구나 알고 있는 지겨운 스토리텔링)으로 강의를 하니 교육 담당자, 청중들에게 이런 말이 나오는 건 당연한 것이다.

"오래된 교육 영상, 교육 사진, 교육 이미지, 교육 메시지들 너무 성의가 없다. 얼마나 게으르면 강의 업데이트를 하지 않고 예전 걸 그대로 쓸까? 전에 들었던 강사와 강의 교안이 비슷한데? 진짜 강사가 게으르다. 강사가 게을러서 지금 시대 강의 교안으로 업데이트하지 않으면서 우리 보러 변화해라? 도전해라? 행동해라? 준비해라? 시작해라? 너나 잘 하세요. 강의 교안이나 시대에 맞는 영상, 이미지로 바꾸고 나서 그런 말 하세요. 강사료 받아 가는 게 미안하지도 않나? 바꾸지 않는 10년 전 강의 교안으로 강의하는 강사라면 나도 강사 하겠다. 쪽 팔린 줄 아세요."

지금 시대 사람들은 시각적인 것이 너무 화려한 것에 많이 노출되어 있다 보니 PPT 교안에도 시대에 맞는 디자인을 해야 하는 것이다. 그래서 디지털 시대에 강사 직업에서 살아남기 위해서는 디자인 스펙은 필수이다.

강사의 경쟁상대인 비수기 5개월을 극복하기 위한 시작이 디자인 스펙을 키우는 것이다. 뒤에서 비수기 5개월을 극복하기 위한 기술력이 세부적으로 나오겠지만 강사가 강의만 해서는 절대로 돈을 벌 수 없다는 것을 명심해야 한다. 한 분야 전문성으로는 힘든 시대이다.

강사의 경쟁 상대인 비수기 5개월을 "어떻게 극복할 것인가?" 를 끊임없이 학습, 연습, 훈련해야 한다. 비수기 닥쳤을 때 준비하면 늦는다. 3고(고물가, 고금리, 고환율) 시대에 강사 비수기는 5개월이 아니라 365일이라는 태도로 지금부터 준비해야 한다.

에버랜드에 경쟁상대는
에버랜드!
VS
롯데월드가 아니다?

경쟁상대 본질
에버랜드!
VS
미세먼지!
에버랜드에 경쟁상대는 롯데월드가 아니라 미세먼지, 마스크다!

에버랜드에 경쟁상대는 롯데월드가 아니라 미세먼지, 마스크다!
이 말을 들으면
두 부류의 사람이 나온다.
"그렇구나!" 땡! 끝!
내 분야 경쟁 상대는
동조 업계가 아니구나!
시대 흐름을 봐야 되는구나!

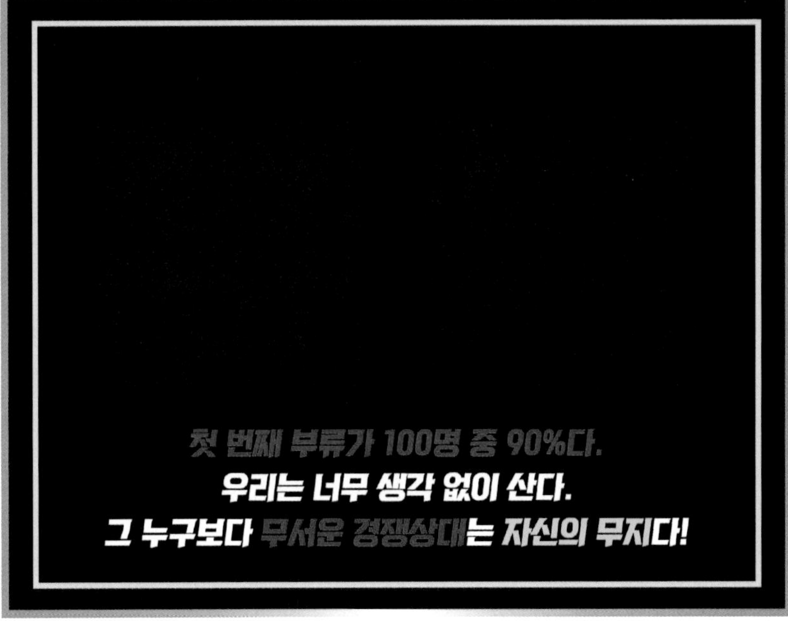
첫 번째 부류가 100명 중 90%다.
우리는 너무 생각 없이 산다.
그 누구보다 무서운 경쟁상대는 자신의 무지다!

경쟁상대 본질
토끼, 거북이!
VS
미세먼지!
토끼와 거북이 달리기에서는 서로가 경쟁 상대였다. 지금 시대에 토끼와 거북이가
달리기 시합을 한다면 경쟁상대는 미세먼지, 마스크 상황으로 경기 자체를 할 수 없다!

3고 시대, AI 시대, 챗 GPT 시대,
유튜브 시대, 숏츠 시대...

자신의 분야 경쟁상대 본질을 다시 잡아야 한다.
단순하게
같은 업종에 종사하는 사람들이 아니다.

경쟁상대 본질
현대차!
VS
전기차!
현대차의 경쟁상대는 BMW가 아니라 경쟁상대의 본질은 전기차다.

경쟁상대 본질
보험설계사!
VS
인터넷 가입
다이렉트보험
보험설계사의 경쟁 상대는 타 보험설계사가 아니라
경쟁상대의 본질은 인터넷 다이렉트가입

경쟁상대 본질
리더!
VS
3값
리더의 경쟁상대는 같은 업종 리더가 아니라
리더값, 타이틀값, 나잇값을 하지 못하는 리더 무능함이다.

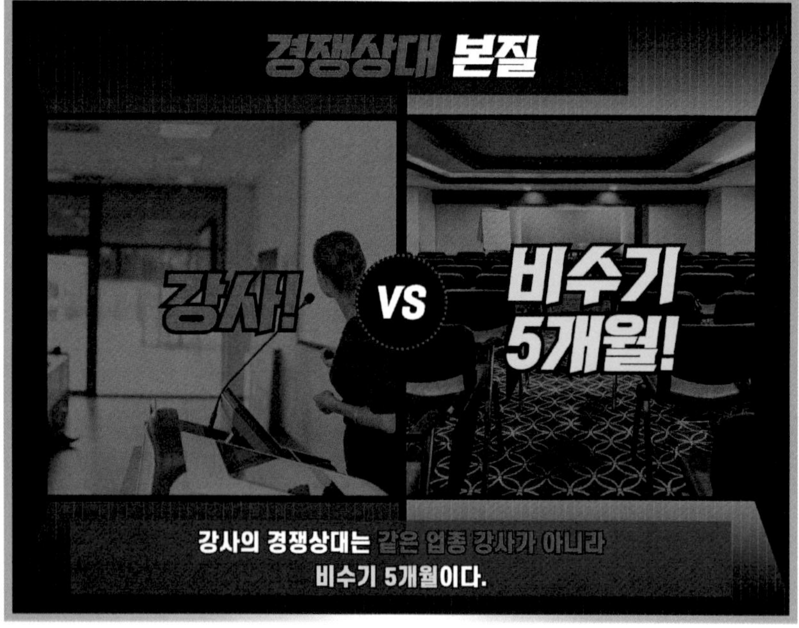
경쟁상대 본질
강사!
VS
비수기
5개월!
강사의 경쟁상대는 같은 업종 강사가 아니라
비수기 5개월이다.

커피숍에서 지인과 대화 중에도 돈이 입금되는 시스템?

자고 있는데 돈을 버는 시스템?

여행 중에도 돈이 입금되는 시스템?

사무실, 직원이 필요 없는 시스템?

건물주처럼 월세가 입금되는 시스템?

집에서 댕댕이와 휴식하고 있는데 돈이 입금되는 시스템?

방탄강사기술력은
강사 비수기 극복, 수입 창출만 하는
기술력이 아니다.
"당신은 제가 좋은 사람이 되고
싶도록 만들어요." 말을 들을 수 있는
강사 인재를 양성하는 기술력이다!

Google 자기계발아마존 | YouTube 방탄자기계발 | NAVER 방탄강사기술력 | NAVER 최보규

★ "월 1,000만 원 강사 될 수 있다! 1억 연봉 강사 가능하다!"라는 말에 제발 좀 속지 말자.

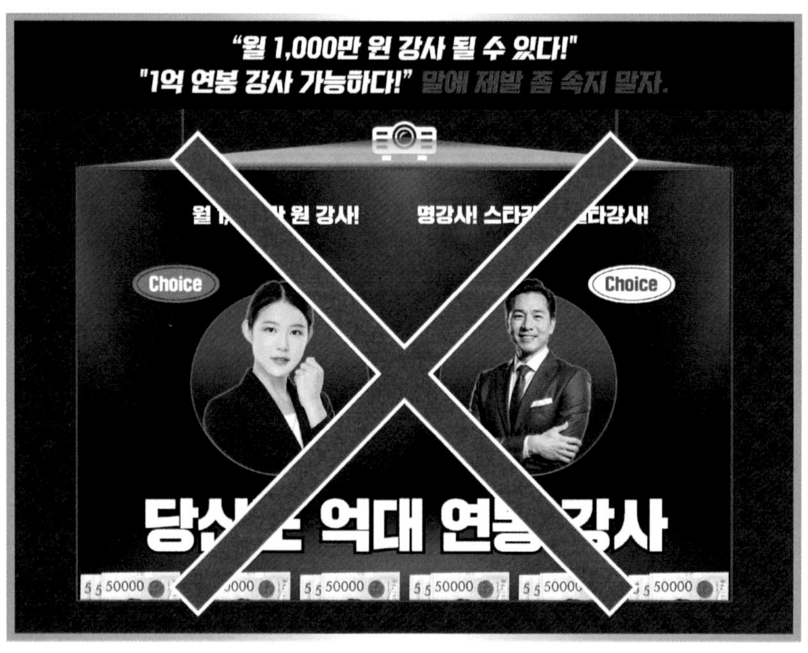

필자 본업이 강사이다 보니 강사 직업에 대해 그 누구도 말하지 못한 강사 직업에 대한 치부를 말하겠다. 자신이 강사라면 정신 바짝 차리고 듣지 않으면 강사 직업의 멘자붕(멘탈 붕괴, 자존감 붕괴)이 올 수 있다는 것을 명심하고 보길 바란다.

#. 주의 사항!

앞으로의 내용이 "강사 직업을 그만해야 되나?"라는 마음이 들 수 있다는 것을 명심하자.

강사 직업 수입이 **프리랜서 평균 수입**(프리랜서 월평균 수입 152만 9천 원으로 2024년 기준 서울시 최저 임금(206만 원)보다 낮다)**보다 더 낮으면 낮았지 높지는 않다. 이런 현실 상황에서 자신이 "월 1,000만 원 벌고 1억 연봉 강사다."라고 말을 한다. 20,000명 심리 상담, 코칭 하면서 알게 된 것은** 거짓말로 강사 양성 교육을 하는 강사들이 많다는 것이다. **당연히 억대 연봉 강사가** 없는 것은 아니다.

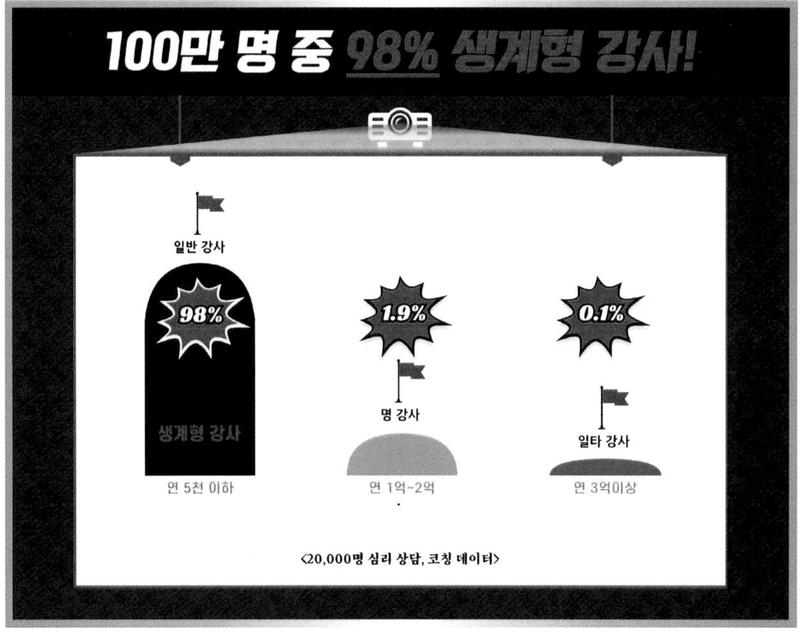

대중매체에서 나오는 사람들 빼고는 솔직히 말을 하면 0.1% 강사들 외에는 대부분 거품이다. 20,000명 심리

상담, 코칭 하면서 알게 된 것은 100만 프리랜서에서 일반 강사(생계형 강사) 연 5,000만 원 이하가 98%, 명강사 연 1억 ~ 2억 원 1.9%, 스타 강사 연 3억 원 이상 0.1%다. 이게 강사 현실이다. 하지만 일부 강사들이 강사 직업을 과하게 부풀려 강사 양성 과정, 특강에서 희망고문을 하는 안타까운 상황이 벌어지고 있다.

명강사 과정, 스타 강사 과정, 전문 강사 양성과정들이 다 나쁘다고 말하는 것이 아니다. 양성 과정을 운영하고 교육하는 강사들이 강사 인성, 강사 현실을 제대로 알려주지 않으니 문제가 있는 것이다.
강사 직업의 강사 인성 교육을 못하고 강사 현실 파악도 못하면서 강사 양성 교육을 하는 강사가 있다. 강사 자질이 의심스러운 강사들이 교육을 한다는 것이다. 또한 왜 강사 비수기가 5개월인지 알려주는 (영상, 책, 강사 양성 과정, 코칭...) 강사 양성 교육 기관이 한군데도 없다. 강사계가 이런 상황이다 보니 강사 50년 차도 제대로 말하지 못하는 강사 비수기 5개월을 이렇게 집필하게 된 것이다. 방탄강사기술력 코칭 때 늘 하는 말이 있다. “그 직업의 장점보다는 단점을 먼저 알고 준비를 해야만 그 어떤 고난, 역경이 오더라도 극복할 수 있다. 강사 직업의 장점도 많지만 최악의 단점은 비수기가 5개월이다. 왜 강사 비수기가 5개월이고 5개월을 어떻게 극복할 것인가를 먼저 학습, 연습, 훈련을 해야지만 강사 직업의 수명이 달라지고 강사료를 올릴 수 있다. 관공서 강의, 학교 강의, 사회복지관 강의(20년이 지나도 강사료가 1시간 기준에 10만 원 이하로 고정되어 있는 강의, 국가에서 예산을 정해준 강의 분야)만 하면서서 "한 달에 1,000만 원 벌 수 있는 강사 될 수 있습니다? 1억 연봉 강사가 될 수 있습니다?" 라는 말을 하는 강사들 말에 현혹되지 말고 강사 인성, 강사 자자자자멘습긍(자존감, 자신감, 자기관리, 자기계발, 멘탈, 습관, 긍정), 강사 현실, 강사 비수기를 제대로 배워서 강사료를 어떻게 하면 올릴 수 있는지를 끊임없이 학습, 연습, 훈련해야 한다."

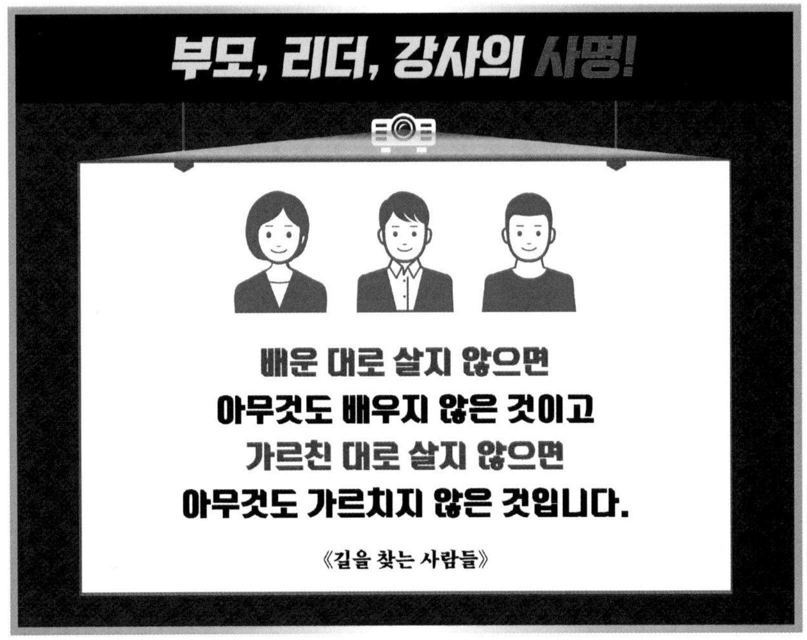

부모, 리더, 강사의 사명!
배운 대로 살지 않으면
아무것도 배우지 않은 것이고
가르친 대로 살지 않으면
아무것도 가르치지 않은 것입니다.
《길을 찾는 사람들》

나쁜 개는 없다. 나쁜 견주만 있다.
나쁜 자녀는 없다. 부모십이 나오지 않는 부모만 있다.
나쁜 직원은 없다. 시대에 맞게 리더십을 업데이트하지 않는 꼰대십이 넘쳐나는 리더만 있다.
나쁜 강사는 없다. 강사 양성 과정 교육을 나쁘게 운영하는 강사만 있다.

강사 현실을 보고하는 게 약일 수도 있지만 어느 정도 현실을 알아야만 예방접종이 되는 것이다. 강사 직업의 현실을 즉시하고 강사 직업이 아니다 싶으면 빠르게 직업 전환을 하면 된다. 그럼에도 불구하고 제대로 할 거라면 더더욱 예방접종이 잘 해서 강사 일을 좀 더 진정성을 가지고 하면 된다.

준비 없이 강사 일을 쉽게 시작하는 강사가 너무 많다. 속된 말로 개나 소나하는 직업이 강사 직업이다. 필자도 그렇게 쉽게 아무것도 모르고 시작을 해서 시행착오, 대가 지불, 인고의 시기를 이겨 냈기에 이런 말을 하는 것이고 강사 직업의 치부를 알려주는 것이다. 더 현실적인 이야기를 하겠다.

20,000명 심리 상담, 코칭 하면서 알게 된 강사 현실은 평균적으로 강사 수입을 한 달에 150만~200만 유지하

는데 3~4년이 걸린다. 생계형 강사들이 90%라는 게 무엇인지 슬슬 감이 좀 오는가? 그럴 수밖에 없는 게 강의가 그렇게 많지 않고 강사료가 너무 적기 때문이다. 그런데 강의에 비해 강사가 많다 보니 경쟁도 심하다. 강의 의뢰하는 업체들은 경력 있는 강사들을 선호하다 보니 왠만해서는 초보 강사가 강의를 할 수 있는 상황이 오지 않는다.

직장인들 경우 1년 정도 일을 하면 적응도 되고 전체적으로 업무가 파악이 되는데 강사는 3~4년 정도는 해야 강사 직업만 파악이 되지 경제적인 것은 안정권에 들어가지 않는다.
특별한 케이스로 강사 직업을 시작하는 10%는 학벌이 되고 투자할 여력도 있어 책도 몇 권 출간하고 교육비가 300만 원 ~ 500만 원 되는 자격증 과정에 투자도 하여 인맥까지 형성해서 강사 몸값을 처음부터 100만 ~ 300만 원을 올려서 돈을 버는 강사도 있다. 하지만 강사들 90%는 생계형 강사다.

강사 현실이 힘들다 보니 진입 장벽이 낮은 강의 분야인 의무교육 강의, 학교 강의, 사회복지관 강의를 많이 한다. 강사 직업 전체 성비로 나누면 7:3 정도 된다. 여자 강사가 70%, 남자 강사가 30%이다.

강사 직업에서 남자 강사가 살아남기가 너무 어려운 직업이다. 남자 강사 기준에서 한집에 가장으로서 강사 일을 하는데 3고 시대에 숨만 쉬어도 200 ~ 300만 원이 지출 되는 상황에서 생활비 반도 안 되는 150만 원 ~ 200만 원을 유지 하는데 3년 ~ 4년 기간이 소요된다. 강사 현실에서 어떻게 생계를 유지 할 수 있겠는가? 가장 으로서 생계가 어렵다 보니 강사 직업은 남자 강사들에게는 무덤이라는 말이 나오는 것이다. 그래서 강사 직업의 성비가 7(여 강사):3(남 강사)이 나온 것이다.

여강사가 강사 직업을 오래 하는 이유 중 하나가 더 있다. 20,000명 심리 상담, 코칭 하면서 알게 된 것은 여강사 80% 정도는 주 생활비를 벌어오는 남편이 있는 여강사들이 강사직업을 좀 더 오래 지속 했다. 하지만 생계형 강사가 90%다 보니 미혼인 여강사들은 강사 직업 수명이 짧았다.

남편이 생활비를 벌어 오는 상황에서 부업으로 강사 직업을 하고 있으니 강사 직업을 좀 더 오래 지속하는 것이다. 극단적으로 표현을 하면 남편이 생활비를 번다면 여강사는 강사 직업을 해도 그만 안 해도 그만인 것이다. 간혹 여강사가 가장이 되어 강사 일을 해야 되는 경우도 있긴 있다. 평균 데이터를 보면 여강사 80%는 직업이 있는 남편이 있는 상황에서 강사 직업을 부업식으로 하는 여강사라는 것이다. 오해하지 말고 들었으면 한다. 여강사들이 강사 직업을 대충 한다고 말을 하는 것이 아니다. 여강사를 비하 하는 것이 아니다. 상담 전문가, 특허청 등록으로 검증된 강사 양성 코칭 전문가로서 현실을 알려주는 것이다. 여강사 중에 강사 직업을 목숨 걸고 하는 강사도 있다. 하지만 강사 직업을 대충하는 강사들도 많기 때문에 냉정하게 말을 하는 것이다. 강사 일을 대충하는 강사들은 이런 말을 많이 했다.

"강의가 없네... 강사료가 적네... 교육 담당자가 강사를 무시하네... 강사 대접을 안 해주네... 청중들이 강의 태도가 너무 안 좋네..."

강사 직업의 성비가 7(여 강사):3(남 강사)중에 생계를 위해서 강사 직업을 하는 여강사가 40%면 30%는 남편이 생활비를 벌기에 자신은 강사 직업을 해도 그만 안 해도 그만이라는 태도로 강사 직업을 부업식으로 강사 일을 한다. 진입 장벽이 낮은 강의 분야인 관공서 강의, 학교 강의, 의무교육 강의, 사회복지관 강의 분야에 90% 이상이 여자 강사이다.

진입 장벽이 낮은 강의 분야의 장점은 강의가 꾸준히 있다는 것이다. 단점은 극단적인 말로 100년이 지나도 고정 되어 있는 강사료이다. 40년 차가 강의 1시간 강의를 해도 10만 원 이하이고 1년 차가 1시간 강의해도 10만 원 이하이다. 관공서 강의는 강사 등급 단계가 있어서 강사료가 좀 더 세부적으로 있지만 박사 학위가 아닌 이상은 강사 경력 50년 차라도 똑같다고 보면 된다.

그래서 관공서 강의, 학교 강의 분야로 가려는 강사는 무조건 박사 학위가 있어야만 강사료가 올라간다는 것을 명심해야 한다.

이런 강사 환경 속에서 강사료를 올리기 위해서는 강사료 올리기 위한 학습, 연습, 훈련을 끊임없이 해야 한다.

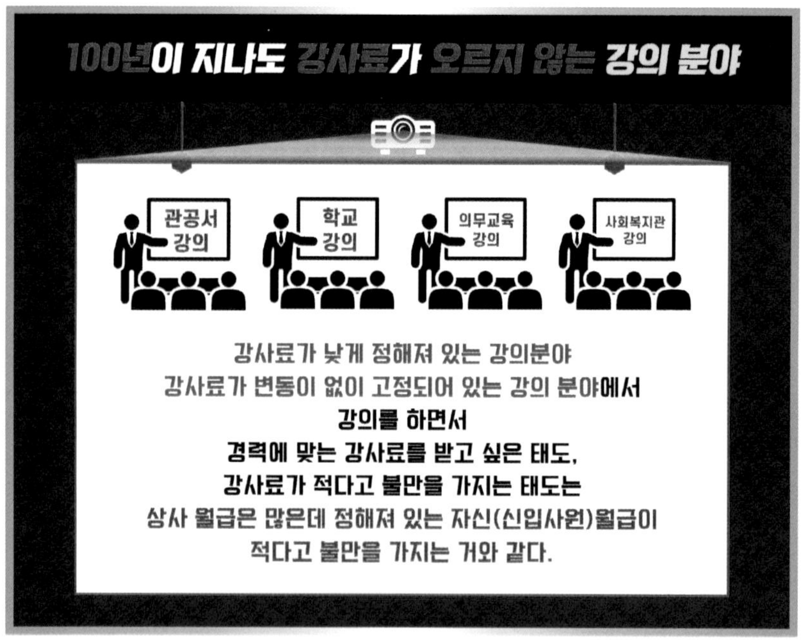

필자도 강사 초보 때 관공서 강의, 학교 강의, 의무교육 강의, 사회복지관 강의를 하면서 힘든 현실을 알았기에 방탄강사기술력 시스템을 만들어서 강의 분야 삼성(진정성, 전문성, 신뢰성)을 높여서 강사료를 올렸을 뿐만 아니라 강사 비수기 5개월도 극복하고 있다.

100년이 지나도 강사료가 고정되어 있는 강의 분야를 하지 말라고 말하는 게 아니다. 자신 강의 분야 강사료가 100년이 지나도 고정되어 있다는 현실을 직시하고 강사 몸값을 올리기 위해서 강사료를 올릴 수 있는 강의 분야를 배우고 시스템을 만들어야 한다는 것을 강조해서 말하고 싶은 것이다.

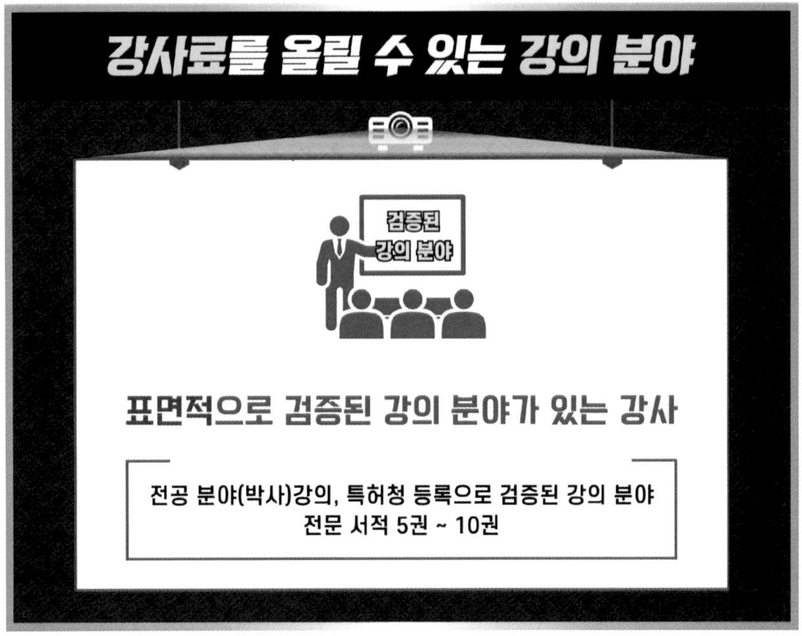

★ 프리랜서(강사)비수기 기간을 알아야 비수기를 극복할 수 있다.

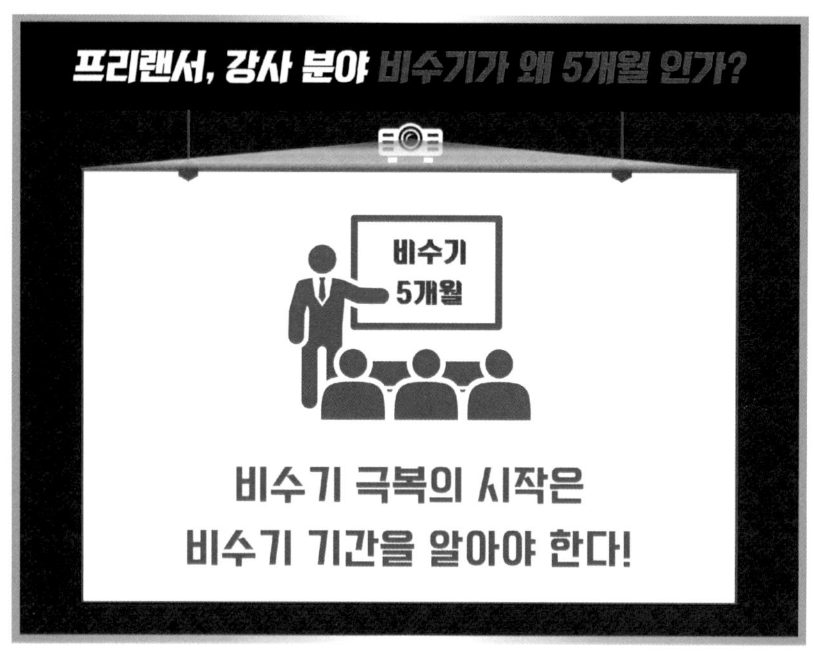

- 프리랜서, 강사 분야에 비수기가 왜 5개월 인가?

직장인이 가장 좋아하는 것은 주말, 공휴일이다. 프리랜서, 강사들이 가장 싫어하는 것은 주말, 공휴일이다. 프리랜서 분야별로 다를 수 있지만 대부분 프리랜서, 강사들은 주말, 공휴일에는 돈을 벌지 못하기 때문에 싫어한다. 돈에 여유가 있어서 프리랜서, 강사 일을 하더라도 주말, 공휴일을 좋아하는 사람도 있지만 대부분 금전적인 여유가 없어서 주말, 공휴일에도 일이 있다면 하고 싫어 한다. 프리랜서, 강사 일을 하는데 돈을 벌 수 없는 주말, 공휴일을 좋아하는 사람은 극히 드물다. 돈에 여유가 없으면 일 할 수 없는 쉬는 날이 두렵다는 것이다.

20,000명 심리 상담, 코칭 하면서 알게 된 것은 극단적으로 이런 말을 하는 사람들이 많았다.
"일거리, 거래처가 너무 없어서 쉬는 날, 공휴일에도 일할 수 있다면 평생을 안 쉬어도 좋습니다. 돈은 적게 벌어도 안정적으로 월급 받을 때가 천국이었다는 것을 그때 몰랐던 것을 프리랜서, 강사일 하면서 알았습니다. 일할 수 있다는 것만으로도 행복입니다."

프리랜서, 강사 분야에 주말, 공휴일이 간접적 비수기이고 직접적 비수기는 평균 5개월이다.

20,000명 심리 상담, 코칭으로 알게 된 프리랜서, 강사 분야 비수기 5개월.
1. 여름 비수기.
7월 초 ~ 8월 말 (여름 방학, 장마, 무더위)
2. 겨울 비수기.
12월 말 ~ 3월 초 (겨울 방학, 한 해 일정, 교육 준비)
3. 명절 3개월 비수기.

(명절 한 달 전부터 전체적인 일정, 교육을 줄인다.)
4. 대통령 선거, 국회의원 선거, 지방선거 비수기
(선거 한 달 전부터 교육을 줄인다.)
5. 전염성이 강한 상황이 발생했을 때. (무기한 비수기)

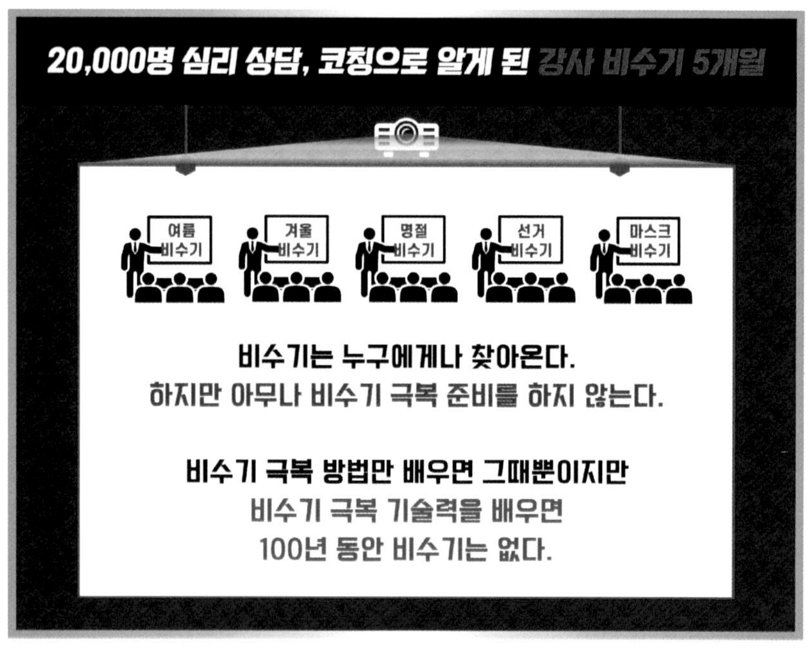

표면적으로 알 수 있는 프리랜서, 강사 비수기 기간이 5개월이다.
12개월 중에 5개월이 직접적 비수기, 주말, 공휴일 제외하면 최하 6개월은 일을 할 수 없는 상황이라는 것이다. 6개월을 일할 수 없는 상황에서 어떻게 하면 돈을 벌 수 있을 것인가? 투잡, 쓰리잡을 하더라도 자신 분야와

연관이 있는 것을 해야지만 자신 분야의 감을 잃지 않고 도움이 되어 삼성(진정성, 전문성, 신뢰성)이 높아진다. 방탄강사기술력 코칭 사례를 한 가지를 말해주겠다. 강사가 생계가 어려워서 대리운전, 단기 알바 같은 것을 할 수도 있다. 오해하지 말고 들었으면 한다. 대리운전, 단기 알바 직업을 무시하는 것이 아니다. 자신 분야 본업과 연관 없는 일을 하게 되면 강사 일에 대한 괴리감이 생긴다.

#. 괴리감 (乖離感): 서로 어긋나 동떨어져 있는 것처럼 느끼는 마음.

강사 직업에 괴리감이 생기는 것이 이상한 것이 아니다. 누구라도 강사 직업을 하다가 생계가 힘들어서 대리운전, 단기 알바를 잠깐은 할 수 있는데 비수기 때마다 몇 개월을 반복적으로 한다면 괴리감이 드는 심리는 당연한 것이다. 어떤 분야든 프리랜서라면 공감을 할 것이다. 그래서 부득이하게 단기 알바를 해야 한다면 자신의 본업과 동떨어지는 일이 아닌 본업과 연관성이 될 수 있는 투잡, 쓰리잡을 해야 한다.

방탄강사기술력코칭을 받는 프리랜서, 강사들이 100명이면 100명이 늘 하는 말이 있다.

"프리랜서, 강사 일을 하면서 투잡, 쓰리잡을 하면 할수록 본업에 괴리감이 들어서 본업을 포기하고 싶은 마음이 계속 들기에 '투잡, 쓰리잡을 언제까지 해야 되나.'라는 생각에 본업에 대한 딜레마에 빠집니다." 라고 말을 한다.

그래서 본업에 괴리감을 들지 않게 하기 위해서는 반드시 강사 일과 연관된 부업을 하면서 수입 창출을 해야 한다.

평균 희망 은퇴 73세, 현실 은퇴 나이 49세!
100세 시대 언제까지 몸(노동)으로만
일해서 돈을 벌 것인가?

세상, 현실 기준에서 스펙, 돈, 인맥, 자산 등이 없어서 100세까지 노동을 해야 되고 몸까지 아프면 더 답이 없는 상황! 젊을 때는 100가지 중 99가지를 할 수 있지만 나이 들면 100가지 중 99가지를 할 수 없다. 3고 시대, AI 시대, 챗GPT 시대에 자신의 직업이 사라 질 수 있는 상황에서 어떻게 준비, 대비할 것인가?

방탄강사기술력
선택이 아닌 필수!

Google 자기계발아마존 | YouTube 방탄자기계발 | NAVER 방탄강사기술력 | NAVER 최보규

★ 단언컨대 강사 비수기 5개월을 극복하기 위한 선택지는 2가지뿐이다.

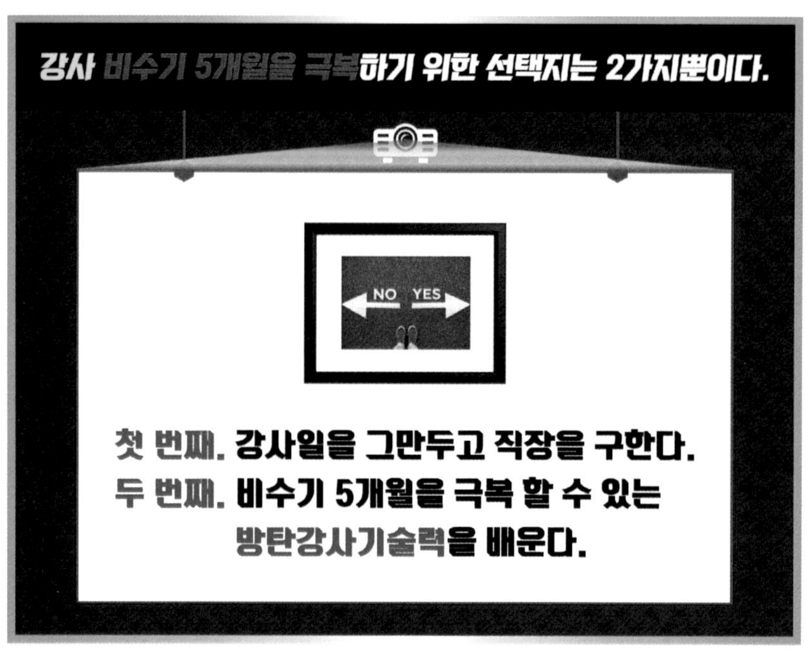

첫 번째, 강사 일을 그만두고 직장을 구한다.

시간, 돈을 투자해서 독학으로 비수기를 극복하는 시스템을 만들지 못하면 그만두는 것이 속 편하다. 그만두면 모든 것이 편해진다. 다음 생에 강사 일을 하면 된다. 다시 직장 지옥으로 들어가면 된다. 미련 없이 강사 일을 포기하고 직장 다니면 된다.

두 번째, 비수기 5개월을 극복할 수 있는 방탄강사기술력을 배운다.

시스템을 만들 수 없다면 만들어져 있는 시스템 안으로 들어가면 된다. 검증된 전문가에게 시간, 돈 투자를 해서 비수기 없는 강사가 된다. 무인 시스템까지 만들어서 움직이지 않아도 돈이 들어오는 시스템을 만든다.

강사 비수기 5개월 극복 2가지 방법 외에 다른 방법이 있다면 자신이 알고 있는 방법으로 비수기를 극복하면 된다. 하지만 단언컨대 강사 직업과 연결시켜서 6가지 수입 창출을 할 수 있는 시스템인 방탄강사기술력은 강사 비수기 5개월을 극복하는 방법 중 세계 최고이며 유일하다.

방탄강사기술력을 무조건 배워야 되는 이유!

25가지

1. 스펙, 인맥, 돈, 외모... 현실 기준에 미치지 못하는 사람에게도 잘될 수 있는 기회를 준다.
2. 자신 분야 제2수입, 제3수입을 만들어 준다.
3. 현실 은퇴 나이 49세! 앞으로의 걱정, 고민, 은퇴, 노후를 해결해 준다.
4. 자신 분야 비수기 없는 시스템을 만들어 준다.
5. 한 분야 전문성으로는 힘든 시대! 일할 때 외에는 쓸모없는 경력, 스펙을 수입 창출할 수 있게 연결시켜 준다.
6. 커피숍에서 지인과 대화 중에도 돈이 입금되는 시스템을 만들어 준다.
7. 자고 있는데 돈이 입금되는 시스템을 만들어 준다.
8. 여행 중에도 돈이 입금되는 시스템을 만들어 준다.
9. (무인 시스템) 사무실, 직원이 필요 없는 시스템을 만들어 준다.
10. (온라인 건물주) 건물주처럼 월세가 입금되는 시스템을 만들어 준다.
11. 집에서 댕댕이와 휴식하고 있는데 돈이 입금되는 시스템을 만들어 준다.
12. 주위 사람 말에 흔들리지 않게 해 준다.
13. 자신의 가능성, 자신감을 향상시켜 준다.
14. 스트레스(멘탈) 관리를 잘할 수 있게 해 준다.
15. 자자자자멘습긍 학습, 연습, 훈련하는 방법과 자신을 진짜 사랑하는 방법을 알게 해 준다. (자존감, 자신감, 자기관리, 자기계발, 멘탈, 습관, 긍정)
16. 외로움, 우울함 관리를 더 잘할 수 있게 해 준다.
17. 나 너가 아닌 "우리, 함께"라는 마음을 알게 해 준다.
18. 자신도 "필요한 존재, 도움이 되는 사람이구나." 느끼게 해 준다.
19. 부정적인 비교보다는 긍정적인 비교를 더 하게 해 준다.
20. 가진 것이 부족해서 생기는 불만보다는 감사를 더하게 해 준다.
21. 자격 지심, 콤플렉스, 트라우마, 상처를 관리할 수 있게 해 준다.
22. 삶의 의욕을 넘치게 해 준다.
23. 자신의 가치를 찾게 해 준다.
24. 불행, 고난, 역경 힘든 시기가 왔을 때 지혜롭게 이겨낼 수 있게 해 준다.
25. 인생의 목표를 만들어 주고 인생의 방향을 잡아주며 인생을 어떻게 살아가야 하는지 알게 해 준다.

기업들 희망퇴직 만 40세부터... 희망퇴직 나이 73세이고 대한민국 현실 은퇴 나이 49세! 20대 은퇴 예정자? 30대 은퇴 확정자? 40대 은퇴 위험군?

노벨상 받은 사람, 하버드 대학교 교수, 은퇴 전문가, 노후 전문가들 1,000명 이면 1,000명이 말하는 것은 최고의 은퇴 준비, 노후 준비는 100세까지 현역을 하는 것이다. 왜 가지고 있는 경력을 썩히고 있는가? 쌓은 경력은 사직, 퇴직, 은퇴... 하면 인정해 주지 않는 현실 속에서 쌓은 경력으로 100세까지 지속할 수 있는 JOB이 있다면? 나이 제한 없이 할 수 있는 JOB이 있다면?

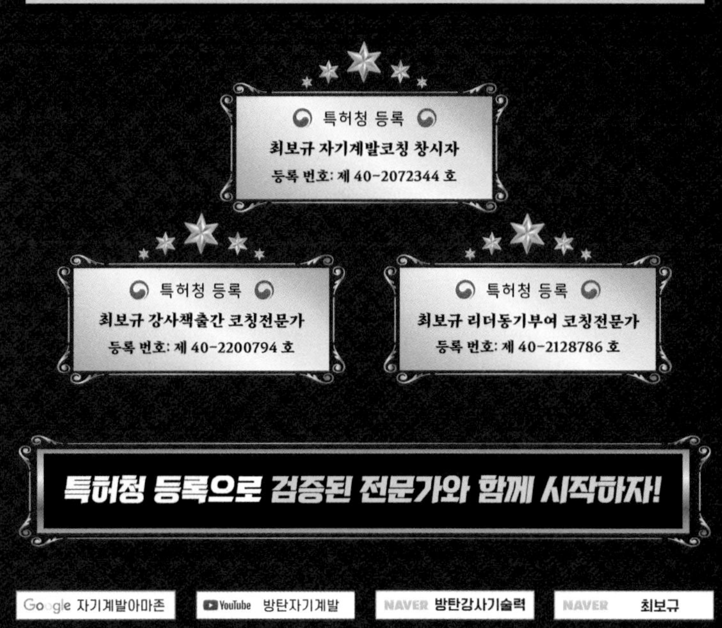

★ 20,000명 심리 상담, 코칭 하면서 알게 된 강사 비수기 5개월 동안 돈 못 버는 6가지 유형의 강사, 돈 버는 6가지 유형의 강사

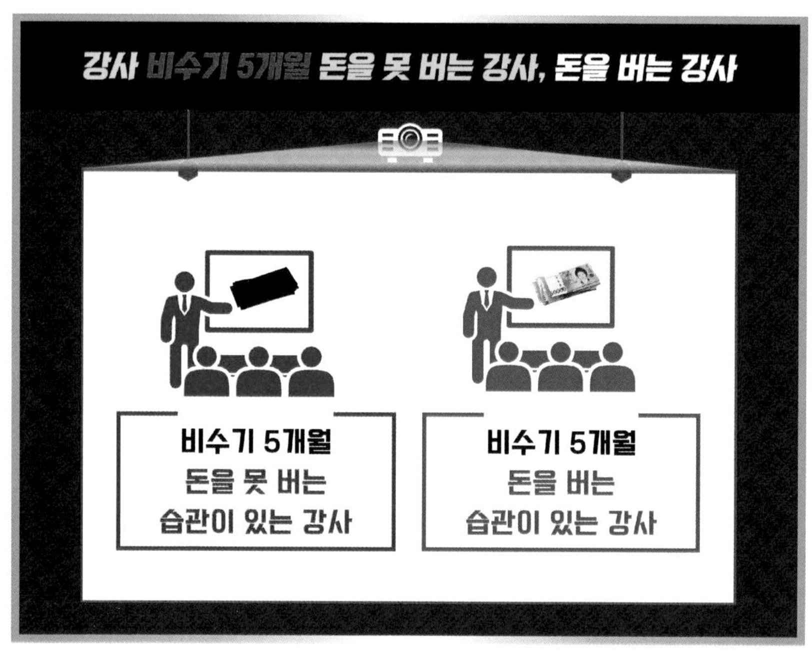

강사 비수기 5개월 동안 돈을 못 버는 6가지 유형의 강사.

1. 강사 인맥 없음.
2. 강의 거래처 없음.
3. 강사 스펙 없음. (석사, 박사, 전문 서적 5권~10권)
4. 강사료 10만 원 이하 강의만 하는 강사 [평균 10건 강의 중 8건(80%)이 10만 원 이하 강의를 하는 강사.

10건 중 8건 강사료가 강사 몸값이다.]

5. 강의 경력이 10년, 20년이 되어도 강사료가 고정되어 있는 강의를 하는 강사 (관공서 강의, 학교 강의, 복지관 강의, 의무 교육 강의... 강사료가 100년이 지나도 고정되어 있는 강의 분야)

6. 강사 강의 분야를 온라인 콘텐츠 제작, 디지털 콘텐츠 제작, 디자인 제작을 못하는 강사

#. 6가지 유형 중 한 가지라도 해당되면 돈을 벌 수 없다.

강사 비수기 5개월 동안 돈 버는 6가지 유형의 강사.

1. 강사 양성 교육 시스템(강사 교육, 코칭)이 있는 강사

2. 민간 자격증 교육 시스템(검증된 민간 자격증 발급기관)이 있는 강사

3. 단톡, 밴드, 카페, 모임방(100명 이상)을 운영하는 단체, 협회 장.

4. 강사 에이전시(기업과 강사를 연결)역할을 하는 업체, 단체, 협회 장.

5. 강의 전문 분야로 온라인 콘텐츠 제작(PPT 디자인, 영상 디자인, 홍보 디자인)을 할 수 있는 강사

6. 책, 디지털 콘텐츠 제작으로 무인 시스템을 만든 강사.

#. 6가지 유형을 모두 하더라도 돈을 무조건 버는 것이

아니다. 극소수 강사만 돈을 번다. (0.1%)

1, 2, 3, 4번은 다수에 사람들을 상대를 해야 되고 관리를 해야 한다. 사람이 많으면 말도 많고 탈도 많다. 한마디로 신경 써야 될게 상상을 초월한다. 업체 장, 단체장, 협회장들을 방탄강사기술력 코칭을 하다 보면 “돈을 적게 벌더라도 단체 운영을 하고 싶지 않다”라고 말하는 사람들이 많았다.

사람들 스트레스에 원형 탈모, 불면증, 우울증... 등으로 인해 삶의 의욕이 없어진다는 것이다. 그만큼 스트레스가 많다는 뜻이다. 500명 모임 방이 있다면 500개의 스트레스가 쌓이고 1,000명 모임 방이 있다면 1,000개의 스트레스가 쌓인다고 봐야 한다.

표면적으로 봤을 때 “교육받는 사람들이 주기적으로 있으니 돈 많이 벌겠다. 부럽다. 나도 교육 모임 방이나 만들어 볼까?”라는 말을 하는 강사들이 종종 있다. 농담반 진담반으로 이런 말을 한다. “단명하고 싶으면 단체 모임방 운영해보세.”

교육 모임방을 만드는 것도 쉽지 않지만 만들었더라도 사람 관리, 교육 시스템 관리 하는 게 아무나 하지 못한다는 것을 명심해야 한다.

지금까지 내용을 제대로 봤다면 무조건 이런 생각이 들 것이다.

"강사 비수기 5개월 동안 돈 버는 강사 6가지 유형 중에는 하나도 해당이 안 되고 돈을 못 버는 강사 6가지 유형에는 해당되는 게 많은데... 강사일 접어야 되나? 강사 직업 앞이 깜깜하네. 강사일 너무 대충 했다. 강사 직업 보통이 아니다. 강사일 그래도 미련이 남았는데 지금부터라도 제대로 하고 싶은데 방법이 없나?"

《강사 비수기 5개월 (돈 못 버는 강사 돈 버는 강사)》
책을 보고 있는 당신은 지금 천재일우가 온 것이다.
[천재일우(千載一遇): 천 년에 한 번 만난다는 뜻으로 좀처럼 만나기 어려운 기회]
어떤 영상에서도 말하지 못한 프리랜서 비수기, 강사 비수기 극복 기술력 시스템. 어떤 책에서도 볼 수 없는 프리랜서 비수기, 강사 비수기 극복 기술력 시스템. 어떤 교육, 코칭에서도 들을 수 없는 프리랜서 비수기, 강사 비수기 극복 기술력 시스템. 세계 최초 공개한다. 강사계의 스티브잡스! 강사계의 혁신! 강사 직업과 방탄강사 기술력을 연결하여 6가지 수입을 창출한다.

방탄강사기술력

커피숍에서 지인과
대화 중에도 돈이
입금되는 시스템?

자고 있는데
돈을 버는 시스템?

여행 중에도 돈이
입금되는 시스템?

사무실, 직원이
필요 없는 시스템?

건물주처럼
월세가
입금되는 시스템?

집에서 댕댕이와
휴식하고 있는데 돈이
입금되는 시스템?

방탄강사기술력은
강사 비수기 극복, 수입 창출만 하는
기술력이 아니다.
"당신은 제가 좋은 사람이 되고
싶도록 만들어요." 말을 들을 수 있는
강사 인재를 양성하는 기술력이다!

Google 자기계발아마존 | YouTube 방탄자기계발 | NAVER 방탄강사기술력 | NAVER 최보규

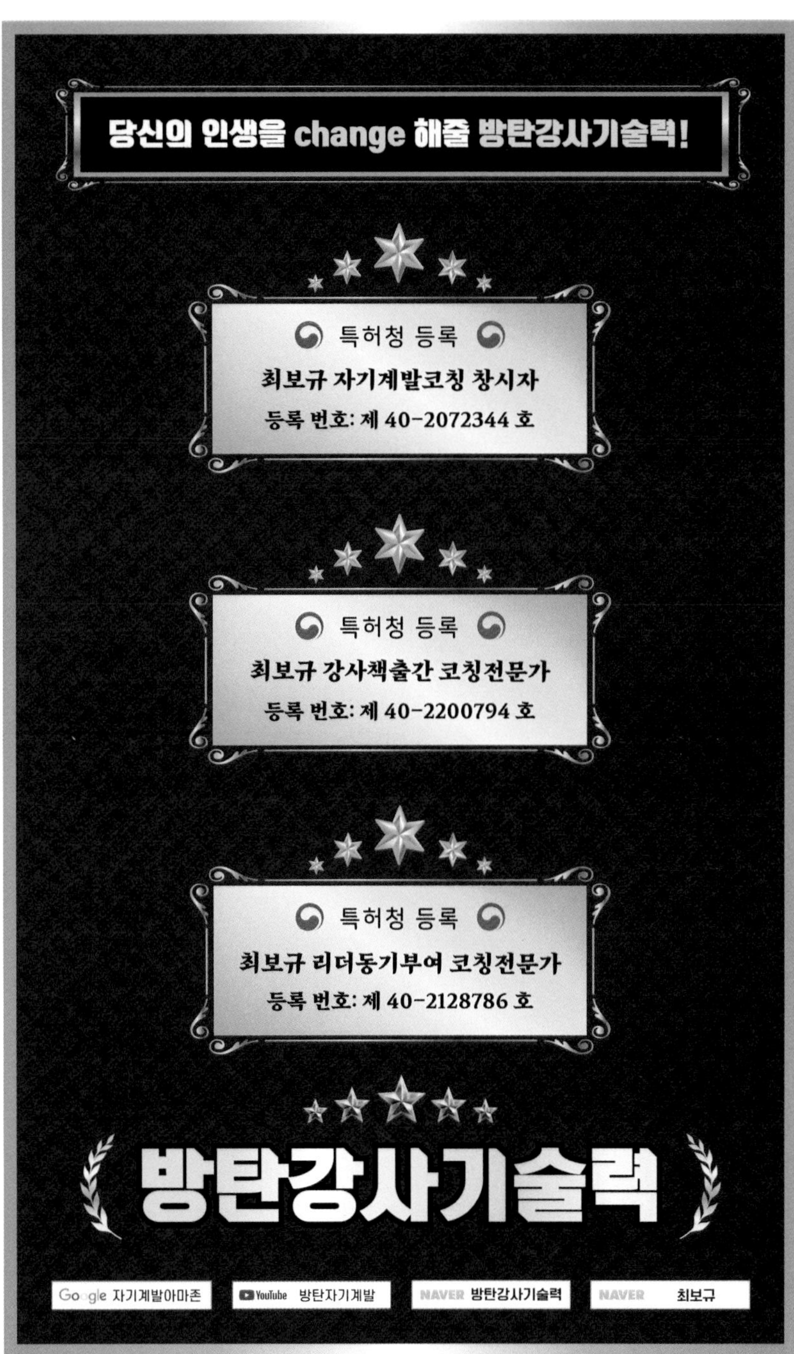

당신의 인생을 change 해줄 방탄강사기술력!
특허청 등록
최보규 자기계발코칭 창시자
등록 번호: 제 40-2072344 호
특허청 등록
최보규 강사책출간 코칭전문가
등록 번호: 제 40-2200794 호
특허청 등록
최보규 리더동기부여 코칭전문가
등록 번호: 제 40-2128786 호
방탄강사기술력
Google 자기계발아마존
YouTube 방탄자기계발
NAVER 방탄강사기술력
NAVER 최보규

평균 희망 은퇴 73세, 현실 은퇴 나이 49세!
100세 시대 언제까지 몸(노동)으로만
일해서 돈을 벌 것인가?

세상, 현실 기준에서 스펙, 돈, 인맥, 자산 등이 없어서 100세까지 노동을 해야 되고 몸까지 아프면 더 답이 없는 상황! 젊을 때는 100가지 중 99가지를 할 수 있지만 나이 들면 100가지 중 99가지를 할 수 없다. 3고 시대, AI 시대, 챗GPT 시대에 자신의 직업이 사라 질 수 있는 상황에서 어떻게 준비, 대비할 것인가?

방탄강사기술력
선택이 아닌 필수!

기업들 희망퇴직 만 40세부터... 희망퇴직 나이 73세이고 대한민국 현실 은퇴 나이 49세! 20대 은퇴 예정자? 30대 은퇴 확정자? 40대 은퇴 위험군?

노벨상 받은 사람, 하버드 대학교 교수, 은퇴 전문가, 노후 전문가들 1,000명 이면 1,000명이 말하는 것은 최고의 은퇴 준비, 노후 준비는 100세까지 현역을 하는 것이다. 왜 가지고 있는 경력을 썩히고 있는가? 쌓은 경력은 사직, 퇴직, 은퇴... 하면 인정해 주지 않는 현실 속에서 쌓은 경력으로 100세까지 지속할 수 있는 JOB이 있다면? 나이 제한 없이 할 수 있는 JOB이 있다면?

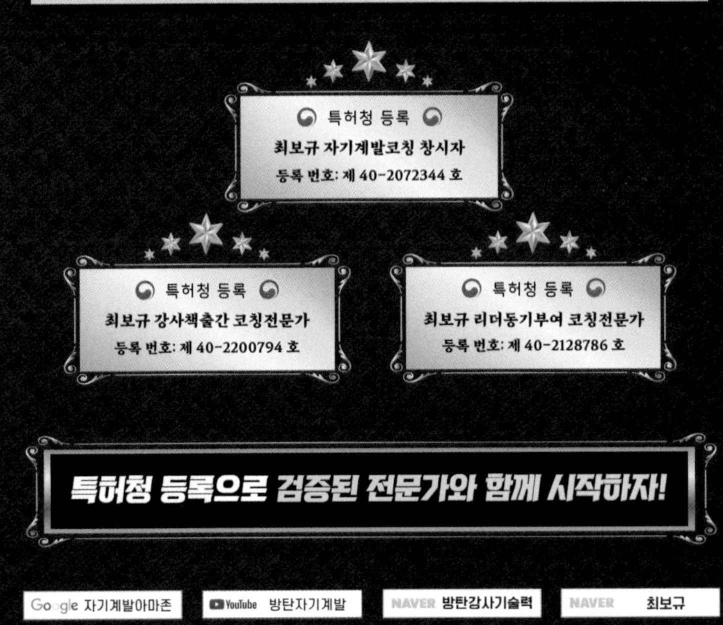

한 분야 전문성으로 힘든 시대다. 이제는 포트폴리오 커리어 시대다. (포트폴리오 커리어: 한 분야 전문성 외 다수에 전문성이 있는 사람) 자신 경력을 왜 썩히고 있는가! 자신 경력을 활용해서 6가지 수입을 발생시킬 수 있는 방탄강사기술력! 언제까지 몸(노동)으로 일할 것인가? 자신 경력이 일하게 하자! 자신 콘텐츠가 일하게 하자! 시스템이 일하게 하자!

★ ★ ★ ★ ★

직장은 자신 인생을 책임져 주지 않지만
방탄강사기술력은 자신 인생을 책임져 준다.
직장은 자신을 배신하지만
방탄강기술력은 자신을 배신하지 않는다.

Google 자기계발아마존 | YouTube 방탄자기계발 | NAVER 방탄강사기술력 | NAVER 최보규

방탄자기계발사관학교
www.방탄자기계발사관학교.com
최보규 대표
상담, 코칭, 강의, 컨설팅 문의
010-6578-8295
특허청 등록
최보규 자기계발코칭 창시자
등록 번호: 제 40-2072344 호
특허청 등록
최보규 강사책출간 코칭전문가
등록 번호: 제 40-2200794 호
특허청 등록
최보규 리더동기부여 코칭전문가
등록 번호: 제 40-2128786 호
지금처럼 하면 진짜 큰일 난다.
정신 바짝 차리자!
자신을 못 믿겠으면 자신을 믿어주는
특허청 등록으로 검증된
최보규 코칭전문가를 믿고 시작하자!
Google 자기계발아마존
YouTube 방탄자기계발
NAVER 방탄자기계발사관학교
NAVER 최보규

25가지

1 스펙, 인맥, 돈, 외모... 현실 기준에 미치지 못하는 사람에게도 잘될 수 있는 기회를 준다.

2 자신 분야 제2수입, 제3수입을 만들어 준다.

3 현실 은퇴 나이 49세! 앞으로의 걱정, 고민, 은퇴, 노후를 해결해 준다.

4 자신 분야 비수기 없는 시스템을 만들어 준다.

5 한 분야 전문성으로는 힘든 시대! 일할 때 외에는 쓸모없는 경력, 스펙을 수입 창출할 수 있게 연결시켜 준다.

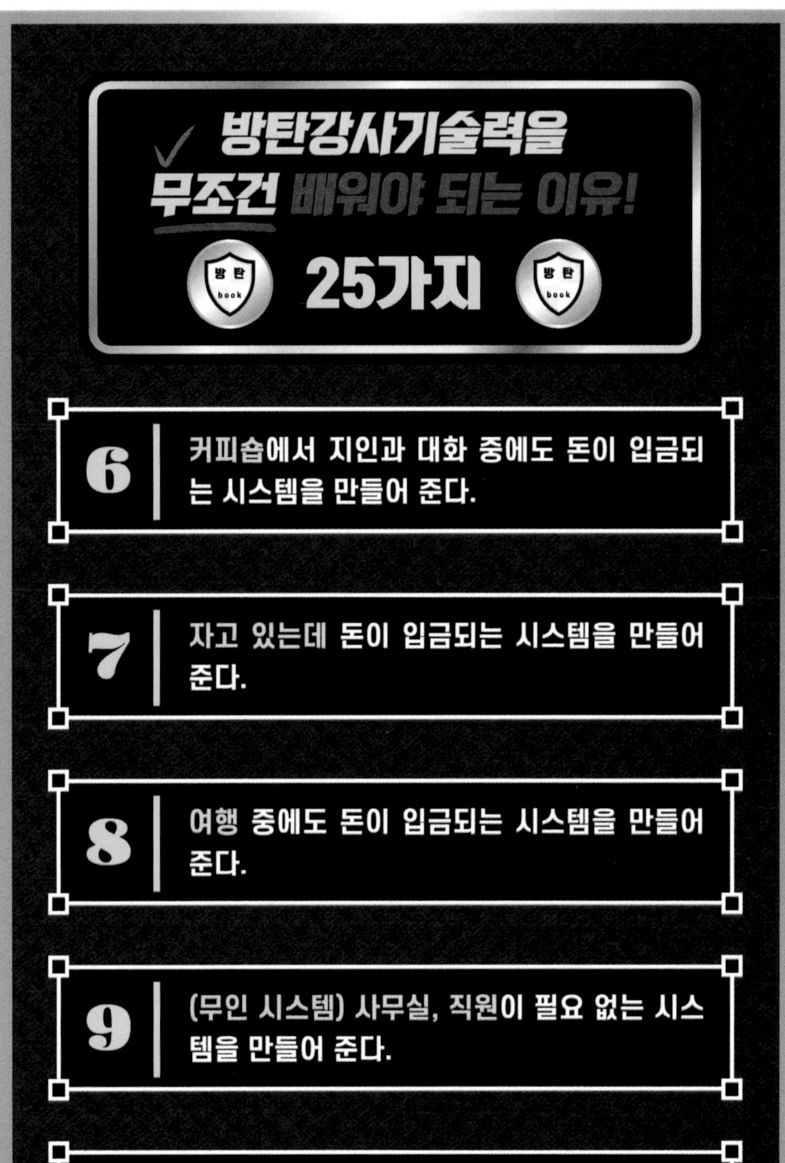

방탄강사기술력을
무조건 배워야 되는 이유!
방탄 book
25가지
방탄 book
6
커피숍에서 지인과 대화 중에도 돈이 입금되는 시스템을 만들어 준다.
7
자고 있는데 돈이 입금되는 시스템을 만들어 준다.
8
여행 중에도 돈이 입금되는 시스템을 만들어 준다.
9
(무인 시스템) 사무실, 직원이 필요 없는 시스템을 만들어 준다.
10
(온라인 건물주) 건물주처럼 월세가 입금되는 시스템을 만들어 준다.

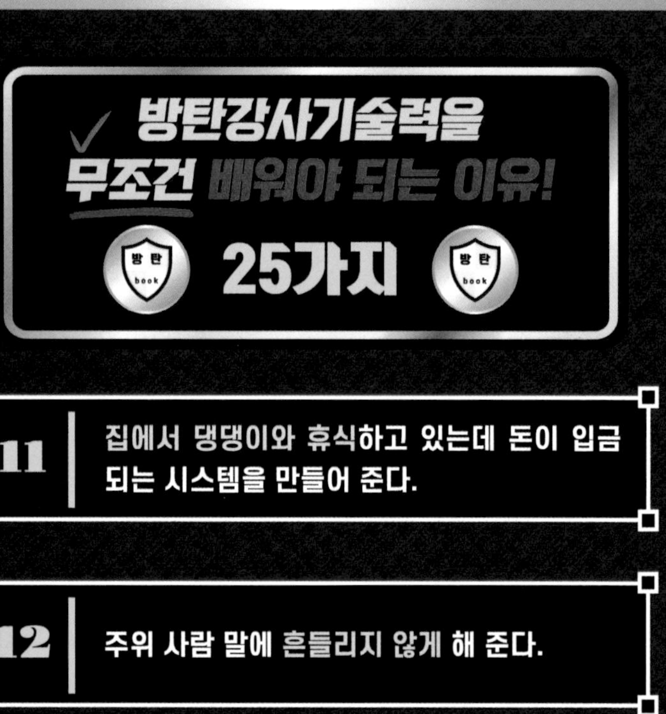

11 집에서 댕댕이와 휴식하고 있는데 돈이 입금되는 시스템을 만들어 준다.

12 주위 사람 말에 흔들리지 않게 해 준다.

13 자신의 가능성, 자신감을 향상시켜 준다.

14 스트레스(멘탈) 관리를 잘할 수 있게 해 준다.

15 자자자자멘습긍 학습, 연습, 훈련하는 방법과 자신을 진짜 사랑하는 방법 을 알게 해 준다. (자존감, 자신감, 자기관리, 자기계발, 멘탈, 습관, 긍정)

✓ 방탄강사기술력을 무조건 배워야 되는 이유!

25가지

16 외로움, 우울함 관리를 더 잘할 수 있게 해 준다.

17 나 너가 아닌 "우리, 함께"라는 마음을 알게 해 준다.

18 자신도 "필요한 존재, 도움이 되는 사람이구나." 느끼게 해 준다.

19 부정적인 비교보다는 긍정적인 비교를 더 하게 해 준다.

20 가진 것이 부족해서 생기는 불만보다는 감사를 더하게 해 준다.

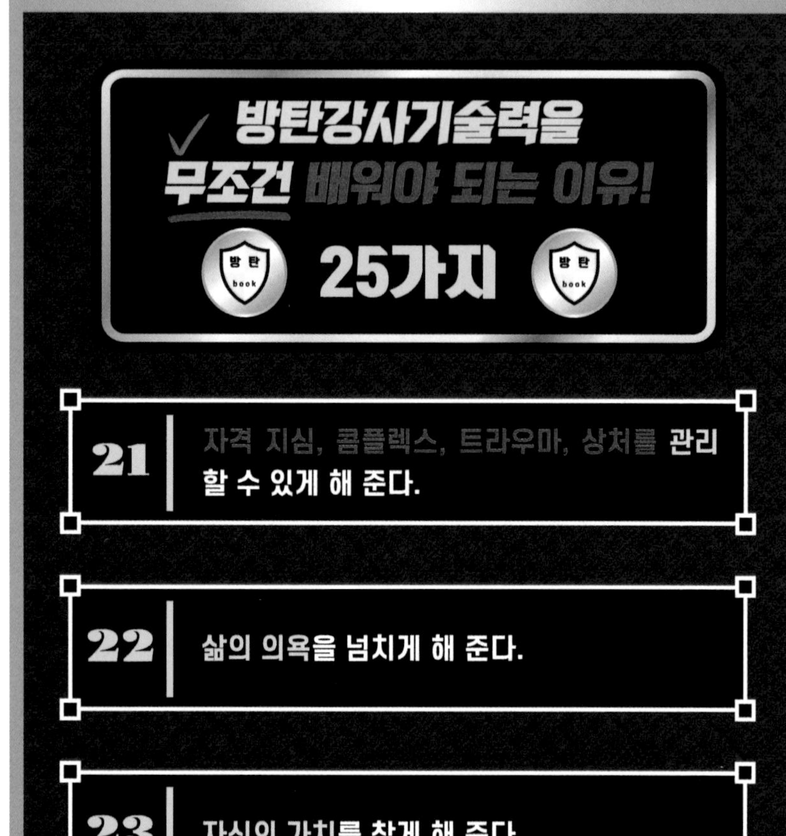

21 자격 지심, 콤플렉스, 트라우마, 상처를 관리할 수 있게 해 준다.

22 삶의 의욕을 넘치게 해 준다.

23 자신의 가치를 찾게 해 준다.

24 불행, 고난, 역경 힘든 시기가 왔을 때 지혜롭게 이겨낼 수 있게 해 준다.

25 인생의 목표를 만들어 주고 인생의 방향을 잡아주며 인생을 어떻게 살아 가야 하는지 알게 해 준다.

20,000명 심리 상담, 코칭으로 알게 된
20,000명이 바라는 책 쓰기, 책 출간 교육, 코칭

10가지

1 한번 출간한 책으로 평생 활용하는 방법을 알려주는 교육, 코칭

2 로또 2등과 같은 기획출판을 하기 위해서 출판기획서 제작 스트레스, 거절 메일을 확인 하는 스트레스, 370가지 스트레스... 등 마음고생 덜 하고 책 출간할 수 있는 책 쓰기 교육, 코칭

3 책 활용 수입 창출 시스템 교육을 검증 된 전문가에게 한 곳에서 시간, 돈 낭비를 줄여주는 책 쓰기 교육, 코칭

4 한번 코칭으로 100년 a/s, 피드백, 관리해주는 책 쓰기 교육, 코칭

5 책 출간 후 자신 분야 삼성(진정성, 전문성, 신뢰성)을 높여 자신 분야 내공, 가치, 몸값까지 올릴 수 있는 책 쓰기 교육, 코칭

6 출간한 책으로 강사가 되어 은퇴 후 제2의 직업을 할 수 있는 책 쓰기 교육, 코칭

7 책 출간 후 자신 분야 코칭 전문가가 되어 은퇴 후 제3의 직업까지도 할 수 있는 책 쓰기 교육, 코칭

8 책 출간 후 온라인 콘텐츠까지 제작을 해서 비수기 없는 책 쓰기 교육, 코칭

9 책 출간 후 디지털 콘텐츠까지 제작을 해서 월세, 연금성 수입까지 발생시킬 수 있는 책 쓰기 교육, 코칭

10 책 한 권 출간하고 끝나는 것이 아니라 100년 동안 책을 무한대로 출간 할 수 있는 책 쓰기, 책 출간 기술력을 교육, 코칭

책 쓰기, 책 출간 교육, 코칭은 누구나 한다.
6가지 수입 창출 책 쓰기, 책 출간 교육, 코칭은 방탄BOOK 창시자 뿐이다.

특허청 등록
최보규 강사책출간 코칭전문가
등록 번호: 제 40-2200794 호
방탄
book
www.방탄book.com
NAVER 방탄book기술력
세계에서 20,000명이 바라는
책 쓰기, 책 출간 교육, 코칭 10가지를
할 수 있는 곳은
방탄book출판사 뿐이다!
최보규 방탄book기술력 코칭전문가

2장. 강사 비수기 5개월을 극복하기
위한 방탄강사기술력 6가지 시스템
강사는 누구나 한다. 다만
강사 비수기 5개월은 아무나 극복하지 못한다.
돈을 버는 강사! 돈을 못 버는 강사!
20,000명 심리 상담, 코칭으로
알게 된 강사 비수기 극복 방법!
세계 최초 오픈!
ONLY ONE
방탄강사
기술력

◈ 2장. 강사 비수기 5개월을 극복하기 위한 방탄강사 기술력 6가지

▶ 방탄강사기술력으로 자신 분야 6가지 수입 연결. 누구나 움직이지 않아도 노동을 하지 않아도 돈을 버는 시스템을 바란다.

움직이지 않아도 노동을 하지 않아도 돈이 들어오는 시스템을 만들 수 있다면?
여행 중에도 돈이 들어오는 시스템?
쉬는 동안에도 돈이 들어오는 시스템?
직원이 없어도 돈이 들어오는 시스템?
사무실이 없고 사무실 임대료 걱정 없이 돈이 들어오는 시스템? ....

숨만 쉬어도 기본 한 달에 200~300만 원이 지출 되는 3고 시대에서 숨만 쉬어도 돈이 매월 자동으로 들어온다면? 연금처럼 매월 돈이 나오는 시스템? 건물주처럼 월세가 매월 나오는 시스템?

자동으로 한 달에 100만 원을 벌 수 있는 시스템을 만든다면 3억짜리 건물을 가지고 있는 건물주다.
자동으로 한 달에 50만 원을 벌 수 있는 시스템을 만든

다면 1억 5천만 원짜리 건물을 가지고 있는 건물주다.
자동으로 한 달에 10만 원을 벌 수 있는 시스템을 만든다면 3천만 원짜리 건물을 가지고 있는 건물주다.
자동으로 한 달에 1만 원을 벌 수 있는 시스템을 만든다면 300만 원짜리 건물을 가지고 있는 건물주다.

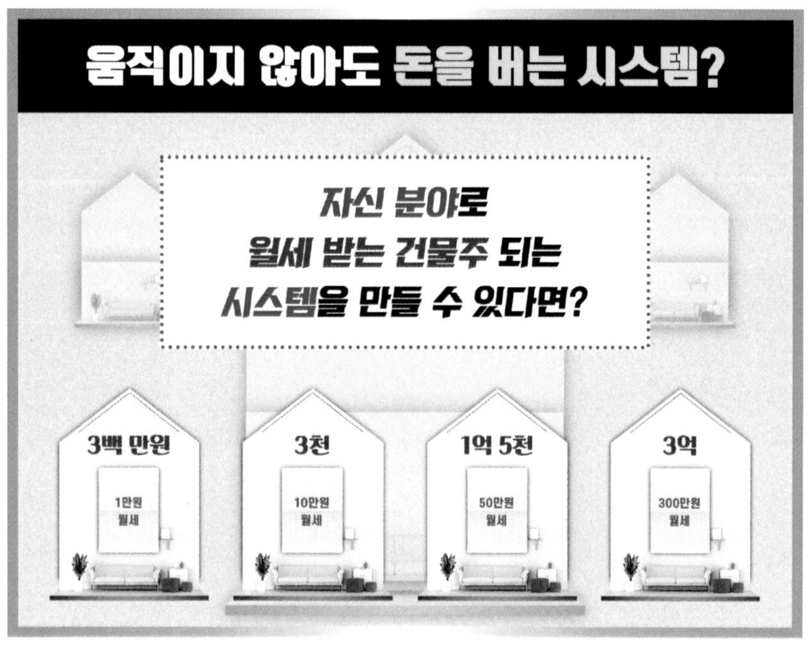

순간 이런 생각이 드는 사람도 있을 것이다.
"최소 매월 100이상은 나와야 그래도 쓸만한 시스템(건물)이라고 말을 하죠. 지금 3고 시대에 10만 원? 1만 원? 솔직히 안 벌고 말죠."라는 말을 하며 표면적인 것만으로 판단을 한다.

당연히 액수만 보면 매월 1만 원, 5만 원, 10만 원… 얼마 되지 않는다. 단순하게 생각을 해보자. 한번 물어보겠다.

"당신은 노동을 하지 않았는데 매월 십 원 하나 통장에 들어오는 게 있는가? "
"당신은 노동을 하지 않았는데 매월 1만 원이 통장에 들어오는 시스템이 있는가?"

"없으면서 십 원을 무시하는가? 1만 원을 무시하는가? 무슨 자격으로 무시하는가? 그런 말을 할 자격이 있다고 생각하는가? 한 달에 1,000만 원씩 벌고 있으면서 그런 말을 하는가?"

오해하지 말고 들었으면 한다. 위와 같은 생각을 했던 사람들을 무시하는 것이 아니라 노동하지 않아도 벌 수 있는 시스템을 제대로 알지 못하는 사람들의 생각을 체크해 주는 것이다. 당연히 무시하는 의도로 말하진 않았을 것이고 3고 시대다 보니 현실적으로 말을 했을 거라 생각한다.

자신이 세상, 현실 기준에서 스펙, 돈, 인맥, 자산… 등이 없는 상황, 100세까지 노동을 해야 되는 답이 없는 상황에서 월세, 연금처럼 자동으로 1만 원이라도 나오는 시스템을 가지고 있다는 것이 엄청난 것임을 느끼지 못한다면 당신은 인생, 현실 돈 공부가 턱없이 부족한 상태고 당신의 미래 자산 주머니는 미래를 가보지 않아도 어둡다는 것이 보인다.
1만 원이 나오는 시스템의 시작이 100만 원, 300만 원, 500만 원, 1,000만 원이 나오는 시스템을 만들 수 있는 것이다. 가지고 있는 것이 아무것도 없는 상황에서 매월 100만 원 나오는 시스템을 누가 권유한다면 사기꾼일 확률이 1,000%다. 가진 게 많은 사람들이 사기당할 거 같은가? 아니다. 가진 것이 없는 사람들이 자신 주제에 맞지 않고 올 수 없는 정보, 권유가 오기에 판단력이 흐려져 사기당하는 것이다. 사기꾼들이 가장 많이 하는 말이 '무조건 돈 번다'라는 말이다. 정신 바짝 차려야 한다. 그 누구도 믿지 말고 의심해야 한다. 가족도 의심해라! 친구는 더 의심해라! 의심하고 또 의심해라!

2024년 대한민국 현실은 5명 중 1명이 사기꾼이고 3혹 [유혹, 현혹, 화혹(화려함에 혹하다)]에 빠져 3명 중 1명중 한명이 사기 당한다. 대검찰청에 따르면 연간 136만 건 범죄 중 가장 많이 발생하는 범죄가 1위는 사기다. 수입 인증, 통장 인증하는 사람들 90%는 "믿음을 줘야 크게 한탕을 칠 수 있다."라는 심리가 있다. 수입 인증, 통장 인증하는 사람들이 다 사기꾼은 아니다. 하지만 단언컨대 사기꾼들은 수입 인증, 통장 인증을 한다는 것을 명심하자!

노벨상 받은 사람, 하버드 대학교 교수, 은퇴 전문가, 노후 전문가들 1,000명 이면 1,000명이 말하는 것이 최고의 은퇴 준비, 노후 준비는 100세까지 현역을 하는 것이다.

100세까지 현역이라는 말이 무슨 말인가?
100세까지 노동을 죽어라 하라는 것이 아니다. 나이에 맞는 일을 해야 한다는 것이다. 100세까지 돈을 벌수 있는 시스템을 만들어야 된다는 것이다.

움직여서 돈을 벌 수 있는 것은 한계가 있기에 움직이지 않아도 돈을 벌 수 있는 시스템을 만들어야 된다. 하나이가 들면 들수록 돈을 벌수 있는 일들이 극소수가 되어간다.

젊었을 때는 1,000가지 직업 중에 전문직 빼고는 90% 직업을 할 수 있었지만 나이가 들면 반대로 1,000가지 직업 중에 90%는 할 수 없는 것이 되고 극소수만 10% 직업을 유지 한다. 그것도 일반 사람들에게는 사짜 직업 외에는 더 극소수만 일을 할 것이다. 이런 현실이 앞으로 더 하면 더 했지 덜하지는 않는다. 이런 현실 속에서 지금까지 경험하고 쌓았던 경력으로 배운 지식을 연결해서 월세처럼 돈을 벌고 100세까지 현역을 유지할 수 있다면? 하겠는가? 무엇이든 보장은 없다. 가능성이 얼마만큼 높은가에 따라 달라지는 것이다.

방탄강사기술력 시스템을 배우면 “자신 분야로 매월 1,000만 원을 벌수 있다?”라는 말을 하는 게 아니다.

방탄강사기술력 시스템을 통해 자신 분야 삼성(진정성, 전문성, 신뢰성)을 높여 움직이지 않아도 노동하지 않아도 지속적인(100세)수입을 발생 시키고 100세까지 현역으로 살 수 있는 인생을 알려주는 시스템이다.

방탄강사기술력 시스템이라는 도구를 가지고 어떻게 활용을 하느냐에 따라 달라지는 것이지 ‘무조건 돈 번다’가 아니다.

자신 인생, 자신 분야를 터닝포인트 해줄 방탄강사기술력을 접목해서 나다운 시스템을 만들길 바란다.
시스템을 만들 수 없다면 만들어진 시스템 안으로 들어가면 된다.

방탄강사기술력
(6가지 수입 창출)
ONLY ONE
방탄강사
기술력
특허청 등록
최보규 자기계발코칭 창시자
등록 번호: 제 40-2072344 호
특허청 등록
최보규 강사책출간 코칭전문가
등록 번호: 제 40-2200794 호
특허청 등록
최보규 리더동기부여 코칭전문가
등록 번호: 제 40-2128786 호
강사 비수기 5개월을 극복하기 위한
방탄강사기술력
작가(인세)
강사
유튜버
온, 오프라인
디지털 콘텐츠
무인 시스템
코칭

방탄강사기술력(6가지 수입을 창출) 시스템의 핵심은 일반 사람이 습득하는 기술력이 아니라 강사급, 리더급이 습득하는 기술력이다. 누구나 방탄강사기술력을 배울 수 있지만 아무나 지속하지 못한다. 그 만큼 수준이 높은 방탄강사기술력이다 보니 일반 사람들도 배울 수는 있지만 리더들이 배우길 추천한다.

지금 시대는 은퇴 나이가 점점 더 빨라지고 있다. 통계청에 의하면 희망퇴직 73세이고 은퇴 현실은 49세다. 권고사직, 명예퇴직 10명 중 4명은 자신의 뜻과 상관없이 그만둔다. 평균 은퇴 나이 49세다. 앞으로 은퇴 나이가 더 낮아지는 상황에서 20대는 은퇴 예정자? 30대는 은퇴 확정자? 40대는 은퇴 위험군? 은퇴 준비는 빠를수록 좋다는 것이다.

3고 시대, AI 시대, 챗 GPT 시대... 이제는 한 분야 전문성으로는 힘든 시대다. 이제는 리더도 포트폴리오 커리어 리더(한 분야 전문성이 있는 것이 아닌 다수에 전문성이 있는 사람)가 되어야 한다. 다음으로 나오는 포트폴리오 커리어 개념을 참고하자.

한 분야 전문성으로는 힘든 시대! 앞으로 포트폴리오 커리어 시대에는 포트폴리오 커리어 인재만 살아남는다!

1970년대 인재, 1980년대 인재, 1990년 대 인재, 2000년 대 인재, 2010년 대 인재... 2010년 대부터 인재상이 580도로 확 달라졌다. 그 이유는 스마트폰이 보급화되어 빠른 기술 변화로 인해 이전 새대와 차원이 다른 인재로 업그레이드되었다는 것이다. 하지만 많은 리더들이 시대에 맞는 인재상이 아닌 이전 새대에 인재상으로 리더십을 발휘하니 인재가 오래 버티지 못하는 것이다. 인재상도 시대에 맞게 업데이트해야 한다.

지금 시대는 포트폴리오 커리어 인재라고 한다. 다음은 포트폴리오 커리어 인재가 어떤 인재인지 깨닫게 해주는 내용이다.

포트폴리오 커리어 시대

'포트폴리오 커리어의 시대'는 세계 최고의 경영사상가 찰스 핸디가 이미 오래전에 예측한 바 있다. 그는 포트폴리오 커리어의 시대에는 대부분의 생활이 일에 포함된다고 본다.

2가지 또는 그 이상의 영역에서 일을 하는 사람들이 늘어나는 현상에 따른 것이다.

'멀티-커리어리즘' (Multi-careerism)과도 연결된다. 이런 포트폴리오 커리어는 하나의 직무만으로 평생 먹고 살기가 힘들어진다. 그런 미래가 우리 앞에 이미 현실화 되었음을 시사한다.
이광호의《아이에게 동사형 꿈을 꾸게 하라》중에서

* 하나의 일, 하나의 직업으로
살아가는 시대는 지났습니다. 모든 것이
일이 되고 모든 일이 직업이 되는 시대를 맞고 있습니다. 여러 일을 동시에 할 수 있는 '멀티 플레이어'가 되어야 살아남을 수 있습니다. 이런 시대에 요구되는 가장 중요한 것은 자기 관리, 자기 준비입니다. 새로운 기술과 지식, 유연한 사고와 창의적 발상으로 언제든 능숙하게 대응해야 합니다. 포트폴리오 커리어 시대입니다.

(2020년 8월 11일 앙코르메일)

<고도원의 아침편지>

포트폴리오 커리어 시대를 준비하자
우리가 살아가는 세상은 커리어 세상이다. 그리고 현대 사회는 포트폴리오 커리어 시대이다.

우리는 예전에 "한 우물을 파야 된다"는 어르신들의 말씀을 듣고 살았다. 즉, 단일경로 시대인 커리어 패스 시대 였다. 마치 사다리를 오르듯 한 단계씩 더 큰 책임과 승진으로 가는 모습이었다.

이에 반해 요즘은 포트폴리오 커리어 시대다.
포트폴리오 커리어란 다양한 자신의 역량과 경험을 횡으로 개발하고 펼쳐놓아 어떤 커리어가 필요할 때 이들을 유연하게 조합하는 것을 의미한다. 세상이 바뀌어서 정보시대이고 그러고는 세상이 눈 깜빡할 사이에 많은 것이 변하고 있다.

그래서 한 가지 직업으로는 살아남기가 무척 어렵기에 자신의 다양한 포트폴리오를 활용하여 변화하는 상황과 필요로 하는 직업에 유연하게 대응하는 것이다.

과거는 대개 한 두 회사에서 퇴직까지 근무하거나 회사를 옮겨도 한 업종 안에서 왔다 갔다 할 뿐이었다. 이에 커리어 패스가 중요했다. 한 두 회사에서의 커리어 패스란 사실상 승진이라는 단일경로 외에는 대안이 없다.

이에 대부분의 교육과 역량개발은 승진의 단계마다 초점이 맞추어졌다. 그러나 인간의 수명이 점점 길어져 100세 시대가 되었다. 그리고 하나의 일, 하나의 직업으로 살아가는 시대는 지났다. 모든 것이 일이 되고 모든 일이 직업이 되는 시대를 맞고 있다. 여러 일을 동시에 할 수 있는 '멀티 플레이어'가 되어야 살아남을 수 있다.

이런 시대에 요구되는 가장 중요한 것은 자기 관리, 자기 준비이다. 새로운 기술과 지식, 유연한 사고와 창의적 발상으로 언제든 능숙하게 대응해야 한다. 기업도 생존주기는 점점 짧아져 간다. 젊은 세대들은 과거와 달리 한 회사에 평생 머물기를 원하지 않는다. 이제 몇 번의 동종업계 이직뿐 아니라 전혀 새로운 커리어 도전도 하게 될 것이다.

직장생활을 하는 직장인들도 야간이나 주말을 활용하여 자신의 또 다른 부캐를 이용하여 유튜브 등의 콘텐츠를 생성하고 투자활동도 한다. 기업 또한 빠르고 예측 불가능한 환경변화, 디지털 전환에 따른 기회와 위협에 대응하기 위해 인재관을 새롭게 정립하고 있다.

이런 시대는 어떤 인재가 필요할까?
미래의 인재들은 과거와 달리 박스나 사일로에 갇혀 있거나 특정 비즈니스만을 잘하는 사람들보다는 이를 넘어 사고를 확장할 수 있고 다양한 경험과 유연성을 갖춘 사람일 가능성이 높다. 그러므로 앞으로는 포트폴리오 커리어가 더 중요해질 것이라는 주장이다. 포트폴리오 커리어를 구축하기 위해 노력하는 사람들은 현재의 직업에 머물지 않는다.

호기심을 가지고 다양한 경험을 해본다. 다양한 기술들을 습득한다. 또한 습득한 다양한 기술과 직무에 필요한 기술을 창의적으로 연결하는데 숙련되어 있다. 이에 새로운 기회를 위해 자신을 홍보하고 심지어 만들 수 있는 준비가 더 잘 되어 있는 것이다. 전문가들은 산업혁명이 시작된 이래 유지되어오던 '일자리 시대'가 산업혁명 이전의 '일거리 시대'로 다시 회귀하는 추세라고 말한다.

유엔미래포럼 한국대표인 박영숙의 저서 '메이커의 시대(미래 일자리)'라는 유엔보고서 책자에서 "2030년대 즈음에 일자리의 시대에서 일거리의 시대로 바뀐다"라고 말한다.
혹시 개인적으로 부담이 된다면, '일거리'를 '일자리로 가기 위한 경험을 부여해줄 징검다리 활동'으로 보면 좋다.

따라서 오랫동안 일하면서 비교적 높은 보수를 받았던 안정된 형태의 '주된 일자리'에서 벗어난 이후에도 재취업 등을 통해서 일해야 할 필요성이 있는 신중년들은 이제 기존에 유연하지 않은 생각에서 벗어나 세상의 변화에 따르는 방법론도 좋은데 그 중 하나가 바로 '포트폴리오 커리어'이다. 또한, 자신이 직장인들이라면 빈 백지 하나를 꺼내서 자신의 포트폴리오 커리어를 하나씩 원으로 표시해보자.

지금까지 내가 경험한 것이 무엇일까? 내가 잘하는 것은 무엇일까? 두 번째, 이들을 연결해보라. 이들을 연결함으로써 어떤 새로운 가능성을 만들 수 있을까? 마지막으로는 여기에 추가하고 싶은 포트폴리오가 무엇인지 더해보라. 어댑터블하고 유연한 포트폴리오 커리어를 구성해 나가보라. 이것이 예측이 어려운 미래를 효과적으로 대응하는 방법이 될 것이다.

인생 1막을 마치고 난 이후에도 안정된 일자리에서 일하고픈 인간의 욕구는 당연하지만, 베이비붐 세대의 본격적인 퇴직이 시작되는 현시점의 높은 재취업 경쟁률 속에서 이전과 달리 질적이고도, 안정된 일자리를 찾기는 점점 어려워진다.

아래 변화의 시간이 빨라진 현시점에서 여러 가지 장애물을 넘어야만 하는 재취업보다는 '혼자 하는 일', 혹은 여러 개의 '파트타임 일'을 묶어서 동시에 해보라고 조

언한다. 이전과 달리 장기간의 고용을 제공하는 일자리는 점점 줄어들기 때문이다. 특히 안정된 일자리만 희망하면서 장기간에 걸친 구직기간을 허비할 수 없는 처지라면 평소에 생각하지 않던 '파트타임 일' 등에 관심을 가져보면 어떨까? - 강성남 칼럼위원(담양문화원장)-

<담양뉴스>

한마디로 포트폴리오 커리어 인재는 한 분야 전문성이 있는 것이 아닌 다수에 전문성이 있는 사람을 말한다.
한 가지 일만 잘 하는 사람이 아닌 다수에 일을 할 수 있는 사람이다. 지금은 포트폴리오 커리어 인재 한 명이 10명의 가치를 창출하는 시대다.

《방탄 리더 인재양성 1》

3고 시대에 포트폴리오 커리어 강사 리더가 되는 것은 선택이 아닌 필수다.

6가지 수입을 창출하기 위한 본질은 강사 리더자질을 갖추어야만 시너지 효과가 난다. 강사 리더 자질도 일반 리더십이 아닌 방탄 강사리더이다. 4차 산업시대는 4차 리더십인 방탄리더십 자질이 있어야만 방탄강사기술력(6가지 수입을 창출) 시스템이 극대화된다. 다음으로 나오는 포트폴리오 커리어 강사 리더 6가지 수입 창출 비교 참고하자.

1. 포트폴리오 커리어 강사 리더 작가
2. 포트폴리오 커리어 방탄강사 리더
3. 포트폴리오 커리어 강사 리더 유튜버
4. 포트폴리오 커리어 강사 리더 오프라인, 온라인, 디지털 콘텐츠
5. 포트폴리오 커리어 강사 리더 무인 시스템
6. 포트폴리오 커리어 강사 리더 코칭

포트폴리오 커리어 방탄강사 리더
VS
강사 수입만 발생!
강사 외 5가지 수입 발생!
강사
50000
강사
책 인세
강사
유튜버
무인 시스템
코칭

포트폴리오 커리어 강사 리더
VS
유튜버 수입만 발생!
유튜버 외 5가지 수입 발생!
유튜버
50000
유튜버
책 인세
강사
유튜버
무인 시스템
코칭

포트폴리오 커리어 강사 리더
OOO전문가
VS
방탄동기부여전문가
디지털 수입만 발생!
디지털 외 5가지 수입 발생!
50000
디지털
디지털
책 인세
강사
유튜버
온, 오프라인 디지털 콘텐츠
무인 시스템
코칭

포트폴리오 커리어 강사 리더
OOO전문가
VS
방탄동기부여전문가
무인 시스템 수입만 발생!
무인 시스템 외 5가지 수입 발생!
50000
무인 시스템
무인 시스템
책 인세
강사
유튜버
온, 오프라인 디지털 콘텐츠
무인 시스템
코칭

포트폴리오 커리어 강사 리더
OOO전문가
VS
방탄동기부여 전문가
코칭 수입만 발생!
코칭 외 5가지 수입 발생!
코칭
코칭
책 인세
강사
유튜버
온, 오프라인 디지털 콘텐츠
무인 시스템
코칭

강사계의 스티브 잡스
스마트폰의 혁신!
아이폰
(아이팟 + 인터넷 + 폰)
강사계의 혁신!
방탄강사기술력
6가지 수입 창출 기술력!

강사계의 스티브 잡스
아이팟, 인터넷 , 폰. 이것은
3개의 기기가 아닙니다.
하나의 디바이스입니다.
우리는 이것을 아이폰이라 부릅니다.
자신 분야와 방탄강사기술력을 연결하
여 6가지 수입을 창출 할 수 있는 방법
이 아닌 기술력을 전수 합니다.
우리는 이것을
방탄강사기술력이라 부릅니다.

특허청 등록
최보규 자기계발코칭 창시자
등록 번호: 제 40-2072344호
대한민국 강사 섭외 NO1 '강사야'
'강사야' "대표 강사 최보규"
특허청 등록
최보규 리더동기부여 코칭전문
GANGSAYA
강사섭외
최보규
로그인
회원가입
전체분야
강사프로필
섭외문의
분야별특강
커뮤니티
추천강사
최보규강사
특허청 등록으로 검증된 강사!
방탄 동기부여/리더십/자기계발
동기부여/리더십/자기계발 업데이트!
저서 100권의 내공을 통한 세계 최초 1+4를 주는 가성비 강사!
(강의메세지+즐거움+스토리텔링+실천 사용 설명서 제공)
Google 자기계발아마존
YouTube 방탄자기계발
NAVER 강사야
NAVER 최보규

3고 시대, AI 시대, 챗 GPT 시대... 이제는 한 분야 전문성으로는 힘든 시대다. 이제는 리더도 포트폴리오 커리어 강사 리더(한 분야 전문성이 있는 것이 아닌 다수에 전문성이 있는 사람) 자기계발을 해야 한다.

6가지 수익 창출 포트폴리오 커리어 강사 리더 자기계발을 어떻게 할 것인가?

1. 포트폴리오 커리어 강사 리더 작가 자기계발
2. 포트폴리오 커리어 강사 리더 방탄강사 자기계발
3. 포트폴리오 커리어 강사 리더 유튜버 자기계발
4. 포트폴리오 커리어 강사 리더 오프라인, 온라인, 디지털 콘텐츠JOB 자기계발
5. 포트폴리오 커리어 강사 리더 무인 시스템 자기계발
6. 포트폴리오 커리어 강사 리더 코칭 자기계발

3고 시대를 극복하기 위한 6가지 수익 창출 포트폴리오 커리어 강사 리더 자기계발. 희망퇴직 나이 73세이고 대한민국 현실 은퇴 나이 49세를 준비, 극복하기 위한 6가지 수익 창출 포트폴리오 커리어 강사 리더 자기계발. 100세 현역으로 살기 위한 6가지 수익 창출 포트폴리오 커리어 강사 리더 자기계발. 6가지 수익 창출 포트폴리오 커리어 강사 리더 자기계발 매뉴얼, 시스템 세계 최초 공개한다!

포트폴리오 커리어 강사 리더
필수! 6가지 자기계발
1
00
전문가
작가
2
COACHING
방탄강사
3
유튜브
4
온라인, 디지털
콘텐츠
5
무인 시스템
6
PLAN
코칭

1. 포트폴리오 커리어 강사 리더는 왜! 작가 자기계발을 해야 하는가?

강사 리더는 자신 분야의 전문가다. 짝퉁 전문가는 매뉴얼, 시스템이 머리에만 있어 말로만 한다. 명품 전문가는 매뉴얼, 시스템이 자료화(전문 서적)되어 있다. 강사 리더의 경력은 스펙이 아니다. 강사 리더가 경력을 자료화(책 출간)할 때 강력한 스펙이 된다!

★ 자신 분야 삼성(진정성, 전문성, 신뢰성)을 올리는 최고의 자기계발은 책 쓰기, 책 출간이다!

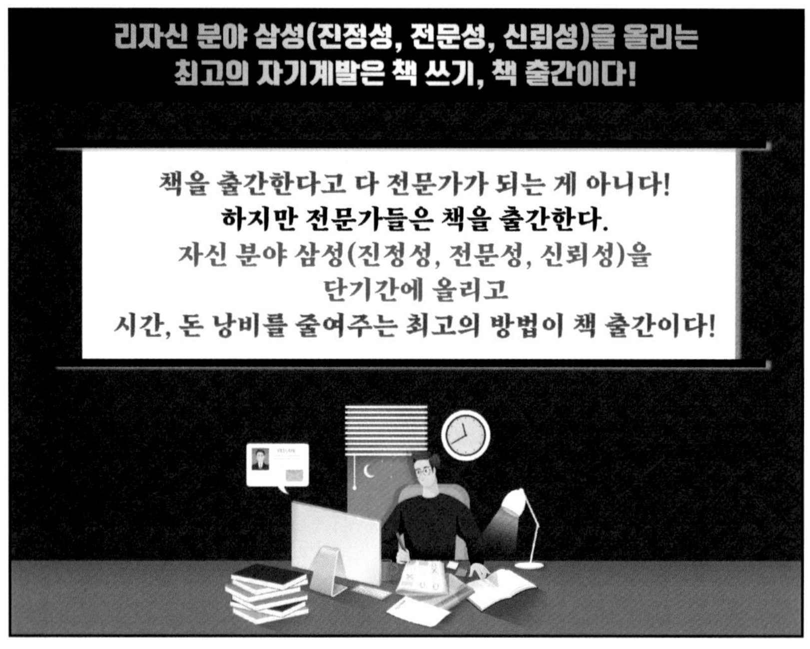

리자신 분야 삼성(진정성, 전문성, 신뢰성)을 올리는
최고의 자기계발은 책 쓰기, 책 출간이다!
책을 출간한다고 다 전문가가 되는 게 아니다!
하지만 전문가들은 책을 출간한다.
자신 분야 삼성(진정성, 전문성, 신뢰성)을
단기간에 올리고
시간, 돈 낭비를 줄여주는 최고의 방법이 책 출간이다!

세상에는 두 가지 종류에 지식이 있다. "아는데요!" 설명을 못하는 지식과 설명을 할 수 있는 지식이 있다. 진짜 지식은 설명까지 할 수 있어야 한다.

설명에서 한 차원 더 높은 것은 누구나 알아볼 수 있게 정리를 해서 쓰는 것이고 책을 출간하면 진짜 전문가가 되는 것이다. 그래서 자신 분야 전문 책이 있는 사람과 자신 분야 전문 책이 없는 전문가는 개미와 코끼리 차이다.

진짜 전문가가 되고 싶다면 설명할 수 있는 건 당연한 것이고 나를 똑같이 닮은 인재를 복제를 할 수는 없겠지만 복제가 가능한 매뉴얼, 시스템을 만들어 책으로 출간한다면 진정한 자신 분야 전문가가 되는 것이고 자부심, 사명감이 생긴다.

자신 분야 삼성(진정성, 전문성, 신뢰성)을 올리는 최고의 자기계발은 책 쓰기, 책 출간이다. 경력은 스펙이 아니지만 책을 쓰면 강력한 스펙이 된다.

지금은 경력이 10년, 20년, 30년...경력만 있는 사람을 전문가라 말하지 않는다. 그런 전문가들은 천지빼까리(국어사전: 너무 많아서 그 수를 다 헤아릴 수 없을 때 쓰는 말)이다.

경력을 무시하는 게 아니다. 전문가의 본질을 말 하는 것이다. 경력으로만 전문가라 말하는 시대는 끝났다. 지금 시대는 가짜 전문가가 너무 많기에 자신 분야 전문책이 있어야 전문가라고 말을 할 수 있다.
경력만 있는 사람들 특징은 머리에만 노하우가 많다. 머리에 있는 노하우를 책으로 출간한다면 진짜 전문가가 되는 것이다. 자신 분야를 정리를 해서 말만 하는 사람과, 정리해서 책을 출간한 사람 중에 어떤 사람이 더 전문가라고 말 할 수 있을까?
전문가라고 말을 하려면 증명할 수 있는 자료, 책이 있어야 한다. 전문 분야가 있다면 무조건 책을 써야 하고 책 출간을 해야 하는 건 아니다. 한번 생각해 보라! 전문 서적이 있는 전문가와 전문 서적이 없는 전문가를 봤을 때 어떤 사람을 진짜 전문가라고 인정하겠는가?
"이 전문가는 다른 전문가와 별 차이 없네."라고 느낌을 주면 전문가의 믿음, 신뢰, 비전을 느끼지 못한다. "이 전문가는 다른 전문가와 다르다"라는 것을 보여 줄 때 전문가의 믿음, 신뢰, 비전이 보이는 것이다.

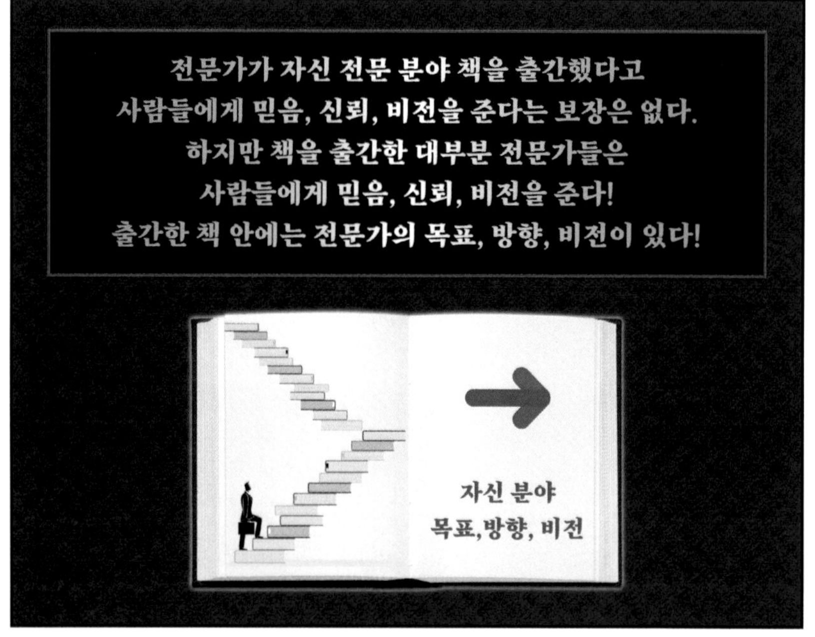

전문가가 자신 전문 분야 책을 출간했다고
사람들에게 믿음, 신뢰, 비전을 준다는 보장은 없다.
하지만 책을 출간한 대부분 전문가들은
사람들에게 믿음, 신뢰, 비전을 준다!
출간한 책 안에는 전문가의 목표, 방향, 비전이 있다!
자신 분야
목표,방향, 비전

전문가도 같은 전문가가 아니다. 경력만 있는 전문가가 있는 반면 검증 받은 전문 분야가 있는 전문가가 있다. 경력이 같은 전문가가 있다고 가정 했을 때 스피치, 표정, 행동으로 어떤 전문가가 더 내공이 느껴지는지 알 수도 있지만 표면적으로 증명할 수 있는 스펙이 있어야만 대중들은 인정을 한다는 것이다.

지금 시대는 학위보다 더 인정받는 것이 자신 분야 전문 서적이다. 이제는 경력만 쌓으면 안 된다. 경력을 표면적으로 증명할 수 있는 강력한 플랫폼인 전문 서적을 출간해야 한다.

포트폴리오 커리어 강사 리더는 자신 분야 작가가 되어야 한다. 자신 분야를 매뉴얼, 시스템을 자료화할 수 있는 책을 쓰고 책 출간을 해야 강력한 스펙이 된다.

표면적으로 보여 줄 것이 없어서 말로만 가르치려 강사 리더.

"내가 말이야! 나 때는 말이야! 내가 했던것들과 내 스펙이 좋았어. 보여 줄 것은 없어서 표현할 방법이 없지만. 왕년에는 그 누구도 나 만큼 전문성이 있는 사람은 없었고 따라 올 수가 없었어. 내가 하고 있는 분야에서 만큼은 최고였어."

자신 분야를 매뉴얼, 시스템화 한 책을 출간해서 어필하는 강사 리더.

"전문성을 말로만 어필하는 사람이고 싶지 않습니다. 제가 지금까지 제 분야를 어떤 마음, 목표, 스킬로 했는지 내 분야 매뉴얼, 시스템을 만들었는지 출간한 책이 부연 설명이 될 것입니다. 매뉴얼, 시스템을 토대로 좀 더 자세히 설명하겠습니다."

★ 자신 분야 전문 서적이 없는 전문가와 자신 분야 전문서 적이 있는 전문가 차이점

책 쓰기, 책 출간과 직접적으로 연결되어 있는 직업이 강사 직업이다. 그래서 전문서적이 있는 강사와 전문서적이 있는 강사를 비교해 주겠다. 자신 분야와 접목을 해서 본다면 도움이 될 것이다.

강사 경력 15년 차인 A라는 강사는 강의 경력 15년이 전부다. 표면적으로 보여 줄 수 있는 스펙은 강의 했던 업체명 밖에 없다. 그 강사를 무시하는 게 아니다. 현실을 직시 해보자는 것이다.

강사 경력 15년 차인 B라는 강사는 강사를 양성하는 강사 백과사전 2권 출간 외 자기계발 책 100권을 출간했다.

어떤 강사가 더 전문가라고 느껴지는가? 누구한테 물어보더라도 자신 분야 전문 책이 있는 사람을 전문가라고 할 것이다.

지금 시대는 석사, 박사 학위만큼 인정해주는 것이 자신 분야 전문 분야 책이다. 책을 출간한다고 전문가가 되진

않는다. 하지만 전문가들은 자신 분야 책이 3~4권이 있다.

그래서 자신 분야 전문가라고 말을 하려면 자신 분야 책을 쓰고 출간하기 위해서 모든 걸 집중해야 한다.

경력은 스펙이 아니다!

경력만 있는 사람을 전문가라고 하지 않는다!

강사 경력 15년 차
전문 분야가 있지만
표면적으로
증명할 수 있는 것이 없다!

코칭 경력 15년 차
전문 분야 책200권 출간
★ 특허청 등록 ★
제40-2072344호
최보규 자기계발코칭 창시자
제40-2128786호
최보규 리더동기부여 코칭전문가

강사 경력 15년 차

경력만 있다.

매뉴얼, 시스템 책!

★ 책 쓰기, 책 출간 본질을 모르면 책 쓸 자격이 없고 시간, 돈 낭비만 한다!

인간이 하는 모든 것의 본질을 알아야만 노오력이 아니라 올바른 노력을 할 수 있다. 노력은 경험만 채우고 시간만 때우는 것이다. 지금 시대는 노력이 배신하는 시대다.

올바른 노력은 어제보다 0.1% 다르게, 변화, 나음, 성장하는 것이다.

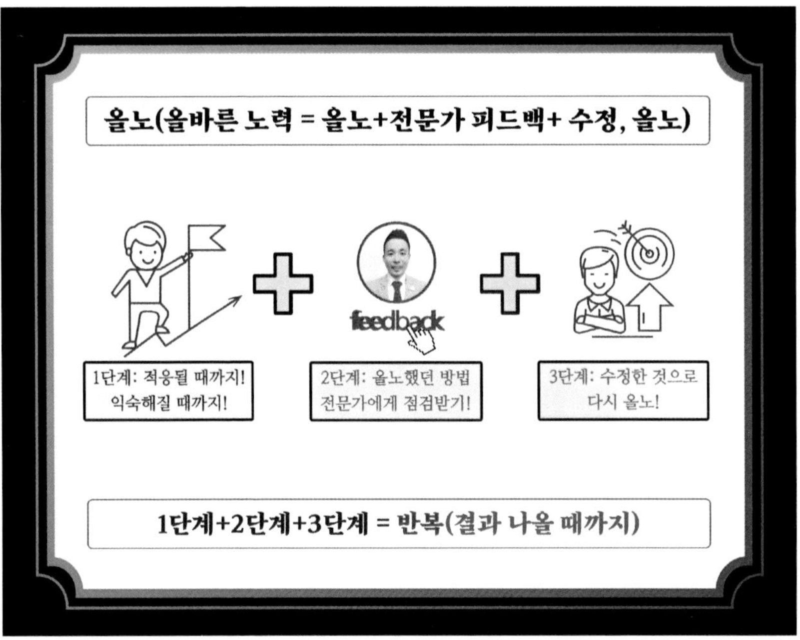

책 쓰기, 책 출간 본질을 알아야 노오력이 아닌 올바른 노력을 할 수 있다.

운동의 본질은 헬스, 운동의 기본기를 배우지 않는 사람이 좋은 헬스장으로 옮긴다고 헬스, 운동 습관이 만들어지는 것이 아니다.

직장의 본질은 월급 날짜만 기다리는 사람이 직장을 바꾼다고 일에 대한 의욕이 생기지 않는다.

사랑의 본질은 평상시에 사랑받을 행동을 안 하는 사람

은 사랑하는 사람이 생겨도 사랑받을 수가 없다.

인간관계의 본질은 내가 좋은 사람이 되기 위해 학습, 연습, 훈련을 안 하면 좋은 사람이 생겨도 금방 떠나간다.

자기계발, 동기부여 본질은 "어제 보다 0.1% 나은 사람이 되자."라는 태도로 꾸준히 자기계발, 동기부여하지 않으면 시간, 돈 낭비를 한다.

리더십의 본질은 경력, 나이를 내세우면서 시대에 맞는 리더십으로 업데이트하지 않으면 리더십이 아닌 꼰대십(리더병)이 나온다. 꼰대십(리더병)이 생기면 "위치가 사람을 만드는 것이 아니라 위치가 사람을 망쳐버린다."

책 쓰기, 책 출간의 본질은 평상시 독서를 하지 않은 사람은 책 가치, 내공, 값어치가 나오지 않는다. 독서와 책 가치, 내공, 값어치는 비례한다.

오로지 베스트셀러(돈)가 되기 위해 집착하는 책 쓰기, 출간이 아닌 자신을 알고 있는 가족, 친구, 지인들이 읽었을 때 "유명한 책들 보다 읽었던 책 중에 베스트다." 라고 인정받는 책 쓰기, 책 출간을 해야 한다.

본질의 힘
본질을 모르면 시간, 돈, 인생
낭비가 되어 악순환이 반복된다.
헬스, 운동의 본질
직장, 일의 본질
연애, 사랑의 본질
인간관계의 본질
자기계발, 동기부여의 본질
리더십의 본질
책 쓰기, 책 출간의 본질

★ 책 쓰기 목표, 방향이 없으면 절대로 순풍이 불지 않는다!

10년 전보다 책 쓰는 환경이 너무나도 좋아졌다. 일반인들이 봤을 때는 책 쓰는 문턱이 너무나도 높아 보이지만 필자가 100권을 출간하면서 알게 된 것은 문턱이 그렇게 높지 않다는 것을 알게 되었다. 속된 말로 강사는 개나, 소나, 고양이나 하듯 책 출간도 개나, 소나, 닭이나 한다. "이 정도 내용의 책은 나도 쓰겠다. 책 값어치를 못한다."라고 느끼는 책들이 많아졌다.

오해하지 말고 들었으면 한다! 책 출간을 한 권도 안 한 사람들, 책을 대충 쓴 사람들을 무시하는 게 아니다. 냉정하게 현실을 직시해 보자는 것이고 책 쓰기, 책 출간 환경을 알아야만 자신 책을 제대로 쓸 수가 있는 것이다. 어떤 분야든 마찬가지이다. 자신이 하고 있는 분야 환경, 흐름, 트랜드를 알아야만 대처를 할 수 있고 변화, 준비를 해서 살아남을 수 있는 것이다.

보통 사람이 트랜드를 모르면 큰 문제가 되지 않지만
전문가가 자신 분야 트랜드를 모르면
큰 문제인 짝퉁 취급을 받는다.

2024 2025 2026
2027 2028 2029
2030 2031 2032

책 한 권은 작가의 30년
시행착오, 대가 지불, 인고의 시간
내공, 노하우가 담겨 있다!

10년 전에는 10권 중에 5권 정도가 책의 내공이 있었다.
지금은? 10권 중에 2권 정도다!

10년 전

현재

"한 권의 책은 그 사람의 30년 시행착오, 내가 지불, 인고의 시간, 내공이 들어있어서 한 권으로 배우는 것이다."라는 말을 들어봤을 것이다.

10년 전에는 이 말에 맞게 10권 중에 5권 정도는 내공이 담겨 있었다. 지금은 10권 중에 1권~2권 정도만 내공이 담겨 있다.

왜 그럴까?
대충 책 쓰기 교육, 코칭 하는 사람이 많아지다 보니 대충 쓰는 사람이 많아졌다는 것이다.

책 출간과 책 쓰기가 자신 분야 자기계발 하는데 최고지만 버킷리스트여서 책을 쓰고 싶다? 팔 목적이 아니다, 돈 벌 목적이 아니다, 소장하기 위해서 책 쓰고 싶다? 내 이름 그냥 석 자 남기고 싶어서 책 쓰고 싶다? 이런 목표로 책을 쓰고 출간하는 사람들이 많다. 이런 사람들을 잘못됐다고 말하는 게 아니다. 오해하지 말고 듣길 바란다!

책 3대까지 간다!
그렇게 쓰면
300%
후회한다!
최보규 방탄책쓰기 전문가

20,000명 심리 상담, 코칭 하면서 알게 된 것은 대부분 사람들이 대책 없이, 계획 없이, 의미 없이 책을 써서 100%, 200%, 300% 후회를 한다는 것이다. 후회 안 하는 사람이 없는 건 아니지만 대부분 사람들은 처음에는 가벼운 마음으로 책을 출간했는데 출간한 책으로 **6가지 수입을 발생시킬 수 있는 방법(방탄book기술력)**을 코칭 받고 나서는 땅을 치고 후회를 한다는 것이다.

필자에게 코칭 받는 사람들 100%가 이런 말을 했다. "다 필요 없이 책 한 권 출간하면 좋겠다. 이런 마음으로 책을 쓰기 위해 검증 안 된 전문가에게 교육, 코칭을 받고 책을 출간했는데... 책 출간 3개월 후 라면 받침대 되어버리는 상황... 처음부터 6가지 수입을 발생시킬 수 있는 방탄book기술력을 교육, 코칭 받았다면 돈, 시간 낭비를 줄일 수 있었을 텐데 뒤늦게 알게 돼서 너무 후회가 됩니다."라는 하소연을 하는 분들에게 늘 하는 말이 있다.

"안 좋은 경험을 했기에 6가지 수입을 발생시킬 수 있는 방법(방탄book기술력)이 좋다는 것을 뒤늦게나마 깨닫을 수 있었던 것입니다. '더 늦기 전에 지금이라도 만나서 다행이다.'라고 생각하시면 됩니다."

책은 누구나 쓸 수 있지만 아무나 쓸 수 없다는 말이 있다. 아무나 쓸 수 없다는 말이 무슨 말일까?

어떤 의미부여, 목표, 방향으로 쓰느냐에 따라서 아무나 '쓰냐! 아무나 못 쓰냐!' 로 나누어진다.

인생도 어떤 의미, 목표, 방향에 따라 삶의 질이 완전히 달라지듯이 책 쓰기도 마찬가지라는 것이다.

의미부여, 목표, 방향 없이 산다고 삶의 질이 안 좋아지는 건 아니다. 단언컨대 삶의 질, 인생의 질, 행복의 질이 좋은 사람들 90%는 인생 의미, 목표, 방향이 있다는 것이다. 책 쓰기도 의미부여, 목표, 방향이 중요하다고 강조하는 것이다. 특히 전문 분야가 있는 전문가의 책 쓰기, 책 출간 자기계발은 의미부여, 목표, 방향이 분명해야 한다. 전문가가 쓴 책을 보고 대중들은 믿음, 신뢰, 비전, 방향을 느끼기 때문이다.

목표, 방향이 그 무엇보다 중요하다고 알려주는 하버드 대학교에서 연구한 스토리텔링이다.

얼마나 오래 할 거니?
심리학자 맥퍼슨은 악기를 연습 중인 어린이 157명을 추적해 보았다. 9개월쯤 후부터 아이들의 실력이 크게 벌어졌다.
"거참 이상하네, 연습량도 똑같고 다른 조건도 다 비슷한데 도대체 왜 차이가 벌어지는 걸까?"
그는 문득 연습을 시작하기 전 아이들에게 던졌던 질문을 떠올렸다.
"넌 음악을 얼마나 오래 할 거니?"
아이들의 대답은 크게 세 가지였다.
"전 1년만 하다가 그만둘 거예요."
"전 고등학교 졸업할 때까지만 할 거예요."
"전 평생 하며 살 거예요"
아이들의 실력을 비교해 보고 깜짝 놀랐다. 평생 연주할 거라는 아이들의 수준이 1년만 하고 그만둘 거라는 아이들보다 훨씬 높았기 때문이었다.
똑같은 기간 동안 연습을 했는데도 말이다.

《왓칭》

목표, 방향, 의미부여가 없이 잘하는 사람도 있긴 있다. 하지만 그 사람들은 극히 0.1%로 극히 드물다는 것이다. 자신은 목표, 방향, 의미부여 없이도 가능한 사람인지 있어야 되는 사람인지는 시도를 해보고 나다운 방식을 만들면 된다. 하지만 대부분 실력이 향상되고 결과를 내는 사람들 특징은 목표, 방향, 의미부여가 처음부터 잘 되었다는 것이다.

책 쓰기, 인생, 세상이라는 바다에서
의미부여, 목표, 방향이 없으면
순풍은 불지 않는다!
의미부여
목표
방향

★ 취미나 자신의 만족으로 끝나는 책 쓰기, 책 출간이 아닌! 자신 분야를 무한으로 연결시킬 수 있는 온라인 건물주 되는 방탄 책 쓰기!(방탄book 기술력)

책 쓰기, 책 출간을 처음부터 "그냥 그냥 내 이름 석 자 남기는 거야! 버킷리스트여서 대충 한 권 출간하고 말 거예요! 그냥 소장하기 위해서 쓰는 거예요! 베스트셀러 필요 없어요! 그냥 내 만족이에요!" 이런 의도로 책을 쓴다는 게 잘못됐다고 말하는 게 아니다. 다시 한 번 말하지만 오해하지 말고 들었으면 한다!

그런 마음으로 책 쓴 사람들이 책 출간을 하고 나서 제2수입, 제3수입을 연결하려고 코칭을 받은 후에 후회를 하기 때문에 강조하면서 말을 하는 것이다.

대충 자기만족으로 그냥 썼는데 책 내공, 책 가치, 책이 주는 메시지가 있겠는가? 누가 보겠는가? 보더라도 책값어치를 못해서 욕한다는 것이다. 그래서 어떤 일을 시작할 때, 책을 쓸 때, 책을 출간하고 나서 자신 분야와 연결할 수 있는 고리를 생각하고 책 쓰기, 책 출간을 해야 한다.

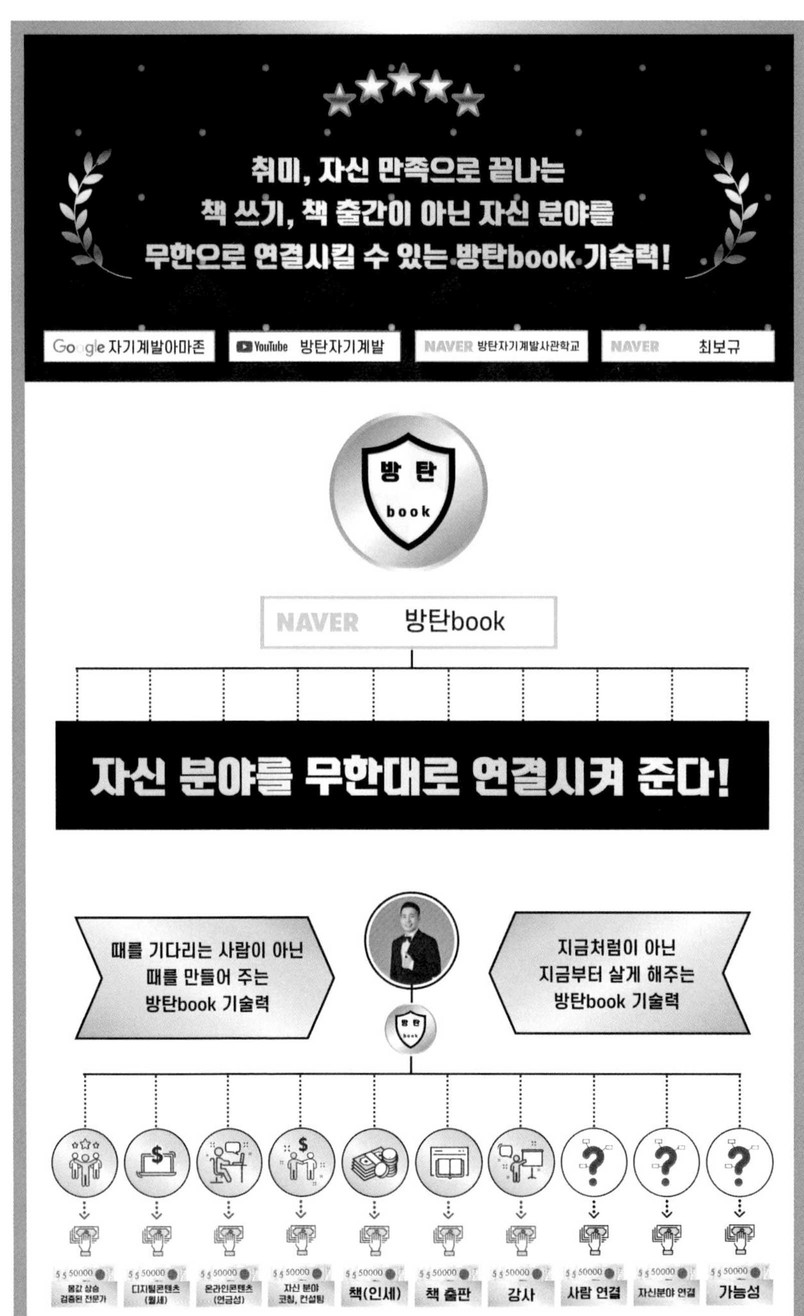

취미, 자신 만족으로 끝나는
책 쓰기, 책 출간이 아닌 자신 분야를
무한으로 연결시킬 수 있는 방탄book 기술력!
Google 자기계발아마존
YouTube 방탄자기계발
NAVER 방탄자기계발사관학교
NAVER 최보규
방탄 book
NAVER 방탄book
자신 분야를 무한대로 연결시켜 준다!
때를 기다리는 사람이 아닌
때를 만들어 주는
방탄book 기술력
지금처럼이 아닌
지금부터 살게 해주는
방탄book 기술력
몸값 상승 검증된 전문가
디지털콘텐츠 (월세)
온라인콘텐츠 (연금성)
자신 분야 코칭, 컨설팅
책(인세)
책 출판
강사
사람 연결
자신분야 연결
가능성

취미, 자신 만족으로 끝나는
책 쓰기, 책 출간이 아닌 자신 분야를
무한으로 연결시킬 수 있는 방탄book 기술력!
Google 자기계발아마존
YouTube 방탄자기계발
NAVER 방탄자기계발사관학교
NAVER 최보규

인고의 시간을 거쳐 쌓은 소중한 자신 분야 경력을
왜? 썩히고 있는가?
쌓은 경력으로 온라인 건물주가 될 수 있다!
자신 분야를 방탄book 연결 수입 창출!
자신 분야
방탄자기계발
몸값 상승
책 출간
(종이책, PDF)
(인세 유산)
멘토가 150년
A/S, 관리
방탄
book
디지털콘텐츠
수입(100년)
불특정 다수와
비즈니스 연결
온라인콘텐츠
수입(100년)
코칭 수입
(100년)
온라인 건물주
(월세, 연금성)
재능 마켓
수입(100년)

누군가는 운전면허증을 취득하려는 의미부여, 목표, 방향이 남들 다 운전면허증이 있으니 별 의미부여, 목표, 방향 없이 운전면허증을 취득하려고 한다.

누군가는 운전면허증을 취득하려는 의미부여, 목표, 방향이 가족을 부양하기 위해서 직업을 하기 위해서 먹고 살기 위해서 의미부여, 목표, 방향 설정 후 간절하게 취득하려고 하는 사람도 있다.

1차원적으로 단순하게 보면 어떤 사람이 운전면허증을 대하는 태도가 좋을까? 누구에게 물어보더라도 후자일 것이다.

그 어떤 것이든 시작할 때 의미부여, 목표, 방향이 있느냐, 없느냐에 따라서 태도가 580도 달라진다.

“시작하고 생각해라! 행동하고 의미부여, 목표, 방향 만들어라!” 이 말을 들으면 어떤가? 의미부여, 목표, 방향이 중요한 게 아니라 일단 시작하는 게 중요한 거구나? 이렇게 느껴지는가?

의미부여, 목표, 방향을 0.1%도 생각 안 하고 일단 시작해야 되는 상황이 있고 의미부여, 목표, 방향을 30% 정도 준비해서 시작해야 되는 상황이 있는 것이다. 책 쓰기는 특히 30% 의미부여, 목표, 방향을 설정하고 시작해야 한다.

운전면허증을 취득하기 위해서 독학을 하거나 운전면허학원에 등록한다. 필기를 먼저 합격해야 되기 때문에 운전면허 문제집을 먼저 산다. 한마디로 운전면허증을 따려면 가장 먼저 필기시험공부를 해야 하듯이 책 쓰기에 첫 번째로 해야 할 것은 대한민국 5가지 책 출판 개념의 장, 단점을 알고 전략적으로 책을 써야 한다.

5가지 출판
장, 단점

부모로 인해서 자신이 세상에 태어났듯이 5가지 출판 개념을 알아야 책 태교가 잘 되어 명품 책이 만들어 진다. 5가지 출판 [기획출판, 공동 기획출판, 자비출판, 대필 출판, 독립(개인)출판] 장, 단점을 알아야만 책 쓰기, 책 출간 목표, 방향, 비전이 만들어져서 3대까지 가는 책을 출간할 수 있다.

★ 기획출판, 공동 기획출판, 자비 출판, 대필 출판, 독립(개인)출판 장, 단점을 모르면 책 쓸 자격이 없다!

기획출판, 공동 기획출판, 자비 출판, 대필 출판, 독립(개인)출판의 원고, 기간, 인세, 비용, 출판부수, 장단점을 파악해야만 자신 책 쓰기, 책 출간 목표, 방향이 잡혀서 책 쓰기, 책 출간에 날개를 달게 된다.

대한민국 5가지 책 출판 개념의
장, 단점을 알고
전략적으로 책을 써야 한다.

세부사항	기획출판	공동 기획출판	자비출판	대필출판	독립(개인)출판
원고	?	?	?	?	?
기간	?	?	?	?	?
인세	?	?	?	?	?
비용	?	?	?	?	?
출판부수	?	?	?	?	?
장단점	???	???	???	???	???

표를 보면 이런 생각이 들 것이다.
"왜 표가 빈칸이지? 5가지 출판 개념이 중요하다고 하면서 왜 알려주지 않는 거지? 자신 노하우라고 숨기는 건가?"라는 의문점이 들것이다.

20,000명 심리 상담, 코칭 하면서 알게 된 것은 표만 보고 혼자 판단해서 오해하는 사람들이 너무 많았기에 오픈하고 싶어도 오픈을 안 하는 것이다. 5가지 출판 장단점을 설명하는 데 기본 1시간이 필요한데 설명은 듣지 않고 1분~3분밖에 걸리지 않는 비교한 표만 보게 되면 수박 겉핥기 식 밖에 안 되는 것이다. 어설프게 배우

면 더 헷갈리기 때문에 배우지 않는 게 낫다는 것이다. 필자의 방탄책쓰기 사관학교에서는 책 쓰기, 책 출간 코칭만 하는 것이 아니다. 코칭 받은 사람이 누군가를 코칭을 할 수 있는 자격 조건이 생길 때까지 코칭을 하기 때문이다. 그래서 코칭 받을 때 제대로 배워야만 오해 소지 없이 책 쓰기, 책 출간을 잘 할 수 있고 자신이 다시 누군가를 책 쓰기, 책 출간 코칭을 할 때 제대로 알려 줄 수 있기 때문이다.

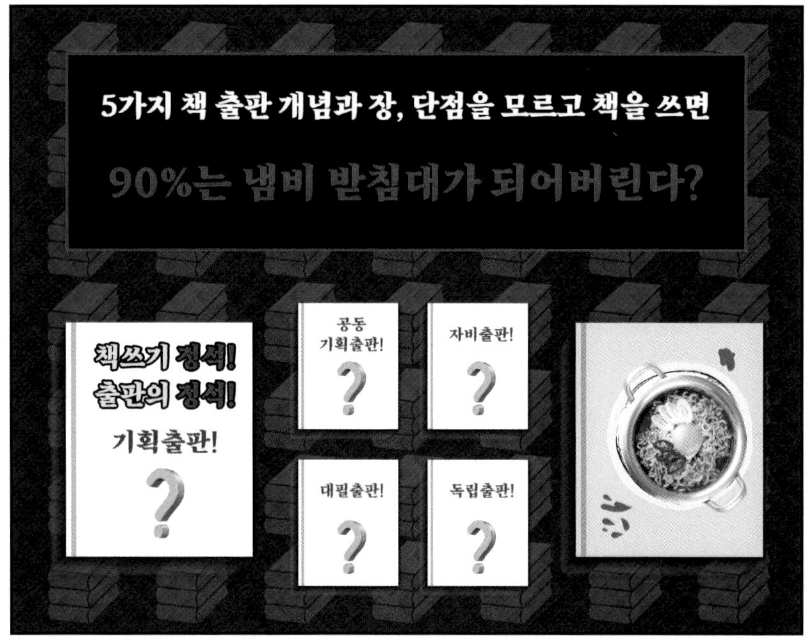

그런데 안타깝게도 시중에 나온 책 쓰기 책(200권 읽음), 책 쓰기 영상(500개 시청)을 보면서 알게 된 것은 책 쓰기 교육, 코칭을 거꾸로 알려주니 거꾸로 하고 있는 사람들이 대부분이다.

운전면허증에서 필기시험을 통과해야 실기 시험을 볼 수 있는데 실기 시험에만 집착하게 만든다. 인고의 시간을 거쳐 나온 소중한 책들이 누군가에 냄비 받침대가 되어 라면 국물이 묻어서 쓰레기 취급받는 책이 많다. 안타깝게도 90%의 책들이 책 출간 후 3개월 지나면 냄비 받침대가 되어간다.

"그냥 그냥 대충 이름 석 자 남겨야겠다." 그냥 대충 쓰면 정성 들여 쓴 책이 결국 냄비 받침대가 되어버린다는 것을 명심하자!

책 쓰기 의미부여, 목표, 방향을 제대로 설정하고 전략적으로 출간을 한다면 자신 분야 삼성(진정성, 전문성, 신뢰성)을 올리고 돈을 벌 수 있는 콘텐츠까지 연결시킬 수 있다. 그러면 자신의 인생뿐만 아니라 많은 사람들에게 라면 받침대가 아닌 인생의 받침대, 디딤돌이 되어줄 것이다.

책 대충 쓰면
라면 냄비
받침대가 된다!
인생
받침대, 디딤돌이
되어 줄 수 있는
책 쓰기, 책 출간

★ 책 내공, 책 값어치, 책 가치는 독서와 비례한다!

평균적으로 저자는 독자가 자신의 책을 읽고 이런 감동을 받길 바랄 것이다. "우와! 책 내공이 느껴진다. 책 값어치를 하는 책이다. 뻔한 내용, 누구나 아는 내용이 아니다. 어떻게 이런 생각을 할 수 있었을까? 작가의 인생 내공, 자신 분야 전문성이 느껴지는 책이다. 책 값 15,000원 주고 샀는데 1억 5,000만원 가치를 느끼게 하는 책이다. 베스트셀러 책은 아니지만 지금까지 1,000권 본 책 중에 베스트1이다." 자신 분야 책 내공, 책 값어치, 책 가치를 올리기 위해서는 가장 먼저 해야 할 것은 독서다. 독서가 자신 전문 분야 내공, 값어치, 가치를 높여 주고 자신 분야 책 쓰기 내공, 값어치, 가치를 높여 준다.

독서가 왜 중요한지를 알려 주는 스토리텔링이다. 지구상에 성공한 리더, 가장 돈 많은 리더들이 100명이라면 99명은 독서를 한다.

3배나 더 빨리 배우고 3배나 부자가 될 수 있다니 이게 무슨 사이비 같은 소리야 하기겠지만!
이 방법을 배우기 위해 일론 머스크, 빌 게이츠, 버락 오바마, 오프라 윈프리 등이 단 한 사람을 찾아갔다면!

믿으시겠습니까?

우리는 정보의 바다를 넘어 정보의 홍수 폭풍 속에서 살아갑니다.
특히 업무를 위해서 나 자기 개발을 위해 무언가를 '읽어야' 할 일이 정말 많죠. 다 읽을 수 있는 여유가 있다면 좋겠지만 바쁜 일상을 살다 보면 시간이 부족해 책에는 먼지만 쌓여가거나, 침대 맡에 몇 달씩 책이 방치되는 일이 생기고 합니다.
그런데 우리가 책을 읽는 속도를 2배, 3배 향상시킬 수 있다면 어떨까요? 지식을 더욱 빠른 속도로 배울 수 있고 일에 필요한 노하우 습득 속도를 높여 업무 효율을 극대화할 수 있을 것입니다.
개인 사업을 하거나 영상 제작, 글쓰기를 하더라도 필요한 정보를 탐색하는 속도가 3배 빨라진다면 그 경제적 효과도 3배라고 할 수 있겠죠.
더 강조하지 않더라도, '빨리 읽기'의 유익은 다들 쉽게 상상하실 수 있으실 겁니다.
3배나 더 빨리 배우고 3배나 부자가 될 수 있다니 '이게 무슨 사이비 소리야?' 하시겠지만 이 방법을 배우기 위해 일론 머스크, 빌 게이츠, 버락 오바마, 오프라 윈프리 등이 단 한 사람을 찾아갔다면? 믿으시겠습니까?

우리 학습 속도를 2~3배 향상시켜주는 방법, 지금부터 시작합니다.

짐 퀵은 포브스 선정 2021년 올해 책임 한국어명 '마지막 몰입'의 저자인 베스트셀러 작가이자, 강사 브레인코치입니다.

'기억력 향상', '두뇌 건강', '가속 학습' 등의 분야를 전문으로 하는 뇌 전문가죠. 그런데 흥미로운 점은, 이런 직퀵이 어릴 적 사고로 뇌를 크게 다쳤다는 것입니다.

"소방관들은 제겐 영웅이었죠. 그래서 꼭 그들이 보고 싶었습니다. 창가로 의자를 가져가서 위에 올라갔죠.

간신히 소방관들을 볼 수 있었고, 정말 기뻤습니다. 제가 인생에 없던 기쁨을 맛보고 있던 그 순간 누군가 제 의자를 잡았고, 저는 그게 누군지 보기 위해 뒤로 돌았습니다. 그 순간 저는 머리부터 떨어지며 라디에이터에 머리를 부딪쳤죠.

끊임없이 피가 흘러 사방 군데로 퍼졌습니다. 그 사고 이후로 부모님은 제가 이전과 같지 않다고 하셨어요.

더 큰 문제는 제가 그때 영어를 읽을 수도 없었다는 겁니다. 어느 날은 제 선생님이 저를 손가락으로 가리키며 다른 어른에게 말하더군요. 저 소년이 '뇌가 고장 난 아이'야" '뇌가 고장 난 아이'였던 짐 퀵이 어떻게 브레인코치, 학습 전문가가 될 수 있었을까요? 긴 사연이 있지만, 이야기가 길어지니 그에게 큰 변화를 일으켰던 '두

영웅'에 대해서만 이야기하고 넘어가도록 하겠습니다.
첫 번째 영웅은 사실 '영웅들'인데요, 바로 엑스맨입니다. 글을 읽을 수 없었던 짐 퀵이 볼 수 있던 유일한 책은 만화책이었습니다.
미국은 특히 마블같은 히어로물 만화를 많이 보죠. 많고 많은 히어로들 중 짐 퀵의 마음을 사로잡은 영웅은 엑스맨 이었습니다.
가장 강하고 빠르지는 않지만, 소외된 자들, 돌연변이지만 악당들 물리치는 엑스맨들의 모습이 또래로부터 소외된 짐 퀵에게는 인상 깊게 느껴졌을 것 같습니다.

저녁마다 잠을 안 자고 이불 속에 숨어 플래시 라이트 비춰가며 책을 읽었다고 해요.
어쩌다 많이, 재밌게 읽었는지 원래 글을 읽을 줄 몰랐는데 이 만화를 보며 독학했다고 합니다.
'뇌가 고장 난 아이'가 처음으로 글을 있게 해준 영웅이 바로 엑스맨인 셈이죠.

두 번째 영웅은 아인슈타인입니다. 글을 읽게 된 이후로도 짐 퀵은 계속된 학습 장애로 인해 고통 받았다고 합니다. 책 한 권을 제대로 읽기가 어려웠고, 다 읽어도 내용이 전혀 머리에 남지 않은 것이죠. 어떻게든 극복해보려고 정말 미친 듯이 공부를 했다고 합니다. 잠도 안 자고, 먹지도 않고 며칠 밤을 도서관에서 보내며 읽어야 할 책, 읽고 싶은 책, 엄청 쌓아놓고 미친 듯이 읽었습니다. 그런 피나는 노력을 통해 학습 장애를 '극복!' 했다는 행복한 이야기면 좋겠지만, 그렇게 무리하다 도서관에서 졸도하고 맙니다.
졸도하면서 계단에서 굴러떨어져 다시 한 번 머리를 다쳤고, 이틀 후에 병원에서 깨어났다고 합니다.
짐 퀵이 말하는 인생의 가장 어두웠던 시절입니다.
병상에서 깨어난 그에게 간호사 한 분이 차 한 잔을 가져다줍니다. 그 머그컵에는 아인슈타인의 사진과 함께 인용구 한마디가 적혀있었다고 합니다.

"문제를 유발한 것과 똑같은 수준의 생각으로는 절대 당신의 문제를 해결할 수 없다. 이 말은 제가 스스로에게 질문을 던지게 만들었습니다. 내 문제는 무엇일까?"

이 말에 큰 감명을 받은 짐 퀵은, 단순히 '열심히 해야겠다' 수준의 생각이 아니라, 보다 근본적인, 높은 수준의 물음을 던집니다. '내 본질적인 문제가 뭘까?'에 대해 고민하기 시작합니다.
즉, 느리게 배우는 것이 자신의 문제라고 정의하고, 빠르게 배우는 방법을 찾아다니기 시작합니다.
그러나 즉, 내용을 가르쳐주는 학교, 수업은 많아도 어떻게 해야 더 빨리, 더 많이 배우는지 가르쳐주는 곳은 없었고, 그때부터 퀵은 우리의 뇌는 어떻게 배우는지, 기억의 원리는 무엇인지 탐구하기 시작합니다.
그렇게 탐구를 거듭한 끝에 현재의 짐 퀵이 있는 것입니다. 사실 중간에 많은 이야기들이 더 있지만 가장 결정적인 사건만 소개해드렸습니다.

그럼 본론으로 들어가서 '어떻게' 읽기 속도를 두 세배 빠르게 할 수 있다는 걸까요?

지금부터 소개해 드리겠습니다.
첫째 '주변시를 활용하라'입니다.
짐 퀵이 말하는 주변 시란, 한눈에 보이는 문자나 단어의 범위를 뜻합니다.
즉, 내가 집중하고 있는 한 단어가 아닌, 그 단어 주변으로 보이는 여러 단어를 뜻하죠.
그 단어들을 한 번에 읽어내라고 짐 퀵은 말합니다.
우리는 보통 한 번에 한 단어에 집중해서 읽으라고 교육을 받아왔습니다.
그런데, 그건 처음 읽기를 배울 때, 즉 어휘를 많이 모를 때나 필요한 방법입니다.
이미 많은 어휘를 알고 특정 어휘와 주로 같이 사용되는 단어들이 어떤 것인지 앎은 상황에서는 한 단어에만 집중하는 것은 오히려 우리의 독서 속도를 늦추는 역할을 합니다.
짐 퀵은 그의 저서에서 'report card' 라는 표현을 예시로 듭니다. '성적표'란 뜻이죠. 우리 뇌는 report card를 '성적표'라는 한 의미 단위로 처리합니다.
그런데 책을 읽을 때 한 단어에 집중하면, 'report' 'card' 이렇게 두 단어로 읽은 다음에 다시 아, 'report card' 이렇게 하나의 뜻으로 합치는 불필요한 과정을 거치면서 읽는 속도가 느려진다는 겁니다.
기억력이 정말 좋은 사람들이 정보의 부분 부분을 따로 외우는 게 아니라, 사진 찍듯이 이미지로 외운다는 말을 들어보셨을 겁니다. 같은 원리입니다.

특정 어휘는 주로 같이 쓰이는 단어들이 있습니다.
이 조합을 영어로 collocation이라고 합니다.
한국어 예시로 들면, 종가집 00하면 종가집 김치가 생각나고, 가재는 00하면 가재는 게 편이라는 말이 생각나듯, 굳이 꼼꼼하게 있지 않아도 바로 떠오르는 표현들은 한 단어 한 단어 천천히 읽을 필요가 없죠. 정말 한 단어 한 단어 모르는 어휘라 이해가 어려울 때는 어쩔 수 없지만, 그렇지 않을 때는, 이렇게 주변 시를 활용해 한 번에 여러 단어, 문장 단위로 보다 큰 의미 단위를 한 번에 이해하는 연습을 해보시기 바랍니다.

한 번에 문장 하나씩 눈으로 사진을 찍는다 생각하고 연습해 보시길 바랍니다. 굳이 단어 하나하나를 곱씹지 않아도 충분히 글에서 말하고자 하는 바를 이해하실 수 있습니다.

둘째, '속 발음'을 없애라입니다.
책을 읽을 때, 속으로 책을 소리 내어 읽기듯이 따라가며 읽으시진 않나요?
이게 바로 '속 발음'입니다. 이건 사실 어릴 적 교육의 결과입니다.
어릴 때 유치원이나 초등학교에서 책을 혼자서 발표하듯이 낭독하거나, 돌아가면서 한 줄씩 있는 교육 많이 하잖아요?
어릴 때는 학생들 주의 집중력이 오래가지 않으니 이 방법이 효과적이겠지만, 이 이후에 읽기 교육을 받은 적이 없으니 지금은 필요 없는 옛날 습관을 여전히 반복하고 있는 거죠. 그런데 앞서 말했듯이 우리가 있는 대부분의 단어는 우리가 아는 단어들입니다.
그런 단어들을 굳이 내적 소리를 내어가며 읽을 필요가 있을까요? 아니요. 그냥 눈으로 보면 되는 겁니다.
우리 뇌의 처리능력은 우리 생각보다 엄청납니다.
소리 내지 않아도, 한 글자씩 온 주의집중을 쏟지 않아도 충분히 읽고 있는 내용을 이해할 수 있습니다.

이 속 발음을 없애기 위해서 짐 퀵이 제안하는 방식은 '숫자 세며 읽기'입니다. 눈으로는 책을 읽으면서 입으로는 '하나', '둘', '셋' 소리를 내라는 건데요.
소리를 내는 상황에서 속 발음 까지 하는 것은 정말 어려워서, 자연스레 속 발음이 없어진다고 합니다. 한 번 해보시길 추천 드립니다.

물론 처음에는 약간 혼란스럽지만 익숙해지면 점점 이해력이 향상된다고 짐 퀵은 말합니다.
이렇게 숫자를 꼭 하지 않더라도. 속으로 글자를 읽고 있다는 생각이 들 때 '이 속 발음이 독서 속도를 늦추고 있다.'라는 것을 지각하기만 해도 독서 속도가 빨라지는 것을 체감하실 수 있으실 겁니다.

마지막으로, 손가락으로 짚어가며 읽기입니다. 우리가 빨리 읽지 못하는 이유 중 하나는 '안구 회귀' 즉 읽다가 시선이 돌아가 특정 부분을 다시 읽는 현상 때문이라고 합니다.
집중이 잘 안될 때 책 읽으면 읽은 부분 읽고 또 읽고 또 읽고 또 읽고 그런 경험 다들 많으시죠?
어느 정도의 안구 회귀는 거의 모든 사람이 하기 마련인데, 대부분 무의식적으로 이루어진다고 해요.
손가락으로 짚어가면서 읽으면, 손가락의 위치에 집중하

기 때문에 무의식적으로 읽은 부분을 또 읽는 회귀 현상을 예방해 읽는 속도가 빨라진다고 합니다.

짐 퀵 이 책에서 소개하는 연구에 따르면, 손가락을 사용하면 읽는 속도가 최고 25%에서 최대 100%까지 빨라진다고 합니다.
실제 제가 실천에 봤는데, 전 이제 손가락 혹은 팬 등을 지펴 가면 읽지 않으면 답답해서 책을 못 읽겠다는 생각이 들 정도로 큰 속도 향상을 경험했습니다.
무엇보다 집중도 잘 되고요. 그만큼 실천하기도 쉽고, 효과도 직방인 방법이라 할 수 있습니다.

"그럼 여기서 잠깐, 빨리 있는 게 좋은 건가?" 하시는 분들이 계실 수 있습니다.
우리는 보통 천천히 씹어가며 책을 읽어야 배우는 것이 많고, 속독은 이해도가 떨어지는 방법이라는 생각을 많이 하니깐요. 짐 퀵은 이를 반박합니다. 짐 퀵은 책을 통해 조용한 거리를 천천히 운전할 때와 경주로의 급커브를 전속력으로 달리는 상황에 대한 비유를 듭니다.
천천히 운전할 때는 여러 다른 일도 할 수 있죠. 음악 듣기, 노래 부르기, 대화하기 등이요.
그러나, 빠른 속도로 커브를 돌 때는 운전 외에 그 어떤 일도 신경 쓸 수 없습니다.

오로지 운전에만 몰입하게 되죠. 같은 원리로 우리의 독서도 빠르게, 오롯이 독서에 집중할 때 더욱 효과적인 독서가 일어날 수 있다고 합니다.

마무리하겠습니다. 읽어야 할 정보가 너무나도 많은 시대, 우리가 선택할 수 있는 것은 두 가지입니다.
시간을 늘리거나, 읽는 속도를 느리거나.
24시간은 한정되어 있는 만큼 시간을 늘릴 수 없으니 우리는 속도를 높여야 합니다.
속도를 높인다고 해서 이해도가 떨어지는 것이 아니라, 오히려 더 몰입감이 높아진다는 것을 기억하십시오.
주변 씨를 활용하고, 속 발음을 멈추고, 손가락으로 짚어가며 책을 읽으십시오.
당신의 독서량, 효율성, 나아가 당신의 부까지 몇 배 혹은 몇십 배 성장하는 경험을 하시게 될 것입니다.

<유튜브 북토크>

일론 머스크, 빌 게이츠, 버락 오바마, 오프라 윈프리 등이 빠르게 독서를 하기 위해 속도법을 배우고 세계 수많은 위인들, 부자들 대부분이 책을 읽고 책을 쓰는 이유가 자명하다. 신이 인간을 사랑해서 자신의 능력인 한 가지인 보물(지혜)을 책 속에 숨겨 놨다. 그래서 그 보물(지혜)을 아무나 찾지 못한다. 책을 한두 권 보면 찾

을 수 있는 게 아니다.
끊임없이 책을 읽어야만 신이 숨겨놓은 보물(지혜)을 하나씩 찾을 수 있는 것이다. 책을 많이 읽는 사람이 극소수인 것처럼 성공자, 부자들이 극소수다. 책을 많이 읽는다고 성공자, 부자가 되는 건 아니다. 하지만 단언컨대 성공자, 부자들은 책을 어마어마하게 읽는다.

사람의 생각을 바꾸는데 책 1톤이 필요하고 자신 인생을 바꾸는 데는 자신 분야 책 1권 출간이면 가능하다. 책 1,000권 읽는 것보다 자신 분야 책 1권 책 쓰기와 책 출간이 더 가치가 있다. 책을 10권 읽고 책 쓰는 사람, 책 100권 읽고 책 쓰는 사람, 책 1,000권 읽고 책 쓰는 사람 중에 어떤 사람 책이 내공, 값어치, 가치가 느껴질까? 누구에게 물어봐도 책 1,000권 읽고 책 쓰는 사람일 것이다. 책 쓰기의 기본 전제는 책을 많이 읽기다. 그 다음에는 물이 99도까지는 끓지 않고 100도에서 끓듯이 지혜의 인계점인 1도를 올려주는 것이 바로 책 출간이다. 책을 한 권도 읽지 않고 책 한 권 출간이 더 좋다고 말하는 게 아니다. 남들이 책 출간 한 것을 한번 읽는 것 보다 자신이 시행착오, 대가 지불, 인고의 시간을 거쳐 만든 책 쓰기, 책 출간이 그 만큼 평생 남으며 가치가 있다고 말하는 것이다.

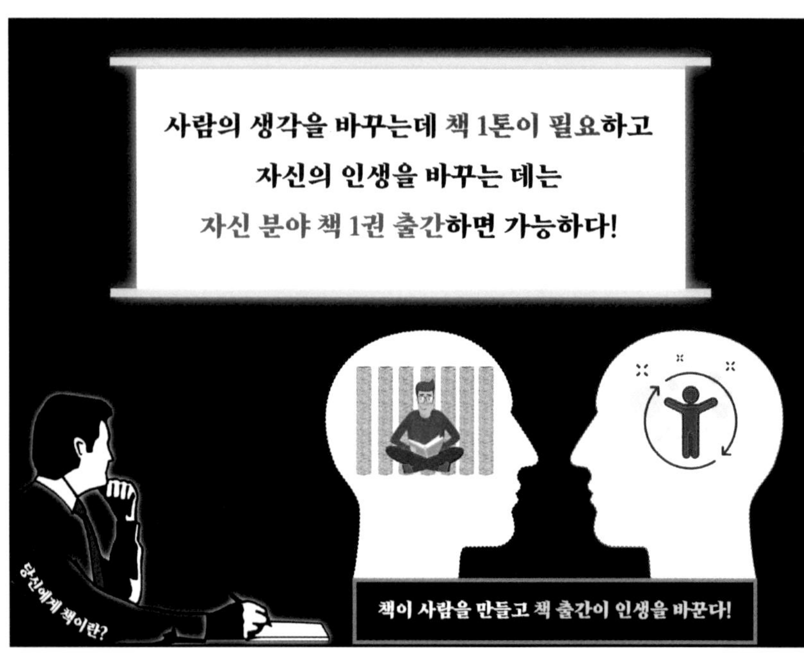
사람의 생각을 바꾸는데 책 1톤이 필요하고
자신의 인생을 바꾸는 데는
자신 분야 책 1권 출간하면 가능하다!
당신에게 책이란?
책이 사람을 만들고 책 출간이 인생을 바꾼다!

책 1,000권 읽는 것보다
자신 분야 책 1권
책 쓰기, 책 출간이 100년 간다!
PPT로 책 출간
당신에게 책이란?
책이 사람을 만들고 책 출간이 인생을 바꾼다!

방탄책쓰기사관학교(www.방탄book.com)에서는

책 출간 최고의 장점인 절판 없는 책 쓰기, 책 출간을 한다. (절판: 발행된 책이 단종 됨, 출판사와 계약기간 만료) 출간한 책이 절판되어 재 출간하려면 처음 들어간 비용 다시 발생한다. 출판사들 90%가 절판을 한다.

방탄책쓰기사관학교(www.방탄book.com)에서는

"그래, 버킷리스트인 책 한 권 출간했어! 냄비 받침대가 되어 라면 국물이 묻어서 쓰레기가 되어도 좋아." 이런 정신으로 책 쓰기 코칭을 하지 않는다. 베스트셀러 책이 되는 것도 좋지만 자신, 가족, 조직체 원들, 소중한 사람들이 봤을 때 베스트라고 할 수 있는 책 출간 코칭을 한다.

방탄책쓰기사관학교(www.방탄book.com)에서는

자신 분야와 연결시켜 스펙도 올리고 돈을 벌 수 있는 시스템과 연결시켜 부수입을 올릴 수 있으며 부업(제2의 직업 강사, 제3의 직업 코칭, 은퇴 후 직업)으로도 할 수 있는 책 출간 코칭을 한다. 더 나아가, 많은 사람들에게 도움을 줄 수 있고 선한 영향력을 끼쳐 동기부여 해 줄 수 있는 리더 책 출간 코칭을 한다.

책 쓰기, 책 출간 교육, 코칭은 누구나 한다. 자신 분야를 연결하여 삼성(진정성, 전문성, 신뢰성), 월세, 연금성 수입을 올릴 수 있는 책 쓰기, 책 출간은 방탄책쓰기 사관학교에서만 할 수 있다.

어디에 있든 그 곳이
변화, 성장, 배움, 행복의
시작점이다.

- 최보규 방탄book 창시자 -

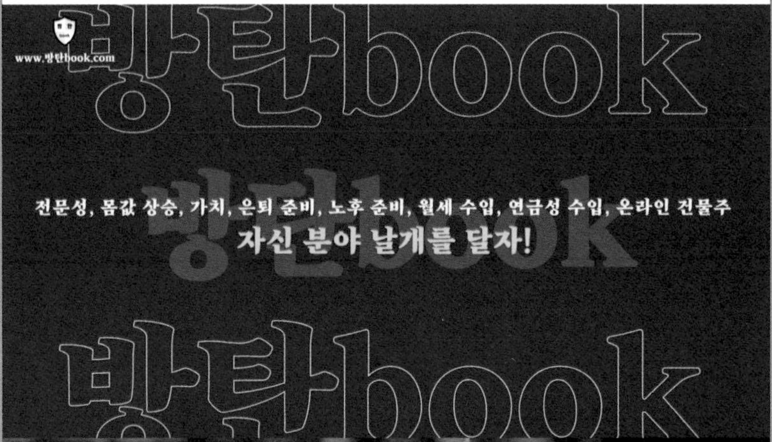

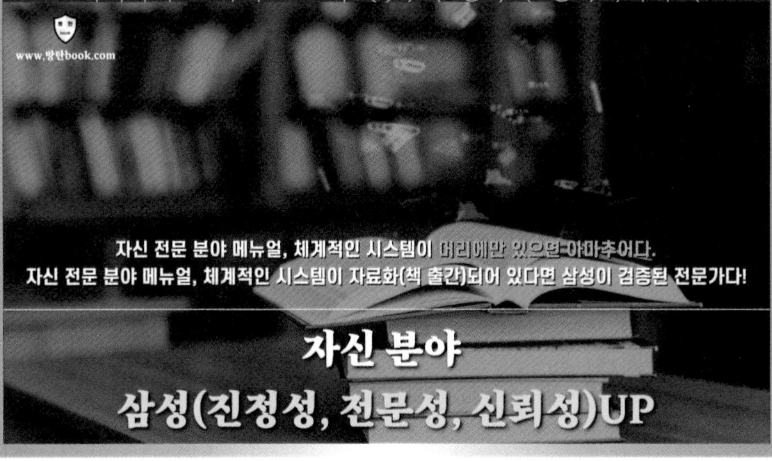

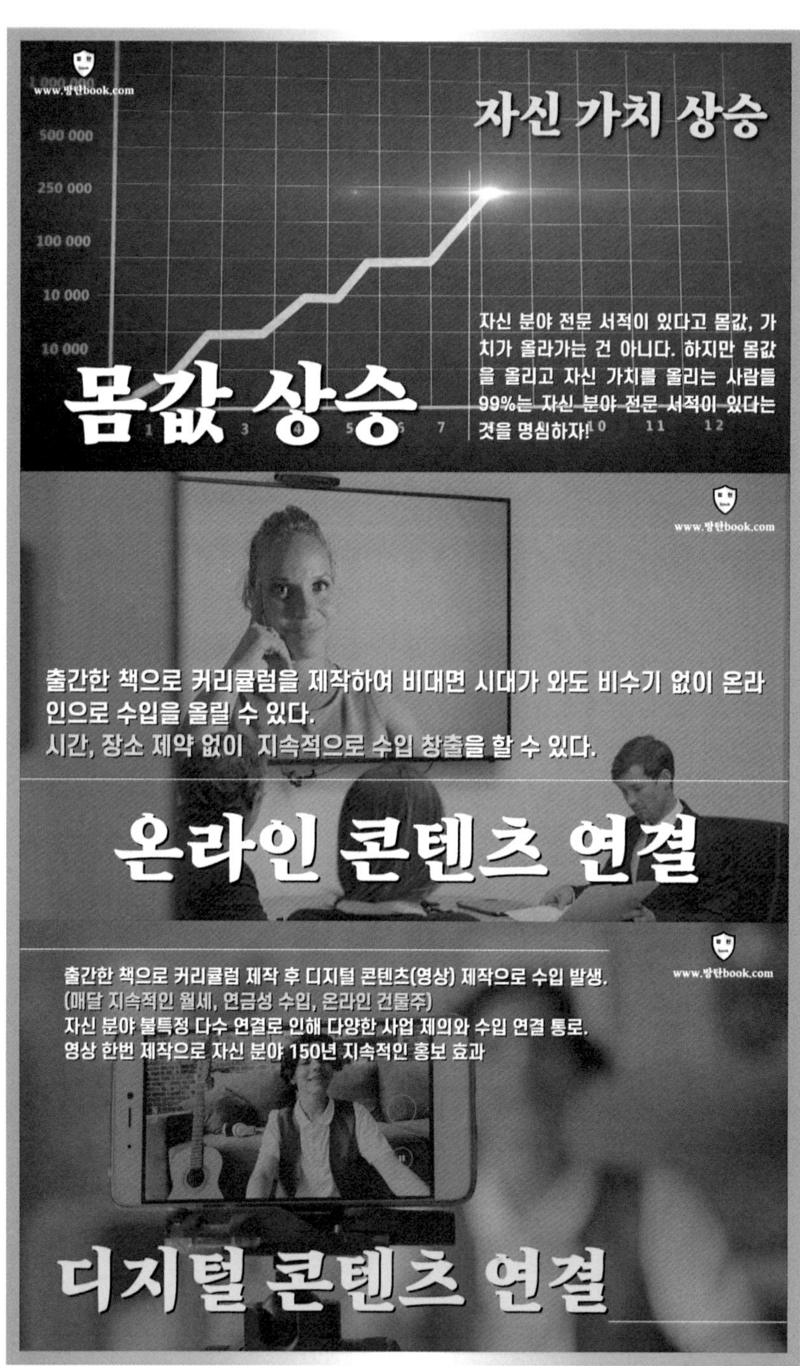
www.방탄book.com
자신 가치 상승
1,000,000
500 000
250 000
100 000
10 000
10 000
1 3 4 5 6 7 10 11 12
몸값 상승
자신 분야 전문 서적이 있다고 몸값, 가치가 올라가는 건 아니다. 하지만 몸값을 올리고 자신 가치를 올리는 사람들 99%는 자신 분야 전문 서적이 있다는 것을 명심하자!
www.방탄book.com
출간한 책으로 커리큘럼을 제작하여 비대면 시대가 와도 비수기 없이 온라인으로 수입을 올릴 수 있다.
시간, 장소 제약 없이 지속적으로 수입 창출을 할 수 있다.
온라인 콘텐츠 연결
www.방탄book.com
출간한 책으로 커리큘럼 제작 후 디지털 콘텐츠(영상) 제작으로 수입 발생.
(매달 지속적인 월세, 연금성 수입, 온라인 건물주)
자신 분야 불특정 다수 연결로 인해 다양한 사업 제의와 수입 연결 통로.
영상 한번 제작으로 자신 분야 150년 지속적인 홍보 효과
디지털 콘텐츠 연결

www.방탄book.com
방 탄
book
www.방탄book.com
책을 출간 하면 자신 분야 강사가 되어 부업, 은퇴 후(노후 준비)
수입을 올릴 수 있다.
세계 최초 책 출간과 강사 양성까지 할 수 있는 곳은 방탄book 출판사 뿐이다.
제2의 직업 강사
책을 출간 하면 자신 분야 코칭전문가 되어 은퇴 후(노후 준비) 부업으로도 수입을 올릴 수 있다.
세계 최초 책 출간과 코칭 양성까지 할 수 있는 곳은 방탄book 출판사 뿐이다.
제3의 직업 코칭
자신 분야 책 출간과
시중에 있는 책 쓰기 교육(책 쓰기, 책 출간만 한다)과 차원이 다르다.
방탄book출판사
차별화가 아닌 초월이다!
6가지 수입 창출을 한 곳에서

최초! 한 곳에서 100년 활용하는 6가지 기술력을 전수한다!

www.방탄book.com

차별이 아닌 초월 시스템

타사와 **비교불가** 초월 혜택으로
자신 분야 온라인 건물주 되어 **100년 수입 창출!**

이코노미 코칭	비지니스 코칭	퍼스트틀래스 코칭

www.방탄book.com

차별이 아닌 초월 시스템

타사와 비교불가 초월 혜택으로 자신 분야 온라인 건물주 되어 100년 수입 창출!

이코노미 코칭	비지니스 코칭	퍼스트클래스 코칭

기본 5H, 10H ~ 52H I 500,000원~	기본 10H, 15H ~ 52H I 1,000,000원~	기본 15H, 20H ~ 52H I 3,000,000원~
CHECK POINT	CHECK POINT	CHECK POINT
☑ 책 쓰기, 책 출간 컨설팅 후 코칭(하)	☑ 책 쓰기, 책 출간 컨설팅 후 코칭(중)	☑ 책 쓰기, 책 출간 컨설팅 후 코칭(상)
☑ 6가지 수익 창출 컨설팅 후 코칭(하)	☑ 6가지 수익 창출 컨설팅 후 코칭(중)	☑ 6가지 수익 창출 컨설팅 후 코칭(상)
☑ 150년 A/S, 피드백, 관리	☑ 150년 A/S, 피드백, 관리	☑ 150년 A/S, 피드백, 관리

www.방탄book.com

특별 혜택

누구나 줄 수 있는 혜택이라면 절대로 방탄book을 선택하지 않았을 것이다!

파트너 강사 임명

방탄자기계발사관학교 전임 강사
자기계발아마존 전임 강사
방탄book 전속 작가
방탄코칭 전문가
대한민국 노벨상인
"최보규상" 프로젝트 연구원

타이틀 5가지 자격 부여

150년 멘토

20,000명 상담, 코칭
자기계발서 100권 출간
381가지 습관 만듦
2,000권 독서

삼성(진정성, 전문성, 신뢰성)이 검증 된 전문가가 우주 최강 책임감 150년 a/s, 피드백, 관리 해준다. 자자자자멘습긍 케어까지 해준다. (자존감, 자신감, 자기관리, 자기계발, 멘탈, 습관, 긍정)

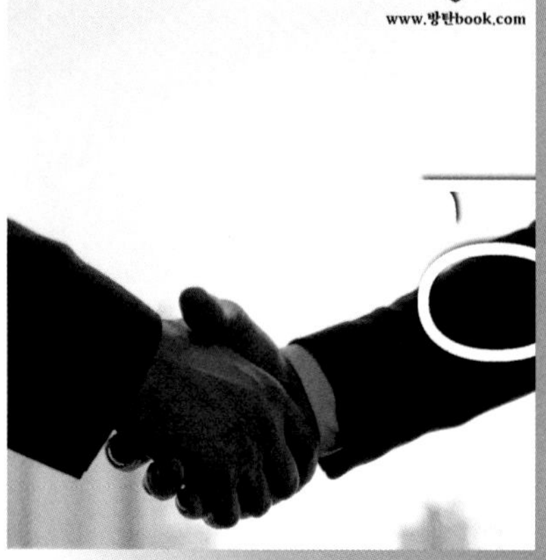

리더의 자신 분야 삼성(진정성, 전문성, 신뢰성)을
올려주고 인정해 주는 건 자신 전문 분야 책 출간이다!

책 1,000권 읽는 것보다.
자신 분야 책 1권 책 쓰기, 책 출간이 100년 간다!

리더 생각을 바꾸는데 책 1톤이 필요하고
리더 인생을 바꾸는 데는
자신 분야 책 1권 출간이면 가능하다!

수입 자동 시스템을 만드는 책 쓰기, 책 출간

자고 있는데
돈을 버는 시스템?

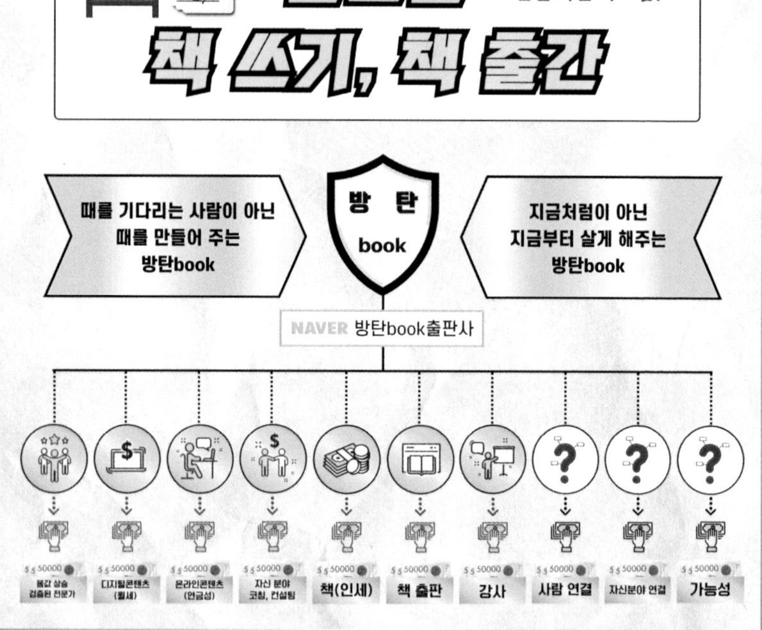

최보규의 책 쓰기 10G

✔ 일시, 시간

▶ 수시 모집 (상담)

▶ 13:00 ~ 18:00 (기본 5시간)
시간 조정 가능!(10H, 15H, 20H)

✔ 내용

1. 책 쓰기, 책 출간 의미 부여, 목표, 방향 설정
(5가지 책 출판 장단점)
2. 7G(원고, 투고, 퇴고, 탈고, 투고, 강의, 강사)
3. 온라인 콘텐츠 연결 기획, 제작
4. 디지털 콘텐츠 연결 기획, 제작
5. 자신 분야 연결 제2수입, 제3수입 창출 시스템 기획, 제작

✔ 자기계발 비용, 인원

▶ 비용 상담

▶ 1:1 코칭(온,오프라인)

✔ 장소, 상담

▶ 장소 상담 후 상황에 따라 변동 사항

▶ 한 번의 상담이 인생 터닝포인트
150년 A/S, 관리, 피드백
최보규 원장 010-6578-8295

방탄책쓰기 사관학교

시스템 사용설명서

시스템 소개

4차 산업 시대에 맞는 4차 책쓰기로 업데이트!

자신, 가족, 지인, 많은 사람들에게 읽히고 3대까지 가는 책 그냥 쓰면 안됩니다. 책 쓰는 의미 부여, 목표, 방향을 제대로 잡아 힘든 시기 제2의 수입, 제3의 수입을 올릴 수 있는 전문 분야 책쓰기로 자신 분야 삼성(진정성, 전문성, 신뢰성)을 올려야 합니다.

1차, 2차 책 쓰기는 아무나 못 쓰는 책이었고 3차 때는 누구나 쓸 수 있는 책이었다면 4차 책 쓰기는 자신 분야 삼성을 올릴 수 있는 책 쓰기, 책 출간이 되어야 합니다. 월세, 연금성 수입이 들어올 수 있는 콘텐츠 책 쓰기가 되어야 합니다.

교육.강의.코칭 목적 및 기대효과

책 쓰기, 책 출간의 본질은 5가지 출판 장단점과 7G(초보, 원고, 퇴고, 탈고, 투고, 강의, 강사)를 학습, 연습, 훈련을 통해 자신 분야 삼성(진정성, 전문성, 신뢰성)을 올 릴 수 있는 효과.

빠르게 변하는 시대, 힘들고 점점 더 어려워지는 환경 속에서 방탄책쓰기 사관학교에서 책 쓰기, 책 출간 교육, 코칭으로 온라인 콘텐츠까지 연결시켜 본업 외에 제2수입, 제3수입을 발생시킬 수 있는 효과

교육.강의.코칭 항목

1단계: 책 쓰기, 책 출간 의미 부여, 목표, 방향 설정
(5가지 책 출판 장단점)
2단계: 7G(원고, 투고, 퇴고, 탈고, 투고, 강의, 강사)
3단계: 온라인 콘텐츠 연결 기획, 제작 (월세 수입)
4단계: 디지털 콘텐츠 연결 기획, 제작 (연금성 수입)
5단계: 자신 분야 연결 제2수입, 제3수입 창출 자동 시스템 기획, 제작

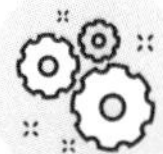

03 방탄책쓰기사관학교 신청 대상 세부 내용

방탄책쓰기사관학교

- 자기계발을 시작하고 싶은 분.
- 4차 책쓰기 업그레이드를 통해 자신 분야 변화, 성장하고 싶은 분
- 책쓰고 자신 분야 전문가 되어 강사가 되고 싶은 분
- 1,2,3,4,5단계 4차 책쓰기를 배워 자신 분야 삼성(진정성, 전문성, 신뢰성)을 업데이트해서 자신분야 가치, 몸 값어치를 올리고 싶은 분
- 방탄자기계발사관학교 지회장이 되어 9가지 사관학교를 운영, 대한민국 노벨상인 최보규상 임원진이 되고 싶은 분

04 교육. 강의. 코칭 항목

교육 시간은 변동사항 있을 수 있습니다!

구분	주제	강의내용	시간
방탄책쓰기 사관학교	1단계	책 쓰기, 책 출간 의미 부여, 목표, 방향 설정 (5가지 책 출판 장단점)	1H ~ 10H
	2단계	7G(원고, 투고, 퇴고, 탈고, 투고, 강의, 강사)	1H ~ 10H
	3단계	온라인 콘텐츠 연결 기획, 제작	1H ~ 10H
	4단계	디지털 콘텐츠 연결 기획, 제작	1H ~ 10H
	5단계	자신 분야 연결 제2수입, 제3수입 창출 시스템 기획, 제작	1H ~ 10H

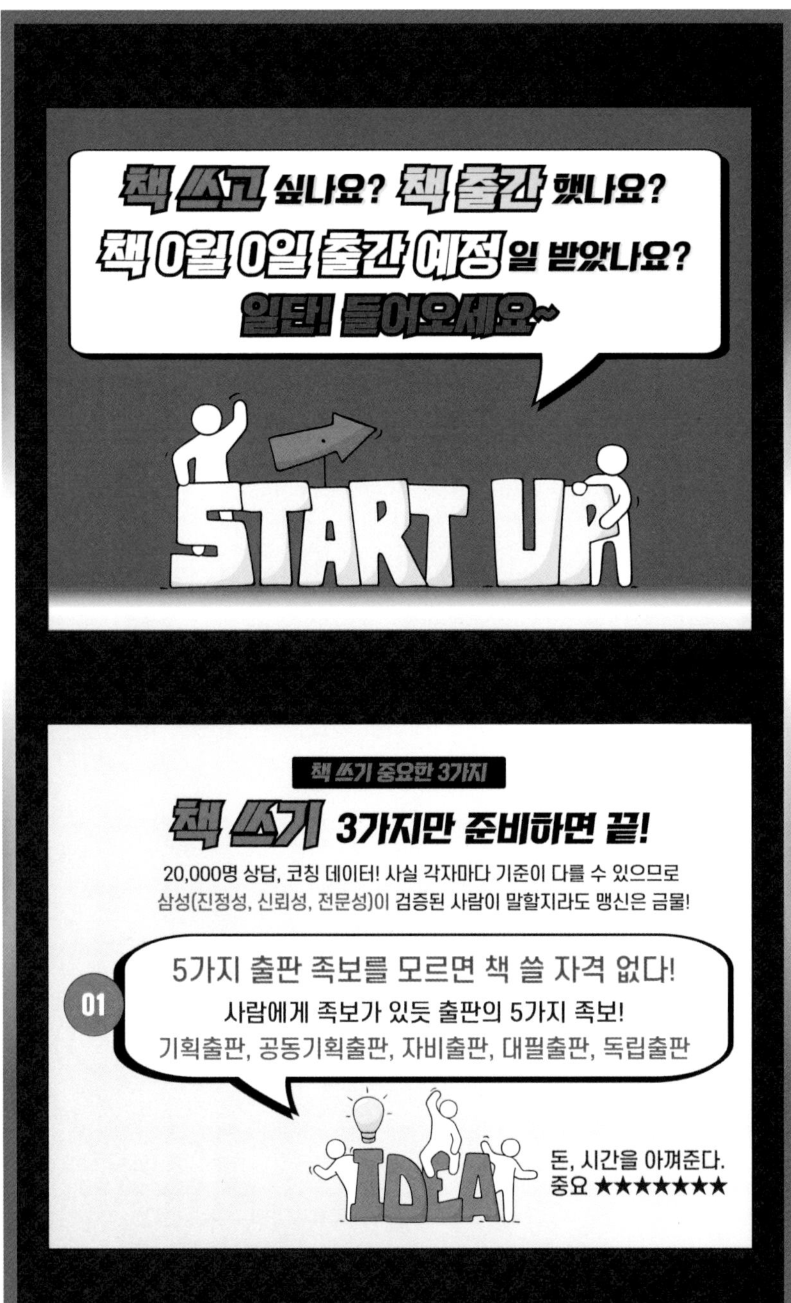
책 쓰고 싶나요? 책 출간 했나요?
책 0월 0일 출간 예정일 받았나요?
일단! 들어오세요~
START UP
책 쓰기 중요한 3가지
책 쓰기 3가지만 준비하면 끝!
20,000명 상담, 코칭 데이터! 사실 각자마다 기준이 다를 수 있으므로
삼성(진정성, 신뢰성, 전문성)이 검증된 사람이 말할지라도 맹신은 금물!
01
5가지 출판 족보를 모르면 책 쓸 자격 없다!
사람에게 족보가 있듯 출판의 5가지 족보!
기획출판, 공동기획출판, 자비출판, 대필출판, 독립출판
IDEA
돈, 시간을 아껴준다.
중요 ★★★★★★★

책 쓰기 중요한 3가지

책 쓰기 3가지만 준비하면 끝!

20,000명 상담, 코칭 데이터! 사실 각자마다 기준이 다를 수 있으므로
삼성(진정성, 신뢰성, 전문성)이 검증된 사람이 말할지라도 맹신은 금물!

02

7G를 알아야 책 쓰기가 편하다!

초고, 원고, 퇴고, 탈고, 투고, 강의, 강사

작가 직업, 강사 직업
두 마리 토끼 잡는다.
중요 ★★★★★★★

책 쓰기 중요한 3가지

책 쓰기 3가지만 준비하면 끝!

20,000명 상담, 코칭 데이터! 사실 각자마다 기준이 다를 수 있으므로
삼성(진정성, 신뢰성, 전문성)이 검증된 사람이 말할지라도 맹신은 금물!

03

한번 코칭으로 150년 A/S, 관리, 피드백 받을 수 있는 전문가 선택!

대한민국 대부분 코칭 95%가 한번 코칭 하면 끝나고
가장 중요한 관리를 해주지 않는다. 늘 그때뿐인 교육, 코칭이 된다!

돈, 시간을 아껴준다.
중요 ★★★★★★★

책 0월 0일 출간 예정일에서 중요한 3가지

책 출간 준비 3가지만 하면 끝!

20,000명 상담, 코칭 데이터! 사실 각자마다 기준이 다를 수 있으므로
삼성(진정성, 신뢰성, 전문성)이 검증된 사람이 말할지라도 맹신은 금물!

03

한번 코칭으로 150년 A/S, 관리, 피드백 받을 수 있는 전문가 선택!

대한민국 대부분 코칭 95%가 한번 코칭 하면 끝나고
가장 중요한 관리를 해주지 않는다. 늘 그때뿐인 교육, 코칭이 된다!

돈, 시간을 아껴준다.
중요 ★★★★★★★

책 출간 후 중요한 3가지

책 출간 준비 3가지만 하면 끝!

20,000명 상담, 코칭 데이터! 사실 각자마다 기준이 다를 수 있으므로
삼성(진정성, 신뢰성, 전문성)이 검증된 사람이 말할지라도 맹신은 금물!

01

책 홍보 마케팅 전략!

책 홍보전략을 통해 꾸준히 개인 SNS 노출 할 책 내용 요약 디자인 작업
(100개 이하), 최소의 비용으로 최대 효과를 낼 수 있는 유튜브 홍보

돈, 시간을 아껴준다.
중요 ★★★★★★★

책 출간 후 중요한 3가지

책 출간 준비 3가지만 하면 끝!

20,000명 상담, 코칭 데이터! 사실 각자마다 기준이 다를 수 있으므로
삼성(진정성, 신뢰성, 전문성)이 검증된 사람이 말할지라도 맹신은 금물!

02

책 분야 전문성 만들기!

책 전문분야 1개월 ~ 6개월 교육할 커리큘럼, 시스템을 만들어 책을 교재로 활용해서 자신 분야 삼성(진정성, 전문성, 신뢰성)을 만들고 강사료를 올리자.

작가 직업, 강사 직업
두 마리 토끼 잡는다.
중요 ★★★★★★★

책 출간 후 중요한 3가지

책 출간 준비 3가지만 하면 끝!

20,000명 상담, 코칭 데이터! 사실 각자마다 기준이 다를 수 있으므로
삼성(진정성, 신뢰성, 전문성)이 검증된 사람이 말할지라도 맹신은 금물!

03

한번 코칭으로 150년 A/S, 관리, 피드백 받을 수 있는 전문가 선택!

대한민국 대부분 코칭 95%가 한번 코칭 하면 끝나고
가장 중요한 관리를 해주지 않는다. 늘 그때뿐인 교육, 코칭이 된다!

돈, 시간을 아껴준다.
중요 ★★★★★★★

책 출간 했는데...그 다음은?

책 출간 후 가장 먼저 해야 할 3가지!

출판계의 로또 기획출판(1000~3000만 원 투자 받음) 아닌 이상 저자가 다 해야 된다.
책 스타트업은 이렇게 시작된다.

처음부터 공들여야해..
이곳 저곳 하나하나

01 책(신생아)키우기

꾸준히 관심, 사랑을 받기 위해 페이지별로 이미지 제작해서 SNS 노출

이 책은 000 입니다!
많이 사랑해주세요!

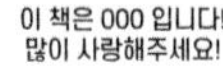

02 마케팅 하기

책 분야 강의 교안 작업 홍보 이미지 제작 홍보 영상 제작

음.. 여기서 이 정도
연결시켜 소득 지속화!

03 전문성 연결

책 분야 교육, 코칭 커리큘럼, 제안서 전문분야 자격증 만들어 몸값 올리기

스타트업 마케팅 사례

유튜브 홍보, 마케팅 전략사례 1

최소의 비용으로 최대 효과
지속적인 마케팅 사례를 알아보자!
인세 발생, 강의 의뢰, 코칭 의뢰, 전문성 홍보
일반 강사, 작가 보다 차별화 스펙 어필!
5 ~ 10가지 연결고리가 생겨 단타에 끝나지 않고
영상 삭제하기 전까지 지속적 연결된다!(100년)

01 행복히어로 (출간일 2021. 01. 17)

- ▶ 유튜브 업로드 한번 끝!
- ▶ 조회 수 : 4,280회 (꾸준히 노출)
- ▶ 인세 발생, 강의 의뢰, 코칭 의뢰, 전문성 홍보..
- ▶ 한 번의 영상 제작, 홍보로 10가지 연결고리

유튜브 홍보, 마케팅 전략사례 2

최소의 비용으로 최대 효과
지속적인 마케팅 사례를 알아보자!
인세 발생, 강의 의뢰, 코칭 의뢰, 전문성 홍보
일반 강사, 작가 보다 차별화 스펙 어필!
5 ~ 10가지 연결고리가 생겨 단타에 끝나지 않고
영상 삭제하기 전까지 지속적 연결된다!(100년)

02 나다운 방탄습관블록 (출간일 2021. 06. 07)

- ▶ 유튜브 업로드 한번 끝
- ▶ 조회 수 : 14,901회 (꾸준히 노출)
- ▶ 인세 발생, 강의 의뢰, 코칭 의뢰, 전문성 홍보..
- ▶ 한 번의 영상 제작, 홍보로 10가지 연결고리

책 출간 스타트업 지원 정책

함께 잘 먹고 잘 살기 위해 지원금 드립니다!

책 쓸 아이템은 없지만 책을 쓰고 싶은데?
책 쓸 아이템 있는데? 어떻게 시작해야 할지 막막하다면?
코칭비, 출간 비용이 부족하다면? 맞춤 상담과 지원금 신청하세요!

책 쓰기 시작 하고 싶은 분 7G 스타트업	지원금 50% 적용해서 반값에 코칭! 기본 1회 5H (2회 ~ 5회 선택가능)
책 출간 0월 0일 예정일 받은 분 계획적 책(신생아) 출산 준비	지원금 50% 적용해서 반값에 코칭! 책 2시간 특강 강의 교안 작업 완성될 때까지, 프로필 사진 페이지별 이미지 작업, 홍보 이미지, 홍보 영상 작업 (샘플 참고)

책 출간 스타트업 지원 정책

함께 잘 먹고 잘 살기 위해 지원금 드립니다!

책 쓸 아이템은 없지만 책을 쓰고 싶은데?
책 쓸 아이템 있는데? 어떻게 시작해야 할지 막막하다면?
코칭비, 출간 비용이 부족하다면? 맞춤 상담과 지원금 신청하세요!

책 출간한 작가, 강사분 책 심폐소생술	지원금 50% 적용해서 반값에 코칭! 책 2시간 특강 강의 교안 작업 완성될 때까지 (강의 흐름 설명), 프로필 사진 제작, 페이지별 이미지 작업, 홍보 이미지, 유튜브 홍보 영상 작업. 작가, 강사 카톡 프로필, 홍보 영상 작업, 제작한 영상으로 네이버TV, 카카오TV, T스토리, 페이스북 페이지 동시 홍보. (샘플 참고)

검증된 책 쓰기, 책 홍보 전문가

"세계 최초" 한번 코칭으로 150년 a/s, 관리, 피드백 상담받으세요!

최보규 원장 010-6578-8295

저자 특강 2시간 강의교안 제작 샘플

책 표지, 책 내용으로 맞춤 디자인 제작, 변경 가능!

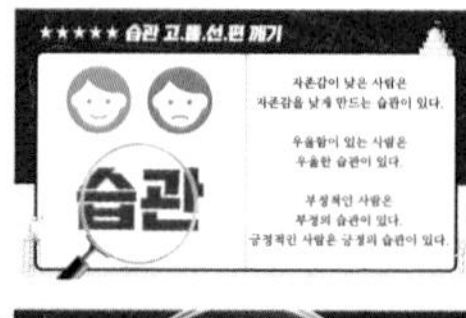

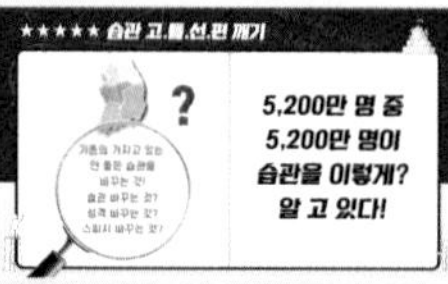

저자 특강 2시간 강의교안 제작 샘플

책 표지, 책 내용으로 맞춤 디자인 제작, 변경 가능!

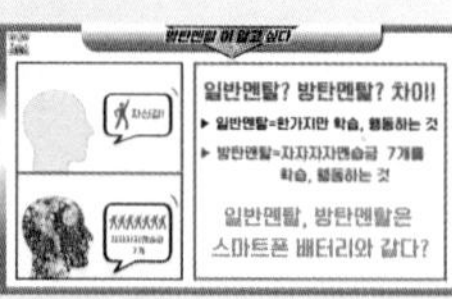

저자 특강 2시간 강의교안 제작 샘플

책 표지, 책 내용으로 맞춤 디자인 제작, 변경 가능!

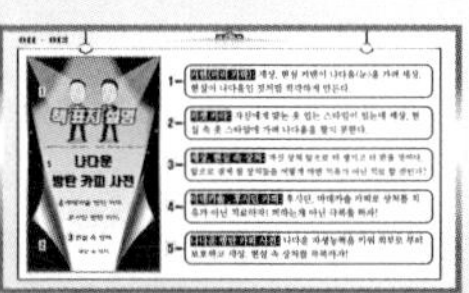

책 개인 프로필 홍보 이미지 샘플

책 표지, 책 내용으로 맞춤 디자인 제작, 변경 가능!

개인 SNS 홍보! 책 페이지별 이미지 제작 샘플

책 표지, 책 내용으로 맞춤 디자인 제작, 변경 가능!

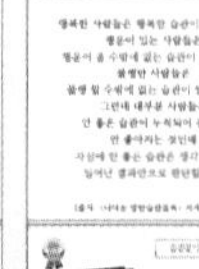

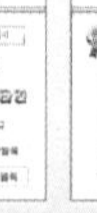

개인 SNS 홍보! 책 페이지별 이미지 제작 샘플

책 표지, 책 내용으로 맞춤 디자인 제작, 변경 가능!

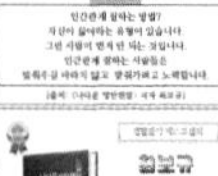

개인 SNS 홍보! 책 페이지별 이미지 제작 샘플
책 표지, 책 내용으로 맞춤 디자인 제작, 변경 가능!
blog
BAND
TALK
YouTube
유튜브 홍보영상제작 샘플
책 표지, 책 내용으로 맞춤 디자인 제작, 변경 가능!
나다운 방탄습관블록
습관 아인슈타인
나다운 방탄습관블록 무엇일까?
습관은 바꾸는 것이 아니라 쌓아 가는 것
성격은 바꾸는 것이 아니라 쌓아 가는 것
스피치는 바꾸는 것이 아니라 쌓아 가는 것
기존의 가지고 있는 습관, 성격, 스피치
왜 힘들게 바꾸려 하는가? 그대로 두어라!
방법을 모르니 힘든 것이다!
습관 아인슈타인과 함께 !
습관 다시 시작합시다!

YouTube
유튜브 홍보영상제작 샘플
책 표지, 책 내용으로 맞춤 디자인 제작, 변경 가능!
나다운
방탄습관블록
YouTube
유튜브 홍보영상제작 샘플
책 표지, 책 내용으로 맞춤 디자인 제작, 변경 가능!
행복히어로
(행복사관학교)
15,000명을 상담하면서
알게된 행복의 비밀!
체계적인 시스템 속에서
군인정신 학습, 연습, 훈련을 통해
정예장교(군 리더, 군사 전문가)를 육성하는 학교
대한민국 행복 절제!
행복이 위험하다!
행복히어로가 왔다!
정신 차리세요!
행복을 배우는 건!
행복히어로
행복사관학교

책 표지, 책 내용으로 맞춤 디자인 제작, 변경 가능!

책 표지, 책 내용으로 맞춤 디자인 제작, 변경 가능!

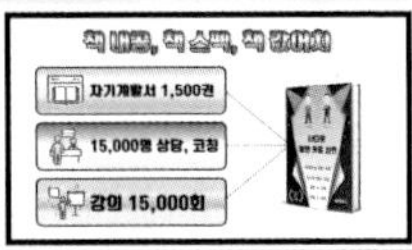

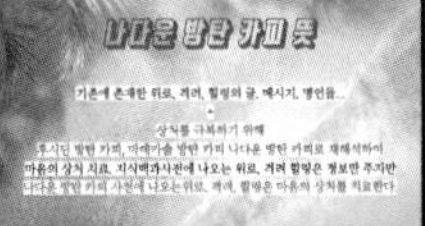

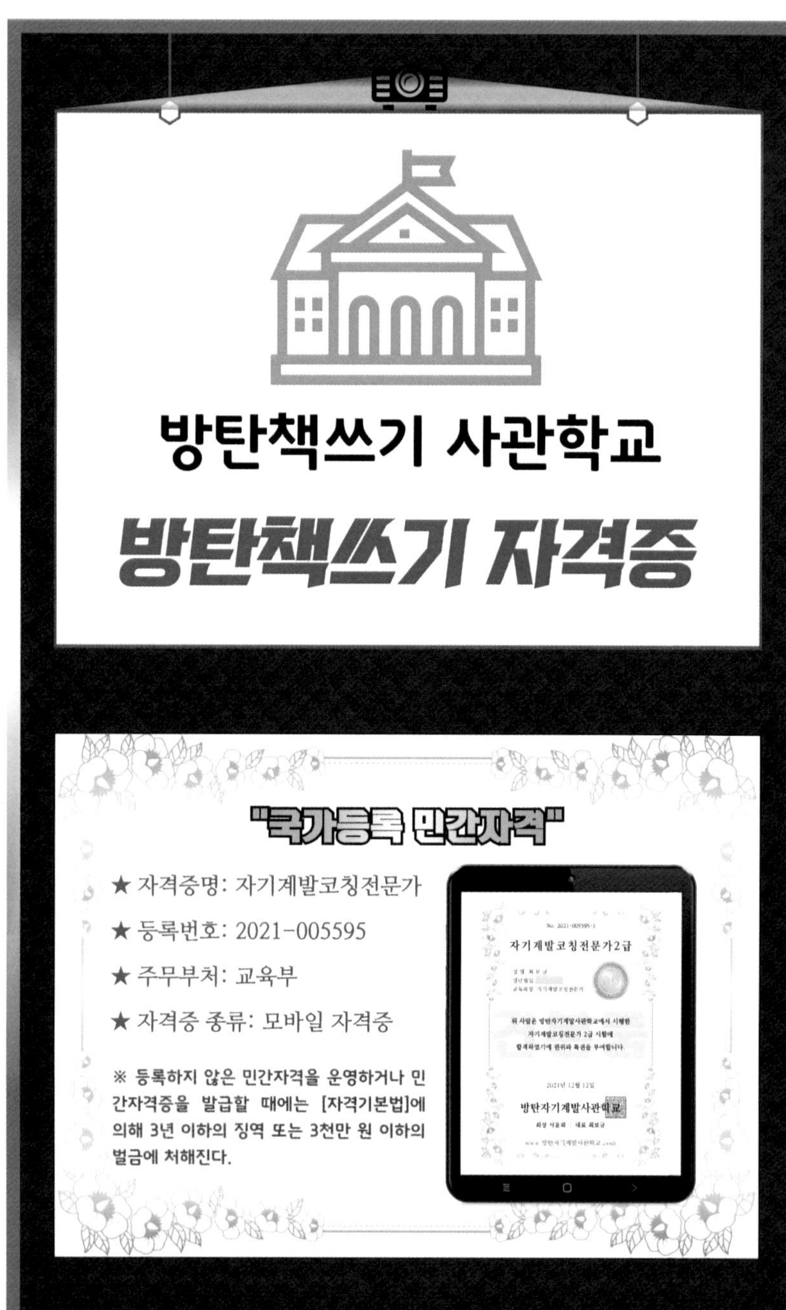
방탄책쓰기 사관학교
방탄책쓰기 자격증
"국가등록 민간자격"
★ 자격증명: 자기계발코칭전문가
★ 등록번호: 2021-005595
★ 주무부처: 교육부
★ 자격증 종류: 모바일 자격증
※ 등록하지 않은 민간자격을 운영하거나 민간자격증을 발급할 때에는 [자격기본법]에 의해 3년 이하의 징역 또는 3천만 원 이하의 벌금에 처해진다.
자기계발코칭전문가2급
2021년 12월 12일
방탄자기계발사관학교

★ 자격증명: 자기계발코칭전문가

★ 등록번호: 2021-005595

★ 주무부처: 교육부

★ 자격증 종류: 모바일 자격증

※ 등록하지 않은 민간자격을 운영하거나 민간자격증을 발급할 때에는 [자격기본법]에 의해 3년 이하의 징역 또는 3천만 원 이하의 벌금에 처해진다.

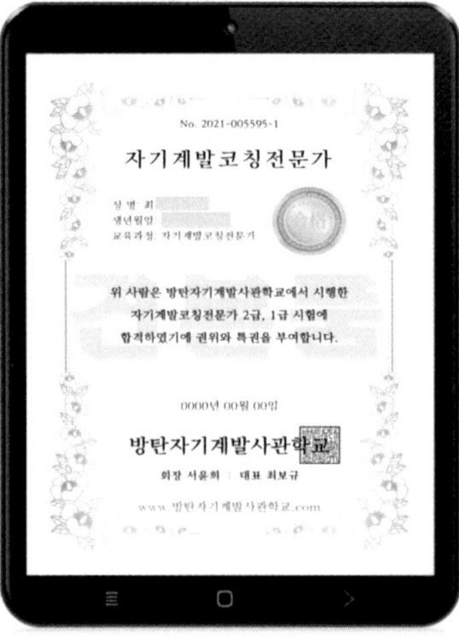

자신 책을
자신이 죽이는
작가?
강사?
최보규 지음
자신 책을 죽이는 강의
체크리스트
책은 죽지 안는다!
다만 책을 죽이는
작가, 강사만 있다!

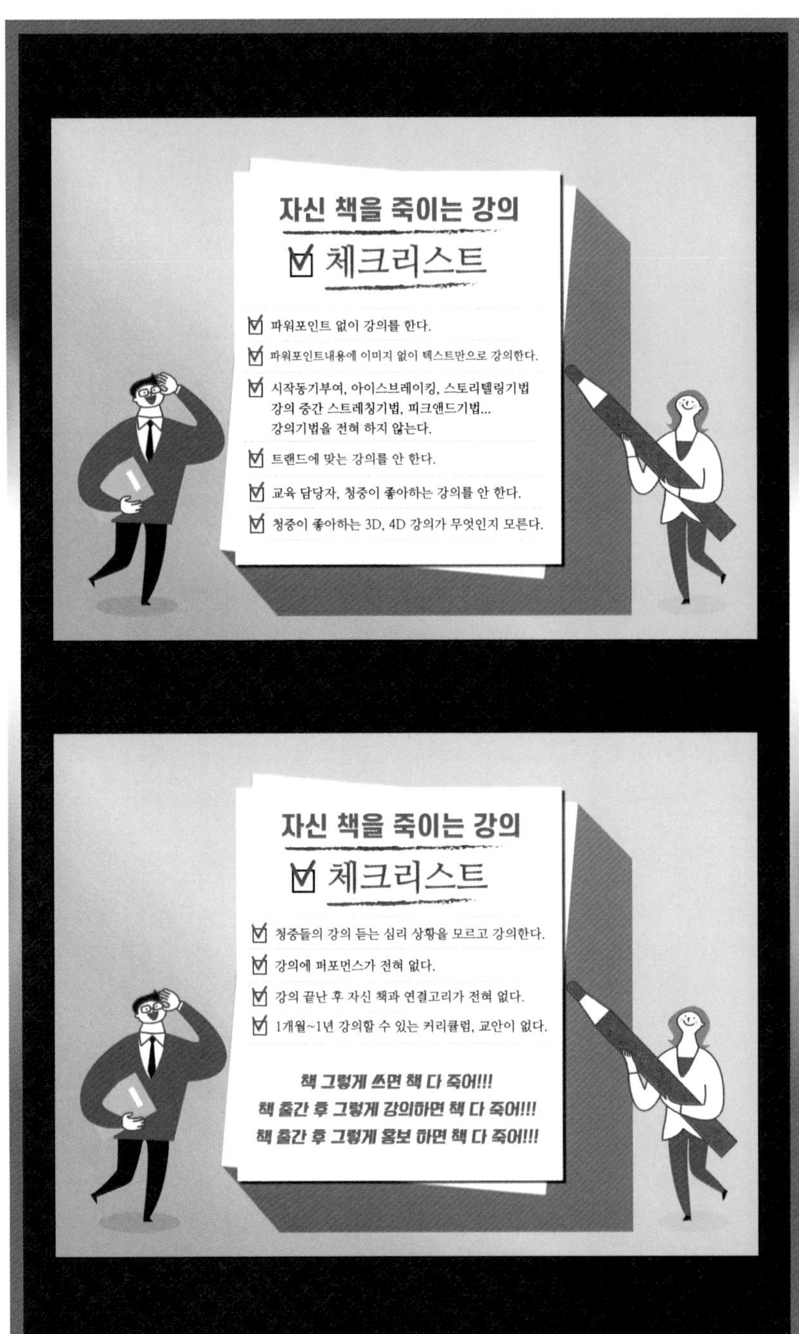

자신 책을 죽이는 강의
체크리스트
파워포인트 없이 강의를 한다.
파워포인트내용에 이미지 없이 텍스트만으로 강의한다.
시작동기부여, 아이스브레이킹, 스토리텔링기법
강의 중간 스트레칭기법, 피크앤드기법...
강의기법을 전혀 하지 않는다.
트랜드에 맞는 강의를 안 한다.
교육 담당자, 청중이 좋아하는 강의를 안 한다.
청중이 좋아하는 3D, 4D 강의가 무엇인지 모른다.
자신 책을 죽이는 강의
체크리스트
청중들의 강의 듣는 심리 상황을 모르고 강의한다.
강의에 퍼포먼스가 전혀 없다.
강의 끝난 후 자신 책과 연결고리가 전혀 없다.
1개월~1년 강의할 수 있는 커리큘럼, 교안이 없다.
책 그렇게 쓰면 책 다 죽어!!!
책 출간 후 그렇게 강의하면 책 다 죽어!!!
책 출간 후 그렇게 홍보 하면 책 다 죽어!!!

3개 이상
해당 되시는
작가, 강사님 들은
자신 책 심폐소생술
해야 할 상태라는
것 명심하세요!
나쁜 직원은 없다! 나쁜 리더만 있다!
나쁜 자녀는 없다! 나쁜 부모만 있다!
나쁜 개는 없다! 나쁜 보호자만 있다!
나쁜 책은 없다!
책을 죽이는 강의를 하는
나쁜 작가, 강사만 있다!
책 심폐소생술!

작가님, 강사님
자신 책 죽이면 되겠습니까?
어떻게 해서 출간 한건데?
세계 최초! 공개합니다!
자신 책을 살리는
강의를 하기 위한
체크리스트
자신 책을 살리는 강의를 하는
체크리스트
시각적인 효과! 파워포인트 원 슬라이드 원 메시지, 원사진 공식을 지킨다!
가성비강의를 한다! (즐거움+메시지+스토리텔링 +감동+실천 동기부여+실천 동기부여 도구)
강의기법 공식으로 강의한다!
인사스팟-마음을 여는 집중기법-시작 동기부여-스팟기법-스트레칭기법-메시지기법-스토리텔링 기법-피크앤드기법
NAVER 방탄자기계발사관학교

자신 책을 살리는 강의를 하는
체크리스트
트랜드에 맞는 강의! 교육 담당자, 청중들이 좋아하는 강의, 강의 듣는 청중들의 심리 상태까지 공부해서 강의를 한다.
강의 끝난 후 간접영업을 할 수 있는 연결고리를 만든다. 유튜브, SNS, 블로그...
책 내용을 전부 강의 교안으로 만들어 1개월 ~ 1년을 할 수 있는 커리큘럼 제안서로 단타 강의가 아닌 장기적인 강의를 할 수 있도록 준비를 해논다.
NAVER 방탄자기계발사관학교
세상에
자신 책 죽이고 싶어하는
사람은 없습니다.
단지 책을 살리는
방법, 강의기법을 모를뿐이다.
NAVER 방탄자기계발사관학교

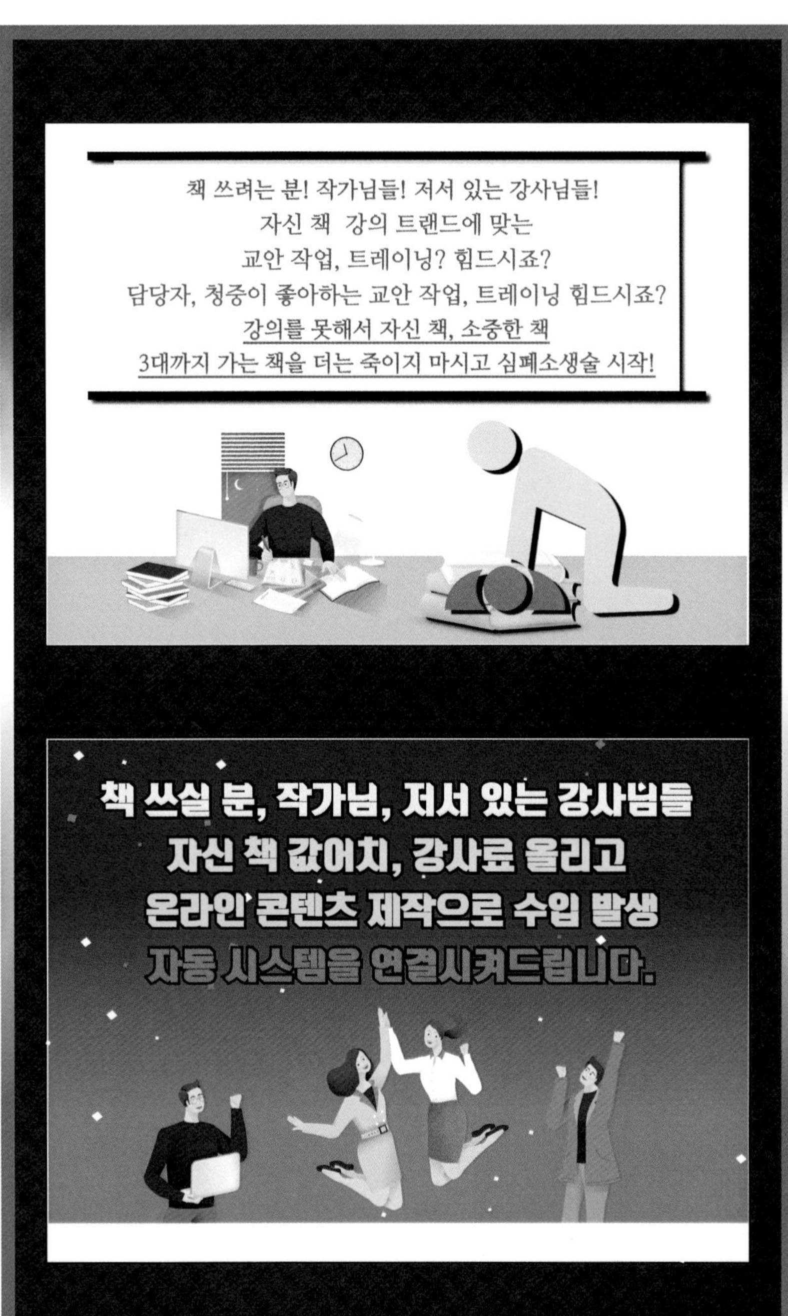
책 쓰려는 분! 작가님들! 저서 있는 강사님들!
자신 책 강의 트랜드에 맞는
교안 작업, 트레이닝? 힘드시죠?
담당자, 청중이 좋아하는 교안 작업, 트레이닝 힘드시죠?
강의를 못해서 자신 책, 소중한 책
3대까지 가는 책을 더는 죽이지 마시고 심폐소생술 시작!
책 쓰실 분, 작가님, 저서 있는 강사님들
자신 책 값어치, 강사료 올리고
온라인 콘텐츠 제작으로 수입 발생
자동 시스템을 연결시켜드립니다.

종이책 만들기 매뉴얼

종이책 1권 출간하는데 90% 사람들이 자비 출판을 한다. 자비 출판 1권 평균 출간 비용 300만 원이 발생한다. 하지만 방탄book기술력을 활용하면 1권 출간하는데 출간 비용이 0원이다.

자신 분야를 종이책으로 출간하는 매뉴얼 천재일우! 집중!
(천재일우: 좀처럼 만나기 어려운 기회. 천년에 한번 만날 수 있는 기회.

20,000명 심리 상담, 코칭으로 알게 된
20,000명이 바라는 책 쓰기, 책 출간 교육, 코칭

10가지

1 한번 출간한 책으로 평생 활용하는 방법을 알려주는 교육, 코칭

2 로또 2등과 같은 기획출판을 하기 위해서 출판기획서 제작 스트레스, 거절 메일을 확인 하는 스트레스, 370가지 스트레스... 등 마음고생 덜 하고 책 출간할 수 있는 책 쓰기 교육, 코칭

3 책 활용 수입 창출 시스템 교육을 검증 된 전문가에게 한 곳에서 시간, 돈 낭비를 줄여주는 책 쓰기 교육, 코칭

4 한번 코칭으로 100년 a/s, 피드백, 관리해주는 책 쓰기 교육, 코칭

5 책 출간 후 자신 분야 삼성(진정성, 전문성, 신뢰성)을 높여 자신 분야 내공, 가치, 몸값까지 올릴 수 있는 책 쓰기 교육, 코칭

6 출간한 책으로 강사가 되어 은퇴 후 제2의 직업을 할 수 있는 책 쓰기 교육, 코칭

7 책 출간 후 자신 분야 코칭 전문가가 되어 은퇴 후 제3의 직업까지도 할 수 있는 책 쓰기 교육, 코칭

8 책 출간 후 온라인 콘텐츠까지 제작을 해서 비수기 없는 책 쓰기 교육, 코칭

9 책 출간 후 디지털 콘텐츠까지 제작을 해서 월세, 연금성 수입까지 발생시킬 수 있는 책 쓰기 교육, 코칭

10 책 한 권 출간하고 끝나는 것이 아니라 100년 동안 책을 무한대로 출간 할 수 있는 책 쓰기, 책 출간 기술력을 교육, 코칭

책 쓰기, 책 출간 교육, 코칭은 누구나 한다.
6가지 수입 창출 책 쓰기, 책 출간 교육, 코칭은 방탄BOOK 창시자 뿐이다.

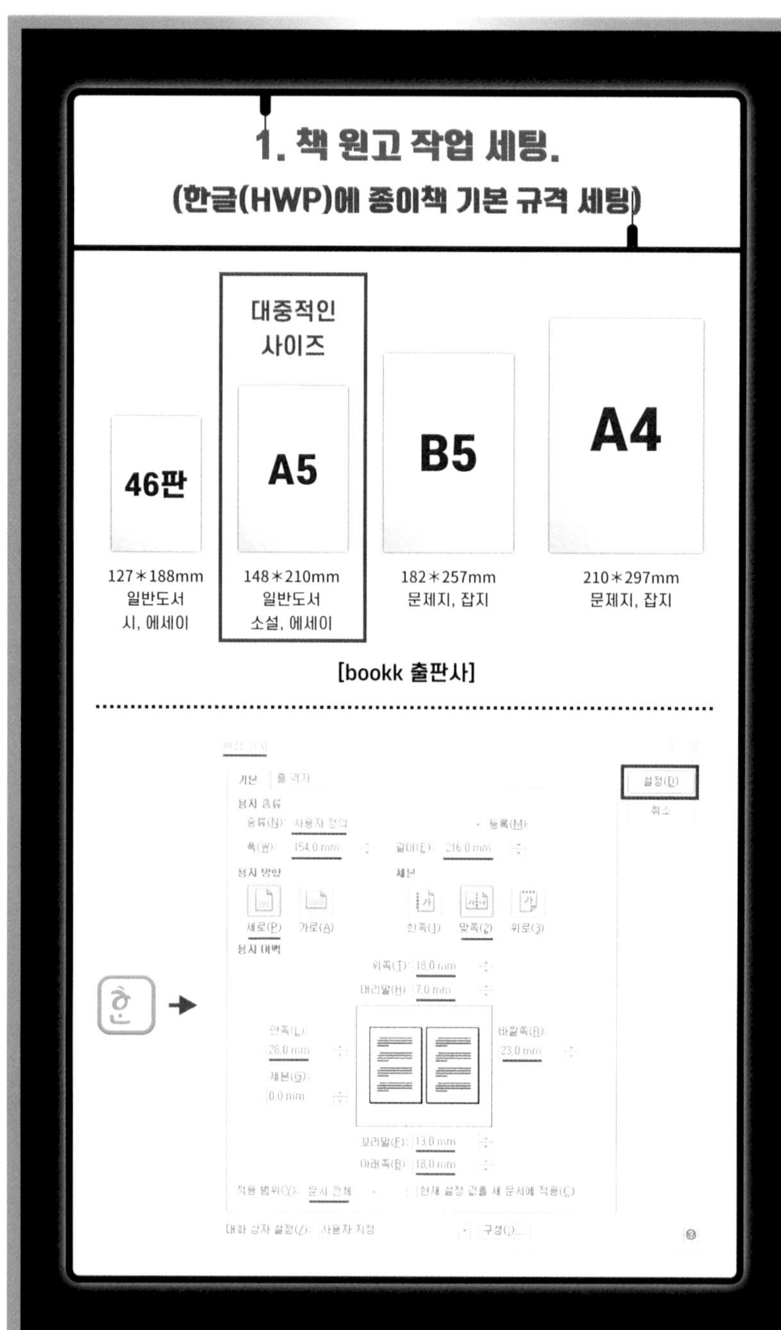
1. 책 원고 작업 세팅.
(한글(HWP)에 종이책 기본 규격 세팅)
대중적인
사이즈
46판
A5
B5
A4
127＊188mm
일반도서
시, 에세이
148＊210mm
일반도서
소설, 에세이
182＊257mm
문제지, 잡지
210＊297mm
문제지, 잡지
[bookk 출판사]

1. 책 원고 작업 세팅. 한글(HWP)에 종이책 기본 규격 세팅.

책 원고 작업을 여러 가지 프로그램에서 가능하지만 평규적으로 책 원고 작업을 한글(HWP)에서 한다. 그래서 출판사의 종이책 원고 규격에 맞는 한글(HWP)에 기본 규격 세팅을 해야 한다.

▶ 원고 작업을 위한 한글(HWP) 기본 규격 세팅 순서.
한글 → 편집 → 쪽 여백 → 쪽 여백 설정 → 종류(사용자 정의) → 폭(154) → 길이(216) #. A5 대중적인 사이즈 148*210인데 상하좌우 3mm는 실제 제작 할 때 재단되어 반영되지 않기에 148+6*216+6= 폭(154)*길이(216)가 되는 것이기에 참고하자.
→ 용지 방향(세로) → 제본(맞쪽) → 용지 여백 → 위쪽 18.0 → 머리말 7.0 → 꼬리말 13.0 → 아래쪽 18.0 → 안쪽 28.0 → 바깥쪽 23.0 → 문서 전체 → 설정

한 번만 세팅해 놓으면 복사해서 계속 쓸 수 있다.

1. 책 원고 작업 세팅.

(한글(HWP)에 종이책 기본 규격 세팅)

▶ 글꼴: 바탕 ~

▶ 글자 크기: 10 ~

▶ 글정렬: 양쪽 정렬

▶ 줄 간격: 160% ~

※ 글꼴, 글자 크기, 줄 간격 출판사 마다 다르다. bookk 출판사에서 평균적으로 사용하는 규격이니 참고하길 바란다.

※ 글꼴, 글자 크기, 줄 간격 출판사마다 다르다.
bookk 출판사에서 평균적으로 사용하는 규격이니 참고하길 바란다.

▶ 한글 → 글꼴(바탕) → 글자 크기(10) → 양쪽 정렬 → 줄 간격 160%

필자는 글자 크기를 12, 줄 간격은 180%로 하고 있다. 출판사가 정해 놓은 규격에서 조금 플러스가 될 수는 있지만 마이너스가 되면 안 된다. (책 출간이 안 되는 예시: 글자 크기 9, 줄 간격 150%)

한번만 세팅해 놓으면 복사해서 계속 쓸 수 있다.

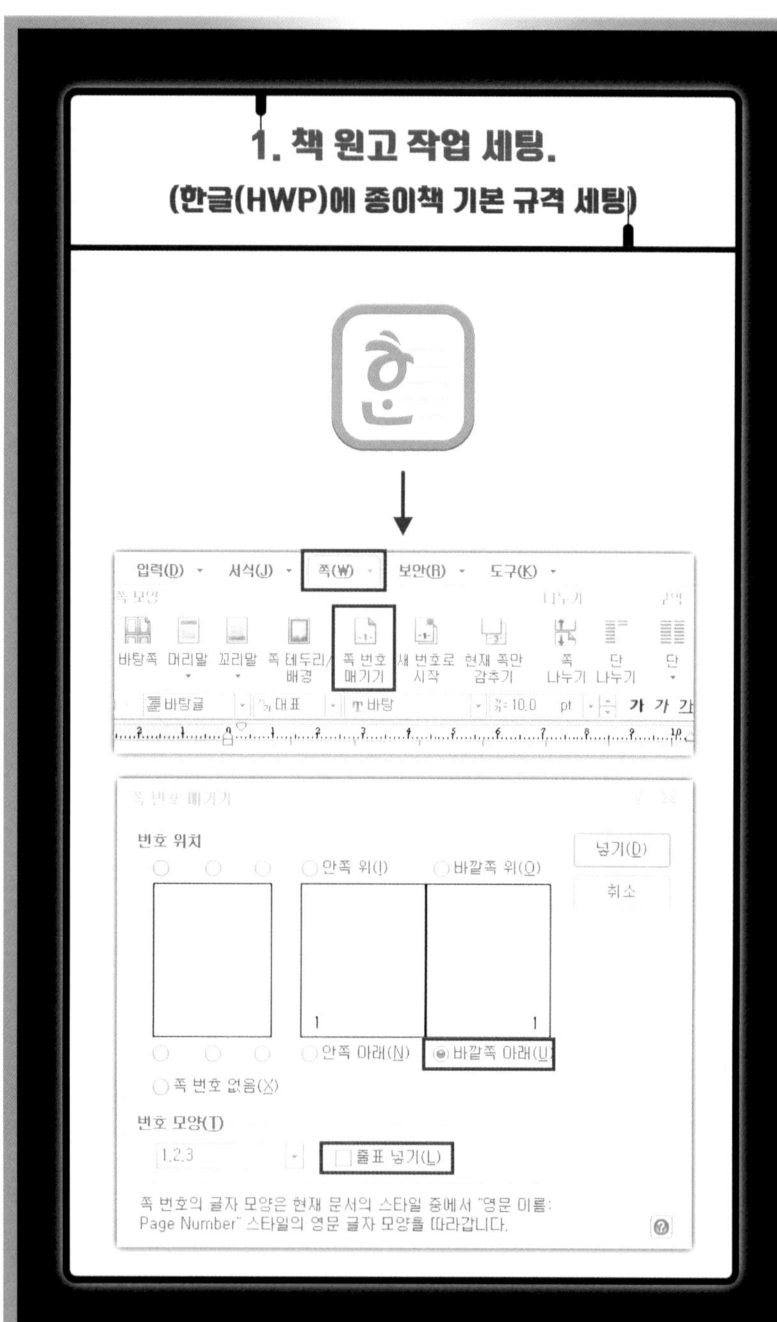
1. 책 원고 작업 세팅.
(한글(HWP)에 종이책 기본 규격 세팅)
입력(D)
서식(J)
쪽(W)
보안(R)
도구(K)
바탕쪽
머리말
꼬리말
쪽 테두리/배경
쪽 번호 매기기
새 번호로 시작
현재 쪽만 감추기
쪽 나누기
단 나누기
단
바탕글
대표
바탕
10.0
pt
번호 위치
안쪽 위(I)
바깥쪽 위(O)
넣기(D)
취소
안쪽 아래(N)
바깥쪽 아래(U)
쪽 번호 없음(X)
번호 모양(T)
1,2,3
줄표 넣기(L)
쪽 번호의 글자 모양은 현재 문서의 스타일 중에서 "영문 이름:
Page Number" 스타일의 영문 글자 모양을 따라갑니다.

페이지 번호를 미리 세팅해 놓으면 원고 작업할 때 편하다. 지금 몇 페이지를 쓰고 있는지 몇 페이지가 남았는지 체크를 할 수가 있어서 원고 작업이 수월해진다. 쪽 번호 매기기는 원고를 다 쓴 다음에 할 수도 있다.

▶ 한글 → 쪽 → 쪽 번호 매기기 → 바깥쪽 아래 → → 줄표 넣기(자신 스타일에 맞게) → 넣기

한 번만 세팅해 놓으면 복사해서 계속 쓸 수 있다.

책 출간의 뼈대인 초고 매뉴얼

세상에서 가장 쉽게 초고(책 쓰기)를 쉽게 잘 쓰는 방법은 자신 스토리, 자신 분야를 쓰는 것이다. 초고 쓰는 방법만 알면 1가지 수입만 창출되지만 초고 기술력을 알면 6가지 수입 창출을 할 수 있다. 어떤 책에서도 볼 수 없는 초고 기술력! 어떤 사람도 말하지 못한 초고 기술력! 어떤 전문가도 알려주지 않는 초고 기술력! 방탄book기술력 창시자가 세계 최초 공개한다!

2. 책 출간의 뼈대인 초고 매뉴얼

- 책 분야 선택 (인기 있는 분야? 자신 분야?)

대학교로 비유를 하면 여러 가지 과로 나누어져 있듯이 책 분야도 여러 분야로 나누어져 있다. 대학교도 인기 있는 과가 있고 인기 없는 과가 있듯이 책 분야도 인기 있는 분야가 있고 인기 없는 분야가 있다. 한마디로 책을 보는 사람들이 좋아하는 분야가 있다는 것이다.

다음은 책 분야를 정리한 것이니 참고해서 책 분야 전체적인 흐름을 파악하길 바란다.

소설, 시/에세이, 인문, 가정/육아, 요리, 건강, 취미/실용/스포츠, 경제/경영, 자기계발, 정치/사회, 역사/문화, 종교, 예술/대중문화, 중/고등참고서, 기술/공학, 외국어, 과학, 취업/수험서, 여행, 컴퓨터/IT, 잡지, 청소년, 초등참고서, 유아(0~7세), 어린이(초등), 만화, 대학교재

<교보문고>

마음 같아서는 인기 있는 분야를 쓰고 싶을 것이다. 하지만 처음 글을 쓰는 사람들, 글 내공이 없는 사람들, 자신 분야 책을 3권 이상 쓰지 않은 사람들은 인기 있는 분야가 아닌 자신이 자신 있게 쓸 수 있는 분야를 선택해야 한다.

운전으로 예시를 들겠다. 운전면허증을 오늘 취득한 초보가 인기 있는 차종, 사람들이 좋다고 하는 차종, 고가의 차종을 운전한다면 부담이 되어서 나다운 운전 스타일이 나오지 않는다.

당연히 돈이 많아서 운전이 서툴러도 부담 없이 운전하는 사람도 있을 수 있지만 나다운 운전 스타일이 자리 잡을 때까지는 부담이 없는 소형차부터 시작을 하듯이 책 쓰기도 인기 있는 분야를 처음부터 시도해도 되지만 자신이 가장 잘 쓸 수 있는 자신 스토리, 자신 전문 분야로 책을 쓰면 글을 잘 쓸 수 있다.

자신에게 맞는 책 분야 선택을 잘 하려면 시중에 있는 자신 분야와 연관 있는 책들 10권 이상 보길 바란다. 10권 이상 보면 어느 정도 감이 올 것이다. 세상에서 가장 좋은 방법은 벤치마킹하는 것이다.

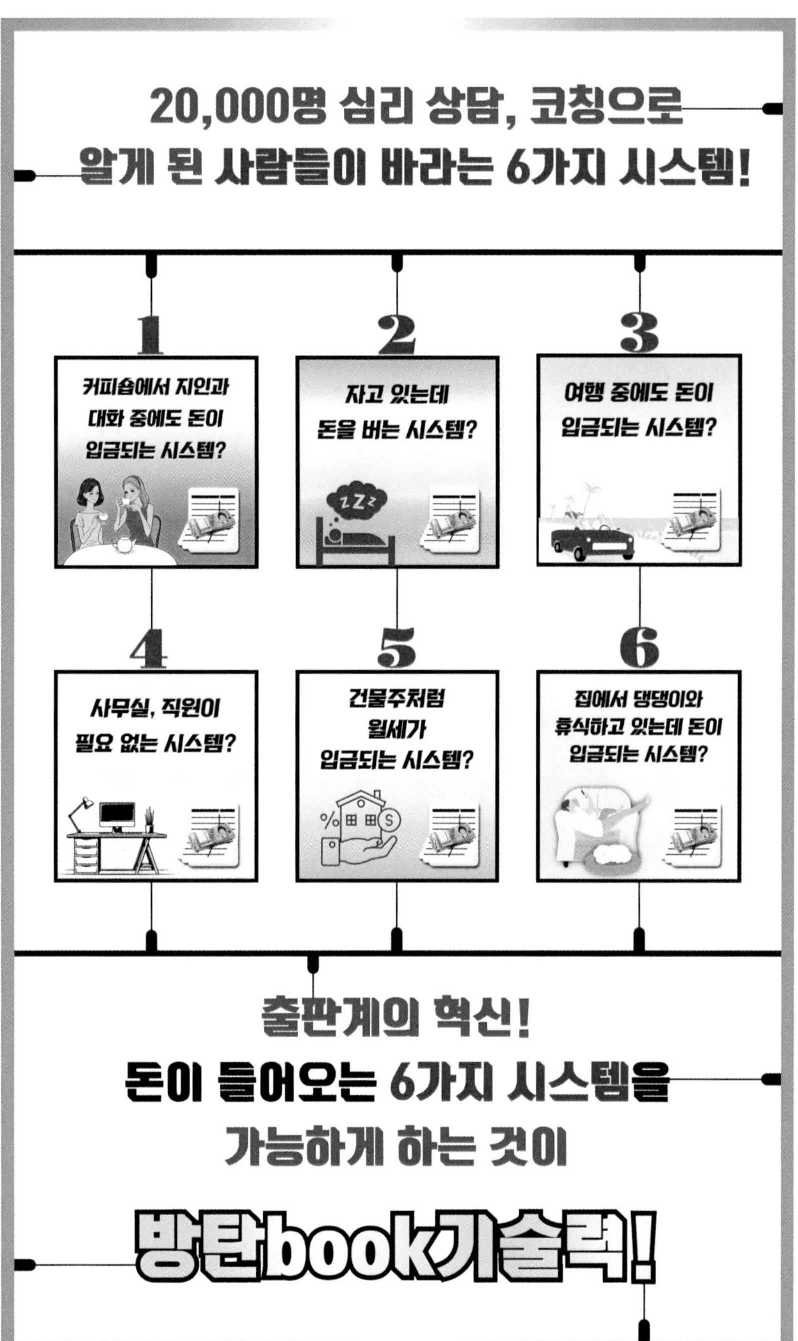
20,000명 심리 상담, 코칭으로
알게 된 사람들이 바라는 6가지 시스템!
1
커피숍에서 지인과
대화 중에도 돈이
입금되는 시스템?
2
자고 있는데
돈을 버는 시스템?
3
여행 중에도 돈이
입금되는 시스템?
4
사무실, 직원이
필요 없는 시스템?
5
건물주처럼
월세가
입금되는 시스템?
6
집에서 댕댕이와
휴식하고 있는데 돈이
입금되는 시스템?
출판계의 혁신!
돈이 들어오는 6가지 시스템을
가능하게 하는 것이
방탄book기술력!

- 책 제목 만들기 (책 제목 먼저? 책 내용 먼저?)

첫 번째, 책 제목을 만들고 책 내용을 쓰는 게 먼저일까? 두 번째, 책 내용을 쓴 다음 책 제목을 만드는 게 먼저일까?

정답은 없지만 20,000명 심리 상담, 코칭, 종이책 150권, 전자책 250권 총 400권 출간 경력으로 알게 된 것은 책 내용을 쓰기 전에 책 제목을 간단하게 만들어야 한다는 것이다. 책 내용을 쓰면서 책 제목이 바뀔 수 있고 좀 더 좋은 아이디어가 나온다는 것이다.

"초고는 쓰레기다."라는 말이 있다. 처음 생각하고 만든 것은 어설프고 미흡하며 보완할 것이 많다는 의미다. 자신이 추구하는 책 분야, 책 가치, 책 신념, 책 의미, 책 목표, 책 방향이 정확하게 있다면 제목을 신중하게 만들 수 있지만 그렇지 않다면 간단하게 제목을 만들어도 된다.

필자에 첫 번째 책은 《나다운 강사 1》,《나다운 강사 2》다. 필자 본업이 강사이다. 5년 전 강사 직업과 강사 양성코칭을 10년 하면서 쌓인 노하우들을 책으로 출간을 했다. 《나다운 강사 1》책 제목을 '책을 써야겠다.'라는 마음먹은 순간부터 6개월 초고 작업과 탈고까지 하면서 제목을 한 번도 수정한 적이 없다. 책 분야, 책 가치, 책 신념, 책 의미, 책 목표, 책 방향이 정확하게 있었기 때문이다.

20,000명 심리 상담, 코칭, 종이책 150권, 전자책 250권 총 400권 출간하면서 알게 된 것은 처음 만들었던 책 제목은 초고를 쓰는 동안 여러 번 수정을 한다는 것이다. 처음 만들었던 책 제목을 책 출간까지 유지 되는 경우보다 수정하는 경우가 더 많았고 9(수정):1(유지)정도 되었다.

책 제목에 처음부터 힘쓰지 말고 가볍게 만들고 책 내용을 쓰면서 다듬어 가면 되는 것이다. 책 제목 가칭을 정하고 초고를 쓰면서 자신 분야와 비슷한 책들의 제목을 참고하며 지금 사람들 좋아하는 트렌드에 맞는 제목을 만들면 된다.

필자의 멘탈분야에 베스트셀러인《나다운 방탄멘탈》책으로 이해를 시켜주겠다.
《나다운 방탄멘탈》책 처음 제목이 <나다운 멘탈>이었다. 나다운 멘탈 주제로 7단계 큰 목차로 구분을 해서 초고를 만들었다.

1단계 나다운 순두부멘탈
2단계 나다운 실버멘탈
3단계 나다운 골드멘탈
4단계 나다운 에메랄드멘탈
5단계 나다운 다이아몬드멘탈
6단계 나다운 블루다이아몬드 멘탈
7단계 나다운 방탄멘탈

퇴고(원고를 고쳐 쓰는 단계)를 하고 탈고(원고를 마무리하는 단계)를 하는 중 한창 BTS(방탄소년단)그룹이 전 세계적으로 이슈가 되고 있었다. 어느 날 멘탈에 대해서 아내와 소통을 하는 중 우주에서 가장 사랑스러운 아내가 이런 말을 했다. "나다운 멘탈이 추구하는 본질이 자신 멘탈을 외부로부터 보호를 먼저 해야만 멘탈 높이는 방법들이 효과가 있다면 지금 방탄소년단이 트렌드이니까 방탄을 제목에 넣어서 나다운 방탄멘탈로 하면 어때?"라는 말에 피카츄 300만 볼트 전기 충격을 받았다.

장기, 바둑도 훈수 두는 사람이 더 잘 보이듯이 필자가 보지 못한 것을 우주에서 가장 존경하는 아내가 본 것이다. 그래서 《나다운 방탄멘탈》 책이 출간과 동시에 멘탈 분야 베스트셀러가 될 수 있었다.

간단히 정리를 하면 첫 번째는 책 제목 가칭을 가볍게 만들기. 두 번째는 초고를 쓰면서 시중에 있는 자신 분야 책들을 참고. 세 번째는 지금 사람들에게 이슈 되는 트랜드 읽기. 네 번째는 퇴고, 탈고하면서 책 제목 최종적으로 다듬기.

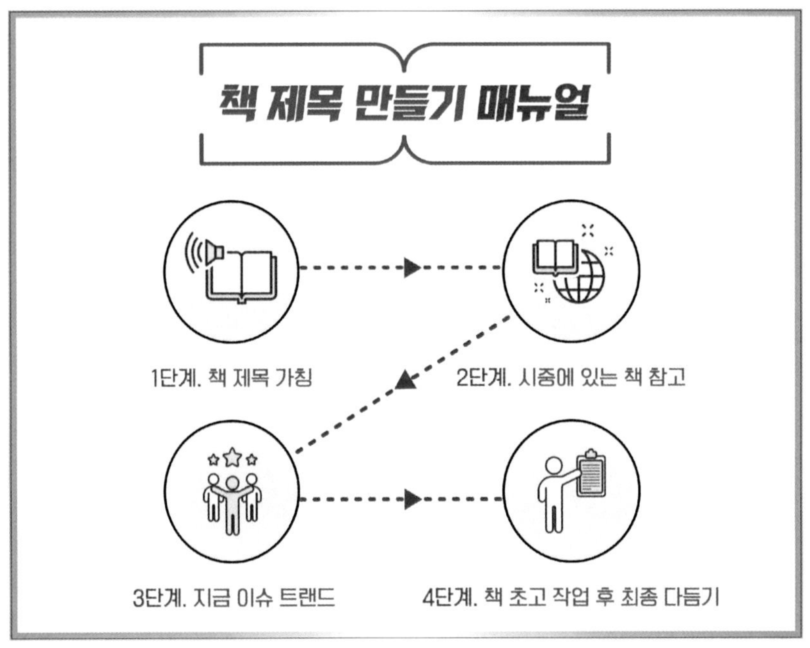

- 책 콘셉트, 사람들이 선호하는 책 콘셉트
(글만 있는 콘셉트? 글+ 스토리텔링? 글+ 스토리텔링+ 이미지?)

20,000명 심리 상담, 코칭, 종이책 150권, 전자책 250권 총 400권 책을 출간하면서 알게 된 것은 시대 흐름에 맞게 독자들이 선호하는 책 콘셉트가 있었다. 책 콘셉트는 스마트폰 시대 전과후로 나누어진다.

스마트폰이 없던 시대에는 책 콘셉트가 책 내용에 글만 있어도 괜찮았다. 그 이유는 글만 있는 책들이 대부분이고 생활 속에서 화려한 이미지, 영상에 노출되는 것이 한정되어 있었다.
하지만 지금은 어떤가? 스마트폰 시대에 하루 만에도 유튜브, 인스타그램, SNS 등으로 인해 수 백 개, 수 천 개의 화려한 이미지, 영상으로 눈이 아플 정도로 노출이 되고 있다. 이런 환경 속에서 책 콘셉트가 이미지는 하나도 없고 글만 있다면 책을 안 보는 사람들이 더 많아지고 책을 더 멀리하게 된다.

책을 좋아하는 사람들은 이미지가 있건 없건 책을 본다. 하지만 책을 좋아하지 않는 사람들은 이미지가 있어야 책을 보는데 좀 더 수월하다는 것이다. 책을 출간하려는 사람들은 책의 기본 사명감이 있어야 한다.

출간한 책으로 돈을 버는 것도 좋지만 자신 책으로 인해서 많은 사람들에게 도움, 영감, 삶의 지혜를 주어 지금 보다 나은 삶을 살아가기 위한 내비게이션 역할을 해줄 수 있는 책 출간을 해야 한다.

책을 보는 사람들을 타깃층 대상으로 책 내용을 쓰는 건 기본이지만 좀 더 나아가 책을 보지 않는 사람들, 책을 싫어하는 사람들이 우연히 자신 책을 봤을 때 "어라! 책 한 페이지만 봐도 졸음이 쏟아지는 사람이었는데 나에게는 책이 수면제였는데 이 책은 이미지, 스토리텔링도 많아서 끝까지 보게 됐다. 태어나서 처음으로 끝까지 읽은 책이다. 독서에 눈을 뜨게 한 책이다. 이 작가에게 너무 고맙다."라는 말을 들을 수 있는 책을 출간하기 위한 책 콘셉트를 잘 잡아야 한다.

앞에서 필자의 책을 보고 "태어나서 처음으로 끝까지 읽은 책이다. 독서에 눈을 뜨게 한 책이다."라고 말했던 사람들에 말이 책이 많이 팔리는 기쁨 보다 1,000배는 더 기쁘고 행복했고 내가 살아가는 이유, 내가 존재하는 이유를 느끼게 해주었다. "나의 1%가 누군가에게는 살아가는 이유 100%가 될 수 있다."라는 말을 실제 경험했던 상황이었다.

솔직히 책을 좋아하는 1%들은 글만 있는 것을 더 선호한다. 하지만 대부분 사람들은 글만 있는 것을 싫어한다. 스마트폰으로 인해서 이미지, 영상, 화려함에 중독이 되어 있기 때문이다. 이런 환경 속에서 한 명이라도 자신 책을 읽게 만들기 위한 책 콘셉트가 중요하다고 강조하는 것이다.

그런데 안타깝게도 세계 어느 나라건 출판계 현실이 몇 천 년이 지나도 책 콘셉트가 변하지 않고 있다. 지금 4차 산업 시대, AI 시대, 챗 GPT 시대 등 빠르게 변하고 있는 상황 속에서 몇 천 년 전 책 콘셉트와 지금과 별 차이가 없고 극단적인 표현을 하면 똑같다는 것이다.

이미지를 보듯이 BC 2700년경 인류 최초의 '점토판' 책과 2024년 지금 책 콘셉트를 보면 비슷하다 못해 똑같다는 것이다. 책 재질인 흙, 종이, 잉크 차이 빼고는 똑같다는 것이다. 어떤 생각이 드는가? 고정형 마인드와 성장형 마인드를 가진 사람 차이를 알려 주겠다.

고정형 마인드를 가진 사람들은 "몇 천 년이 지나도 책 콘셉트는 변하지 않는다. 아무리 스마트폰으로 인해서 이미지, 영상, 화려함에 중독이 되어 있어도 책은 좋아하는 사람만 보기에 앞으로 책 콘셉트는 글만 쓰면 되겠다."

성장형 마인드를 가진 사람들은 "몇 천 년이 지나도 책 콘셉트가 변하지 않았다. 스마트폰으로 인해서 이미지, 영상, 화려함에 중독이 되어있는 환경에서 앞으로 화려함에 중독되어 가는 것이 더 심하면 심했지 덜하지는 않을 것이다. 지금 환경, 사람들 심리에 맞춰 책 콘셉트를 글과 이미지를 잘 조합해야겠다. 그래야만 다른 책과 경쟁에서 살아남을 수 있다."

자신은 고정형 마인드를 가진 사람인가? 성장형 마인드를 가진 사람인가? 가슴에 찔림이 있다면 변화할 기회가 온 것이고 가슴이 두근두근 거린다면 행동할 기회가 온 것이다.

가슴이 벅차 오는 다변 방탄book기술력(6가지 수입 창출 시스템 교육) 코칭 받을 기회가 온 것이다. 지금 당장 상담받길 바란다!

♥ 최보규 방탄book기술력 창시자 010-6578-8295 ♥

#. 세계 3대 혁신이 있다.

- 첫 번째, 스마트폰 혁신

· 1876년 미국의 알렉산더 벨(Alexander G. Bell)

· 2007년 스티브 잡스 아이폰 (아이팟 + 인터넷 + 폰)

- 두 번째, 자동차 혁신

· 1886년 세계 최초 가솔린 자동차 / 칼 벤츠가 발명한 '페이턴트 모터바겐'

· 2024년 벤츠 전기차

- 세 번째, 출판계 혁신

· 인류 최초의 책 '점토판' BC 2700년경

· 방탄book기술력(수입 창출 6가지 방법)

지금 당신이 보고 있는 이 책이 세계 최초로 출판계의 혁신인 방탄book기술력이다. 지금 당신에게 천재일우(천 년에 한 번 만난다는 뜻으로 좀처럼 만나기 어려운 기회) 온 것이니 조상님에서 감사하고 "내가 인생을 지금까지 잘 살아서 이런 기회가 오는구나."라는 마음으로 제대로 배워서 자신을 알고 있는 사람들에게 필요한 사람이 되길 바란다.

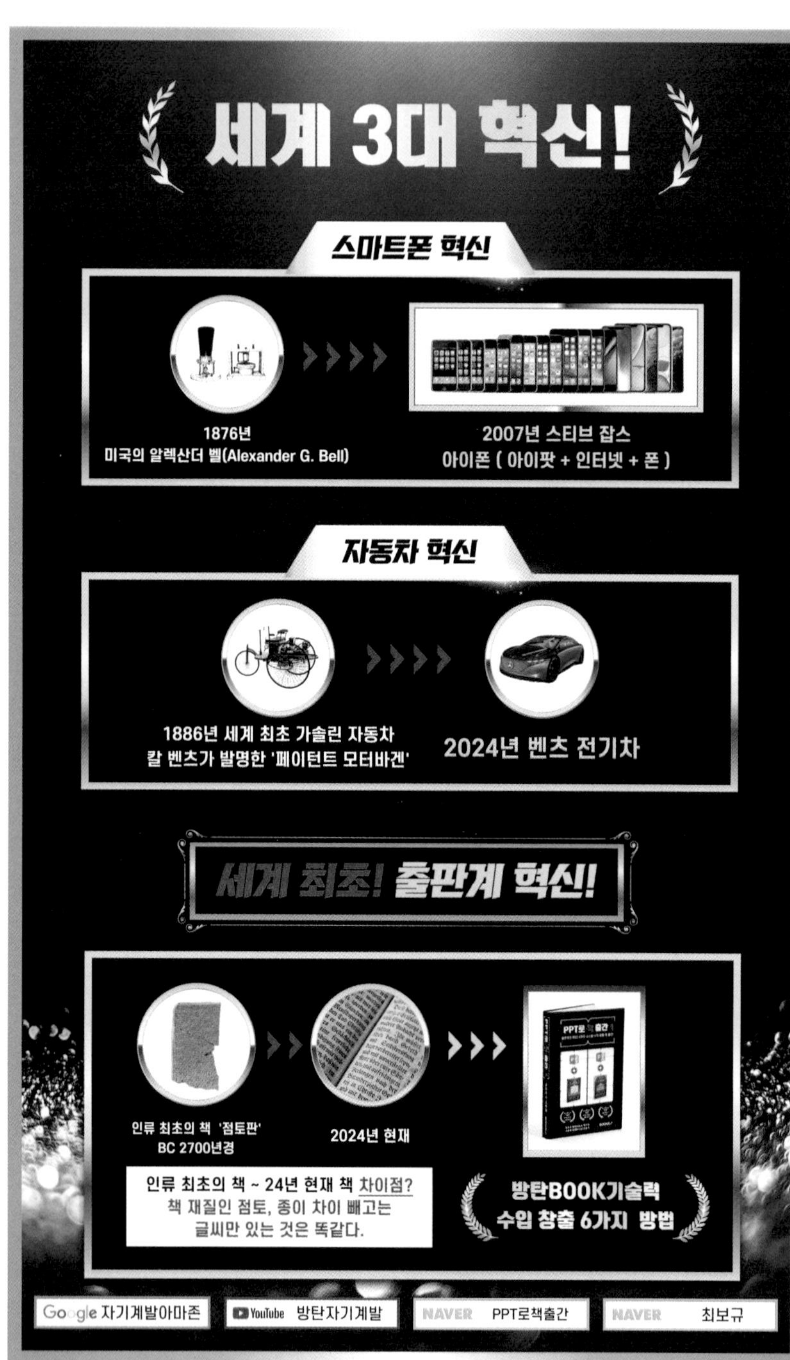
세계 3대 혁신!
스마트폰 혁신
1876년
미국의 알렉산더 벨(Alexander G. Bell)
2007년 스티브 잡스
아이폰 (아이팟 + 인터넷 + 폰)
자동차 혁신
1886년 세계 최초 가솔린 자동차
칼 벤츠가 발명한 '페이턴트 모터바겐'
2024년 벤츠 전기차
세계 최초! 출판계 혁신!
인류 최초의 책 '점토판'
BC 2700년경
2024년 현재
인류 최초의 책 ~ 24년 현재 책 차이점?
책 재질인 점토, 종이 차이 빼고는
글씨만 있는 것은 똑같다.
방탄BOOK기술력
수입 창출 6가지 방법
Google 자기계발아마존
YouTube 방탄자기계발
NAVER PPT로책출간
NAVER 최보규

세계 최초! 출판계 혁신!
PPT로 책 출간 1
출판계의 혁신! 6가지 시스템 수익 창출 책 출간!
BOOKK
책만 출간하고 끝나는 것이 아닌 자신 분야와
출간 한 책을 연결하여 6가지 수입 창출을 연결
할 수 있는 방법이 아닌 기술력을 마스터 한다.
우리는 이것을
방탄book기술력이라 부른다.

20,000명 심리 상담, 코칭, 종이책 150권, 전자책 250권 총 400권 책을 출간하면서 알게 된 사람들이 선호하는 책 콘셉트를 설명하겠다.

첫 번째, 글만 있는 책 콘셉트.

시중에 있는 책 90%가 글만 있는 책 콘셉트이다. 오해하지 말고 들었으면 한다. 글만 있는 책이 나쁘다고 말하는 것이 아니다. 앞에서 언급했듯이 몇 천 년이 지나도 책 콘셉트가 변하지 않고 있다는 것을 말하고 싶은 것이다. 글만 있는 콘셉트는 책을 좋아하는 사람들에게는 상관이 없다. 글만 있는 콘셉트가 익숙하기 때문이다. 하지만 책을 좋아하지 않는 사람들에게는 글만 있는 책 콘셉트는 독서에 중요성만 알고 있는 사람들에게는 늘 좌절하게 만든다. 시도는 늘 한다. 글만 있는 책 콘셉트는 늘 좌절하게 만들어 독포자(독서 포기자)가 되어가는 안타까운 상황이 벌어진다.

두 번째, 글과 글을 뒷받침해 주는 스토리텔링.

글 빨, 글 내공이 있는 작가라면 충분히 자신의 스토리만으로도 책 내용 전달이 되어 책을 이해하는데 문제가 없다. 하지만 글 빨, 글 내공이 없는 작가들이 90%이다. 작가의 스토리로는 독자들에게 책 내용 전달이 쉽지 않고 이해력도 떨어진다. 그래서 글 빨, 글 내공이 없고 책을 많이 써보지 않은 사람이라면 독서, 영상, SNS 등에서 나오는 스토리텔링을 자신 글과 접목을 하면 된다. 자신 글에 날개를 달아주는 것이 기존에 있는 스토리텔링을 융합하는 것이다. 그러기 위해서는 평상시 스마트폰을 최대한 활용해야 한다. 하루 만에도 수 백 개, 수천 개의 영상, 이미지, 좋은 글, 좋은 메시지 등을 본다. 캡처하거나 글을 복사해서 메모장에 저장해 두었다가 책 쓸 때만 활용(저작권 위반 사항 주의) 하는 것이 아니라 힘들고 지칠 때 한번 씩 보면 도움이 되고 지인들과 대화하다가 도움이 되는 메모가 생각이 나면 보내줄 수도 있다. 필자의 7,000개 메모가 종이책 150권, 전자책 250권 총 400권을 출간하는데 기초가 되었다.

2,000권의 독서 습관과
7,000개의 메모 습관으로
400권의 책을 출간할 수 있었다.
최보규님의 서재
책장 (전체 2032)
NAVER 메모
새 메모 쓰기
나다운 방탄습관블록
15년 2,032권 읽음
15년 7,626개 메모
종이책 150권, 전자책 200권
총 400권 출간
45년 방탄 습관 381가지

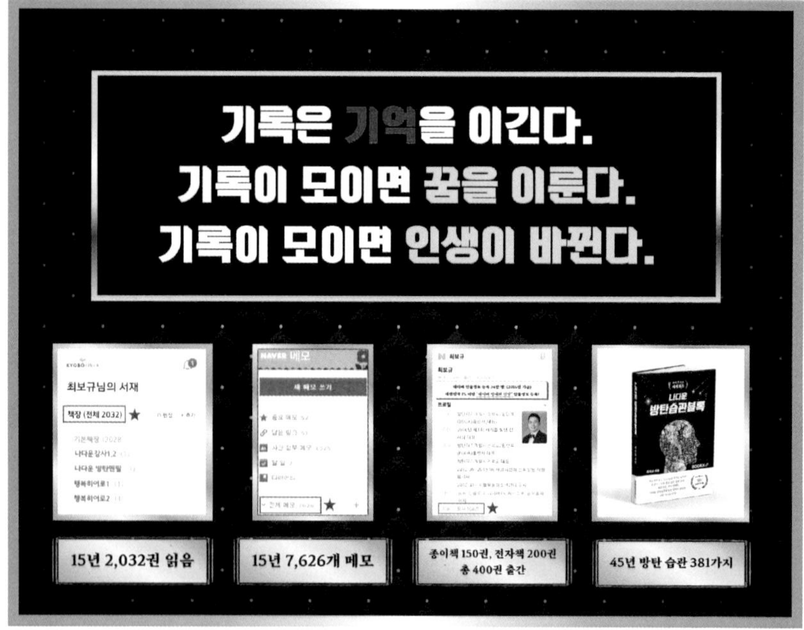
기록은 기억을 이긴다.
기록이 모이면 꿈을 이룬다.
기록이 모이면 인생이 바뀐다.
최보규님의 서재
책장 (전체 2032)
NAVER 메모
새 메모 쓰기
나다운 방탄습관블록
15년 2,032권 읽음
15년 7,626개 메모
종이책 150권, 전자책 200권
총 400권 출간
45년 방탄 습관 381가지

세 번째, 글과 글을 뒷받침해 주는 스토리텔링이 99℃ 물이라면 1℃를 올려 끓게 만드는 건 이미지 디자인.

사람은 시각적인 동물이다. 시각적인 효과가 95%를 차지한다. 지금 시대는 숏폼으로 인해서 집중도가 더 낮아지고 있다. 이런 현실 속에서 책을 쓰는 사람이라면 독자들에 집중력까지 감안해서 집중력을 끌어올릴 수 있는 책 콘셉트를 잘 정해야 한다.

지금 어떤 시대에 살고 있는가? 스마트폰으로 인해서 하루만 해도 영상, 이미지, 글… 눈이 아플 정도로 화려한 것을 수 만개는 본다. 한마디로 지금 시대 사람들의 평균 시각적인 수준이 높다는 것이다. 이런 상황에서 글만 있는 책이라면 집중도가 떨어진다. 호기심을 유발, 궁금증 유발 "이런 디자인은 처음 보는데 너무 신선하다. 럭셔리하다."라는 마음이 들어서 보고 싶도록 이미지도 있어야 집중도가 올라간다. 다음은 지금 현실 속 사람들의 집중력에 대한 내용이다.

겨우 8초, 금붕어보다 못한 인간의 집중력

소위 'MZ'라고 불리는 요즘 젊은 세대는 어렸을 때부터 늘 새로운 자극으로 가득한 디지털 환경에 노출된 채 자랐다. 그래서인지 한 가지 주제에 오랫동안 집중하기 상당히 어려운 뇌 구조를 지녔다고 한다. 뭔가에 집중할 수 있는 시간(Attention Span)에 관한 연구를 살펴보자. 아동이 주의해서 집중할 수 있는 시간은 얼마나 될까? '자신의 나이×1분' 정도라고 한다. 6세 어린이는 약 6분 정도 집중할 수 있다는 뜻이다. 이 시간은 개인에 따라 차이가 있고, 몰입하면 10~15분까지는 늘어날 수 있다. 너무 지루하지도 않고 그렇다고 아주 재미있지도 않은 평범한 수업을 하고 있다고 하자. 십 대 학생들은 보통 수업을 듣기 시작하면 약 10분 후부터 집중력이 떨어진다. 일반적으로 이들이 뭔가에 주의해서 집중할 수 있는 시간은 20분을 넘기기 어렵다. 따라서 수업 시작 후 10~20분이 지나면 신경전달물질이 고갈된 학생들은 이내 집중에 어려움을 느끼고 주의가 산만해진다. 그래서 유튜브 영상의 평균 길이는 15~20분이고, 테드(TED) 강연 길이는 18분이다. 집중력을 감안해 메시지를 확실히 전달하기 위한 시간이다. 드롭박스의 마케팅 신화를 쓴 실리콘밸리 최고의 마케터 션 앨리스(Sean Ellis)가 한 말을 약간 각색하여 들어보자.

"고객의 주의집중을 원하신다고요? 사업 규모의 확장을 위해서는 시장이 원하는 언어를 사용해야 합니다. 언어의 시장 적합성이 무엇보다 중요하죠. 잠재 고객의 마음을 움직일 수 있는 말을 상상해 보세요. 당신이 만든 제품을 고객이 마주할 때 어떻게 해야 가장 효율적으로 전달할 수 있을지 생각해 보셨나요? 고객이 좋아하지 않는 언어로 구애한다면 실패입니다. 제품 가치를 알아줄 상대방이 없는 곳에서 헛스윙을 하는 거라고 생각하면 됩니다." 여기서 왜 고객의 마음을 끌어당길 언어에 몰두해야 하는지 그 이유가 나온다. 스마트폰이 생기기 전 고객이 광고에 집중할 수 있는 시간은 12초였다. 이제는 8초로 뚝 떨어졌다. 9초인 금붕어보다 못하다.

주의집중 시간의 변화
12초 - 2000년 인간의 평균 주의집중 시간
8초 - 2015년 인간의 평균 주의집중 시간
9초 금붕어의 주의집중 시간

인간의 평균 주의집중 시간 인간의 평균 주의집중 시간 금붕어의 주의집중 시간 왜 이런 일이 발생했을까? 주변의 수많은 자극에 적응하다 보니 주의력이 줄어들었다는 것이 통설이다. 생각해 보라. 우리는 매일매일 넘치는 정보의 홍수 속에서 살아가고 있다. 수시로 오는 문자와 카카오톡 메시지, 귀찮아 들여다보지도 않는 이메일처럼 하루하루 우리의 신경을 산만하게 하는 요소가 차고 넘친다. 그 결과 집중해서 주의를 지속하는 시간이 줄어드는 것은 당연한 결과다. 게다가 여러 일을 한꺼번에 하는 멀티태스킹형 업무 방식에 길들여진 젊은 세 대에게 이런 현상은 더욱 심각하게 다가올 수밖에 없다.

뇌 신경세포를 뜻하는 뉴런과 마케팅의 합성어인 뉴로마케팅(Neuro Marketing)의 연구 결과를 보자. 브랜드의 색상이 소비자로 하여금 다양한 감정을 불러일으킨다고 한다. 소비자들이 상품을 구매하는 데 있어 시각적 효과가 약 95%를 차지한다고 하니, 디자인과 색감이 큐레이터에게는 아주 중요하다.

색은 브랜드를 인식하는 강력한 수단으로, 그리고 소비자의 신뢰를 확보하는 무기로 작용한다. 빨간색 코카콜라와 초록색 스타벅스 로고가 소비자의 지갑을 열게 하는 강력한 마케팅 도구로 활용되고 있다는 것은 마케팅 세계에서는 익히 아는 이야기다.

《감정 경제학》

금붕어의 집중력이 9초인데 지금 시대 사람들의 집중력이 8초라는 말이 씁쓸하기만 하다. 지금시대 사람들의 심리를 알려주는 내용이었다.

어떤 분야든 지금 시대 사람들의 상태, 심리를 알아야만 공격적으로 영업, 마케팅을 할 수 있고 자신 분야 제품을 알릴 수 있는 것이다.

시각적인 효과가 95%를 차지한다는 것은 어마어마한 것이다. 그래서 책 콘셉트에 디자인이 중요하다고 말을 하는 것이다. 다시 한 번 강조하겠다. 사람들이 선호하는 책 콘셉트는 작가의 글을 뒷받침해주는 스토리텔링에 핵심 정리를 시켜줄 이미지 디자인이다.

예시)

작가 글(세 번째, 작가의 글을 뒷받침해 주는 스토리텔링이라는 99℃ 물에서 1℃를 올려 끓게 만드는 이미지 디자인)+ 스토리텔링(금붕어 스토리텔링)+ 이미지 디자인

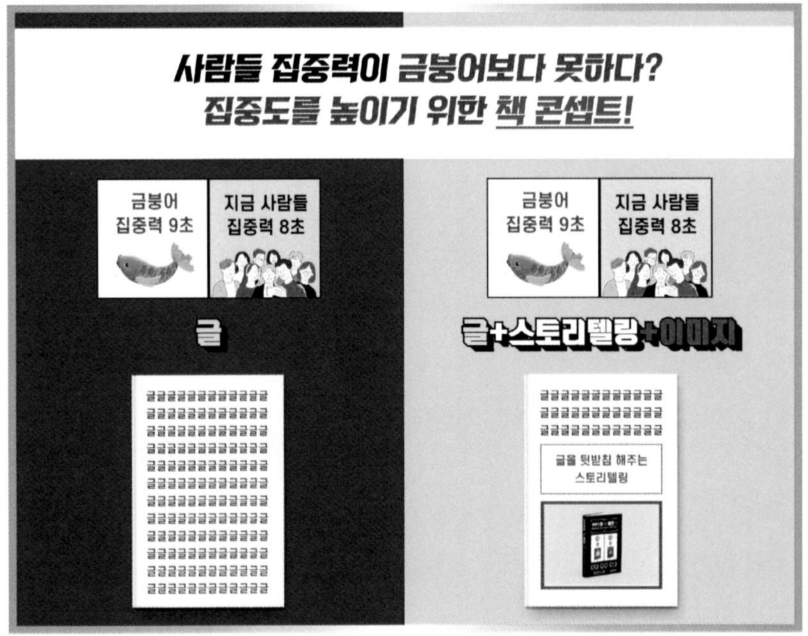

- 초고 내용 (1개월 안에 끝내기? 이유를 가지고 끝내기?)

대부분 작가들이 초고는 최대한 빠르게 작업해야 한다고 알고 있다. 시중에 있는 책 쓰기 책, 책 출간 책들을 보면 평균적으로 말하는 초고 기간은 1년, 6개월, 3개월, 1달 안에 해야 된다. 라고 알고 있다. 될 수 있으면 초고를 빠른 시간 안에 끝내는 게 좋다. 그 이유는 글빨, 글 영감이 한번 집중해서 쓸 때 잘 나오고 글이 살아나기 때문이다. 초고 쓰는 기간이 길어지면 글을 쓰는 동기부여도 약해져서 책을 쓰는 열정이 식기 때문이다.

20,000명 심리 상담, 코칭, 종이책 150권, 전자책 250권 총 400권 책을 출간하면서 알게 된 것은 초고를 빠르게 작업해야 된다는 말은 49%만 맞다. 51%는 아니다. 49%만 맞는 이유는 책 쓰기, 책 출간이 직접적으로 자신 직업과 연관이 되어 시간의 여유가 없고 돈을 벌기 위함이라면 최대한 빠르게 단시간 안에 초고 작업을 끝내는 게 맞다. 하지만 책 쓰기, 책 출간이 직접적으로 자신 직업과 연관이 없고 시간적 여유가 있는 책 쓰기, 책 출간이라면 시간이 걸리더라도 상관은 없다.
자신 스타일, 자신 상황에 맞는 초고 작업을 하면 되는 것이다.

평균적으로 초고 내용 작업은 한글 파일(HWP)에서 한다. 출판사마다 원고 기준이 다르지만 평균적으로 초고 기준을 알려주겠다.

한글 파일(HWP) → 편집 → 쪽 여백 → 쪽 여백 설정 → A4(국내판:210*297mm) → 용지 방향 세로 → 제본 맞쪽.

글자체: 바탕
글씨 크기: 10pt
줄 간격: 160%
장평 100%
사진 포함 시 '문서에 포함' 체크

쪽수는 100쪽 이상 써야지만 평균 책 한 권 250페이지 양이 나온다.

초고때 한글 파일(HWP) 100쪽에 써야 된다. 1쪽을 하루, 3일, 1주일 등으로 나누어 초고를 써야 한다. 1주일에 1쪽씩 쓴다고 가정했을 때 1년이 총 52주이기 때문에 52쪽이 나온다. 1주일에 2쪽이면 104쪽이 나온다.

초고를 쓸 때 가장 중요한 것이 있다. 대부분 책 쓰기 책들이 말하는 것은 “표준어를 써야 되고 비속어는 쓰면 안 되며 사투리, 욕이 들어가면 안 되고... 등 자연스럽게 읽을 수 있고 거부감 없는 말투로 써야 된다.”라고 나와 있다.

필자가 경험상 어떤 책이냐에 따라 다르다고 생각한다. 교재나, 학습용, 교육용, 전문 지식을 전달하는 책을 쓴다면 당연히 자제를 해야 되지만 대부분 일반적인 책이기에 일반적인 책이라면 표준어에 맞춰서만 쓰면 되는 것이다. 특히 처음 책을 쓰는 사람이라면 더더욱 힘들 것이다. 몇 글자 쓰고 맞춤법 검사기로 표준어 검사해서 쓴다면 몇 백 년은 걸릴 것이고 책 한 권 쓰다가 인생 끝난다.

초고를 빠른 시간에 쓰면 좋겠지만 글 빨, 글 내공이 있지 않는 한 머리에 뒤죽박죽 섞여 있는 내용을 글로 옮긴다는 게 어렵다. 사람마다 다를 수 있지만 필자는 책 10권을 출간 했을 때 글 빨, 글 내공이 나왔다. 방탄book기술력 코칭 해보면 코칭 받는 사람들이 늘 하는 말이 있다. “머리에는 있는데 글로 표현하려니 잘 안됩니다.”라는 하소연을 하는 사람들이 많았다. 누구나 겪는 인고의 시간이다. 그 시간을 극복해야만 글 빨, 글 내공이 나오는 것이다.

방탄book기술력 코칭 할 때 알려주는 팁을 한가지 오픈하겠다. 머리에 있는 내용이 글로 표현하기가 어려울 때 최고의 방법은 녹음을 한 다음 녹음 한 것을 필사하면 된다. 필사하는 것 또한 쉽지 않다. 녹음한 것을 플레이하고 정지해서 한 문장 필사하고 계속 반복한다는 것이 쉽지는 않다. 그래서 도구를 사용 하면 되는데 녹음했던 파일을 텍스트로 변환해 주는 프로그램을 사용 하더라도 정확도가 떨어지기에 다시 체크를 해야 한다. (네이버 검색: 클로바 노트)

필사 목적이 오로지 책을 출간하기 위한 동기부여만 있다면 금방 지친다. 그래서 여러 가지 필사 동기부여를 해야 한다. 책을 출간하는 동기부여도 있지만 머리에 있는 것을 말로 하면 1차로 정리가 되고 필사를 하면 2차로 정리가 되어 핵심 내용이 다듬어진다. 자신 전문 분야를 필사한다면 매뉴얼, 자료화가 만들어져서 진정한 전문가로 거듭나고 자신 분야 삼성(진정성, 전문성, 신뢰성)이 향상된다.

짝퉁 전문가는 말로만 설명한다. 설명도 정리가 되지 않아 어렵게 말한다. 명품 전문가는 설명도 쉽게 하지만 글을 통해 매뉴얼, 자료화를 만든다. 필사를 많이 하거나 책을 많이 쓰는 사람들 특징은 말을 조리 있게 잘하고 상황, 상대방을 이해하는 능력이 좋다. 스피치에서는 당당함, 자신감, 열정이 느껴진다. 필사는 인고의 시간이 필요하지만 인고의 시간만큼 얻어 가는 것이 많다는 것을 명심하자.

#. 초고를 잘 쓰려면 5라를 해야 한다.

1. 표준어는 잊고 그냥 써라!
2. 사투리는 신경 쓰지 말고 그냥 써라!
3. 비속어 신경 쓰지 말고 그냥 써라!
4. 욕 신경 쓰지 말고 그냥 써라!
5. 생각나는 대로 그냥 써라!

초고는 평상시 가족들과, 친한 친구들과 대화하는 말투로 쓰면 된다. 그래야 부담 없이 머리에 있는 것이 나온다. 초고를 다 쓰면 교정, 교열은 전문가에게 맞기면 된다. 처음 책 쓰는데 너무 힘들게 쓰지 말라는 것이다.

정성스럽게 온 힘을 다해서 어렵게 쓰는 책과 대충 쓰는 책을 대하는 태도가 다르겠지만 처음부터 이것저것 신경을 너무 많이 써서 초고를 쓰면 빨리 지친다. 자신 전문분야가 아닌 일반 책을 쓸 거라면 힘을 빼고 쓰는 게 좋다.

마라톤 풀코스를 뛰어보고 알게 된 것이 있다. 마라톤에서 가장 중요한 것이 나다운 페이스다. 자신을 앞서가는 사람들 주위 사람들을 의식하는 페이스는 완주를 못한다. 초고 쓰기 완주를 하기 위해서는 나다운 글쓰기 페이스가 중요하다는 것이다.

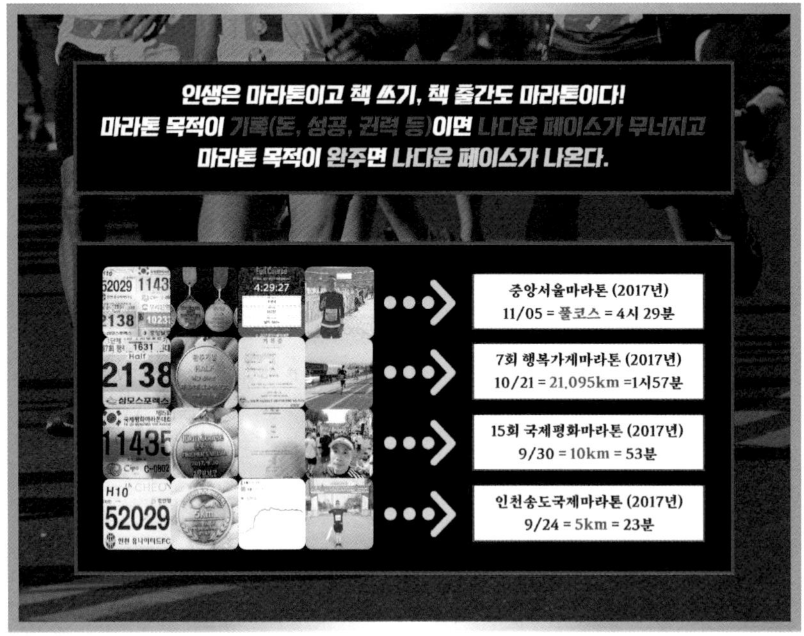

방탄book기술력을 코칭 할 때 늘 하는 말이 있다. "최보규 방탄book기술력 창시자와 함께 한다면 온 힘을 다해, 온 정성을 다해 3대까지 가는 책을 쓰기 위해 집중해야 되지만 혼자 책을 쓴다면 동기부여해 줄 사람이

없기에 닥고(닥치고 무조건 고고고)해야 합니다. 방탄book기술력을 만난 건 천재일우(천 년에 한 번 만난다는 뜻으로 좀처럼 만나기 어려운 기회)라 생각하시고 믿고 따라오시면 됩니다. 책 쓰기, 책 출간, 인생 페이스메이커가 되어 주겠습니다.”

20,000명 심리 상담, 코칭으로 알게 된
20,000명이 바라는 책 쓰기, 책 출간 교육, 코칭

10가지

1 한번 출간한 책으로 평생 활용하는 방법을 알려주는 교육, 코칭

2 로또 2등과 같은 기획출판을 하기 위해서 출판기획서 제작 스트레스, 거절 메일을 확인 하는 스트레스, 370가지 스트레스... 등 마음고생 덜 하고 책 출간할 수 있는 책 쓰기 교육, 코칭

3 책 활용 수입 창출 시스템 교육을 검증 된 전문가에게 한 곳에서 시간, 돈 낭비를 줄여주는 책 쓰기 교육, 코칭

4 한번 코칭으로 100년 a/s, 피드백, 관리해 주는 책 쓰기 교육, 코칭

5 책 출간 후 자신 분야 삼성(진정성, 전문성, 신뢰성)을 높여 자신 분야 내공, 가치, 몸값까지 올릴 수 있는 책 쓰기 교육, 코칭

6 출간한 책으로 강사가 되어 은퇴 후 제2의 직업을 할 수 있는 책 쓰기 교육, 코칭

7 책 출간 후 자신 분야 코칭 전문가가 되어 은퇴 후 제3의 직업까지도 할 수 있는 책 쓰기 교육, 코칭

8 책 출간 후 온라인 콘텐츠까지 제작을 해서 비수기 없는 책 쓰기 교육, 코칭

9 책 출간 후 디지털 콘텐츠까지 제작을 해서 월세, 연금성 수입까지 발생시킬 수 있는 책 쓰기 교육, 코칭

10 책 한 권 출간하고 끝나는 것이 아니라 100년 동안 책을 무한대로 출간 할 수 있는 책 쓰기, 책 출간 기술력을 교육, 코칭

책 쓰기, 책 출간 교육, 코칭은 누구나 한다.
6가지 수입 창출 책 쓰기, 책 출간 교육, 코칭은 방탄BOOK 창시자 뿐이다.

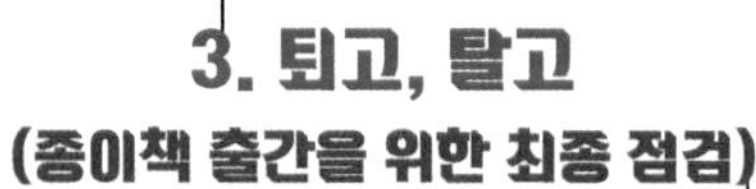

3. 퇴고, 탈고

(종이책 출간을 위한 최종 점검)

책 출간을 위한 체크리스트

- ☑ 오타 확인
- ☑ 이미지 삽입 후 위, 아래, 좌, 우 간격 확인
- ☑ 머리말 입력
- ☑ 목차 입력
- ☑ 목차 페이지 번호 입력
- ☑ 참고문헌, 출처 정리
- ☑ 원고 마지막 장 판권지 입력

3. 퇴고, 탈고의 본질

한글(HWP)원고 작업에 마지막 단계인 퇴고, 탈고다.

책 쓰기 5단계
원고 → 초고 → 퇴고 → 탈고 → 투고

원고는 책을 쓰기 위한 한글(HWP)원고 기본 규격 세팅 단계다.
초고는 초벌로 쓴 원고다.
퇴고는 원고를 고쳐 쓰는 단계다.
탈고는 원고를 마무리하는 단계다.
투고는 마무리 한 원고를 출간하기 위해 출판사에 보내는 단계다.

투고의 해석 "내 원고 한번 읽어 보고 대중적으로 인기가 있을 거 같거나 돈이 될 거 같으면 1,000만 원 ~ 3,000만 원 투자해서 출간 해주세요." 라는 직설적인 의미가 있다.
이것을 로또 2등과 같다고 하는 기획출판이라고 한다. 그래서 아무나 기획출판을 하지 못한다. 필자의 대표적인 기획 출판의 책이 《나다운 방탄멘탈》 이다. 300개가 넘는 출판사에 출판 기획서를 만들어서 보냈다. 거절 메일이 몇 개가 왔을 거 같은가? 누군가는 투고 스트레스 때문에 원형 탈모가 오고 소화불량, 우울증까지 걸린 사람도 있다. 당연한 것이다. 1,000만 원 ~ 3,000만 원(책 한 권 작업하는 모든 비용인 인건비, 책 부수, 홍보비, 유통비, 물류비...)을 투자해 주는데 아무나 기획출판을 해주겠는가? 출판사에서는 리스크를 감수하고 기존에 경험과 가능성으로 기획출판을 하기 위해서 신중에 신중할 수밖에 없다. 하루 만에도 대형 출판사에 평균 투고 원고가 100개 이상이 온다고 한다.

그래서 대부분 책 출간하는 사람들이 자비출판, 대필 출판을 한다. 돈만 있으면 투고 스트레스 없이 책을 출간할 수 있기 때문이다. 그래서 시간의 여유가 없고 책 쓰기를 해보지 않은 사람들, 국회의원, CEO, 유명인사들 대부분이 대필 출판을 한다. 대필 출판이 불법, 이상한 것이 아니다. 머릿속에 있는 내용을 말로는 하기 쉬운데 글로 쓰고 정리하는 것이 힘들기에 대필 전문가에게 의뢰를 해서 책을 출간한다. 자비 출판은 자신이 써 놓은 원고가 있는 상태에서 100만 원 ~ 500만 원 들어가고 대필 출판은 원고가 없어도 가능하며 기본 400만 원 ~ 1,000만 원까지 들어간다. 대필 출판은 책 출간이 아니라는 말이 있다.

‘책을 출간 한다.’기 보다는 ‘책을 산다.’라는 말이 더 가깝다. 그래서 원고를 직접 써본 사람과 안 써본 사람 차이는 하늘과 땅 차이다. 대필 출판인지 아닌지 알 수 있는 방법이 있다. 그것은 방탄book기술력 코칭 때 배우게 된다.

책을 한 권 출간하면 2권 ~ 3권을 출간할 수 있는 가능성이 생기고 2권 ~ 3권을 출간하면 10권을 출간할 수 있는 가능성이 생기며 10권을 출간하면 100권을 출간할 수 있는 가능성이 생긴다. 한마디로 한 가지를 이루면 더 큰 것을 이룰 수 있는 개미 성취감이 누적되어 상상할 수 없는 결과가 나오는 것이다.

필자가 종이책 150권, 전자책 250권 총 400권 출간할 수 있는 비결 중에 한 가지가 독립(개인, 자가)출판인 방탄book기술력으로 출간 했다는 것이다.

지금 당신이 보고 있는 이 책의 내공, 가치 값어치가 책값의 1억 배는 가져간다는 것을 명심해야 한다. 단언컨대 대한민국, 세계 어디에서도 방탄book기술력을 배울 수 없다. 오직 방탄book사관학교에서만 가능하다.

4. 책 출간을 위한 체크리스트

- 오타 확인 (오타 체크를 하면 할수록 계속 나오는 이유)

다음은 오타 체크를 하면 할수록 계속 나오는 이유가 왜 그러는지 깨닫게 해주는 내용이다.

출간 후 대놓고 보이는 오타! 왜 여러 번 퇴고해도 못 찾을까? 읽지 않고 보기 때문이다. 내가 쓴 글은 이미 내용을 잘 알고 있다. 이 문장 다음에 무슨 내용이 나올지 이미 안다. 출판사 교정 교열 담당자도 마찬가지. 여러 차례 반복해서 읽다 보면 자연스럽게 내용이 외워진다. 그렇게 되면 '읽는다.'고 생각하지만 착각이다. 실제로는 그저 눈으로 '보기만' 한다.

글 전체를 텍스트가 아니라 하나의 이미지로 인식하는 것이다. 그러니 첫 줄부터 대놓고 오타가 있어도 발견하지 못하는 일이 생긴다. 남이 쓴 글에 오타가 잘 보이는 이유기도 하다. 내용을 모르니 자세히 '읽기' 때문이다.

이것이 퇴고 과정에서 한 번은 소리 내어 읽어야 하는 이유다. 김영하 작가님의 책 <보다 읽다 말하다>라는 제목이 정답을 말하고 있다. 보지 말고 입으로 소리 내어 읽어야 한다.

<네이버 블로그 카루의 프리랜서 라이프>

오타 체크하는 방법이 여러 가지가 있다. 필자가 하는 방법을 소개하겠다. 네이버 맞춤법 검사, 한국어 맞춤법/문법 검사기다. 가장 많이 사용하는 것이 네이버 맞춤법 검사기다. 100% 정확하지는 않지만 간접적인 퇴고하기 위한 오타 체크로는 쓸만하다.

필자가 하는 방식은 이렇다.
1차로 작업해 놓은 원고 내용을 복사해서 네이버 맞춤법 검사기에 300자 이하로 붙여 넣기 하고 몇 백번 반복으로 전체 원고 오타 체크한다. 2차로 직접 목소리를 내면서 읽고 오타 체크를 한다. 3차로 원고 전체 인쇄를 해서 3자에게 오타체크를 부탁한다. (같은 분야 종사자, 책 분야 종사자, 아내, 친구, 지인...)

원고 퇴고는 오로지 글 오타 체크가 주목적이 아니다. 퇴고의 주목적은 자신이 쓴 글을 다시금 정리하고 다듬어서 자신 분야 삼성(진정성, 전문성, 신뢰성)을 향상, 선한 영향력을 끼치기 위한 인생, 사람들에게 도움이 되는 인생, 세상에 필요한 사람이 되기 위한 인생, 지혜로운 인생을 살아가기 위한 행동을 하게 만드는 작업이다.

퇴고를 편하게 하고 싶다면 교정, 교열 전문가에게 맡겨도 된다.

A4 기준 / 글자 크기 10 / 줄 간격 160%
장당 1,000원 ~ 10,000원
(100페이지: 1,000*100= 100,000원)
(100페이지: 5,000*100= 500,000원)
A5는 500원 ~ 5,000원

전문가 일지라도 100% 오타 체크가 되지 않는다. 1차 체크하고 받아서 자신이 체크하고 다시 보내면 2차 체크하고 자신이 체크하는 식으로 3차까지 하고 3차 이후에는 추가 비용이 발생한다.

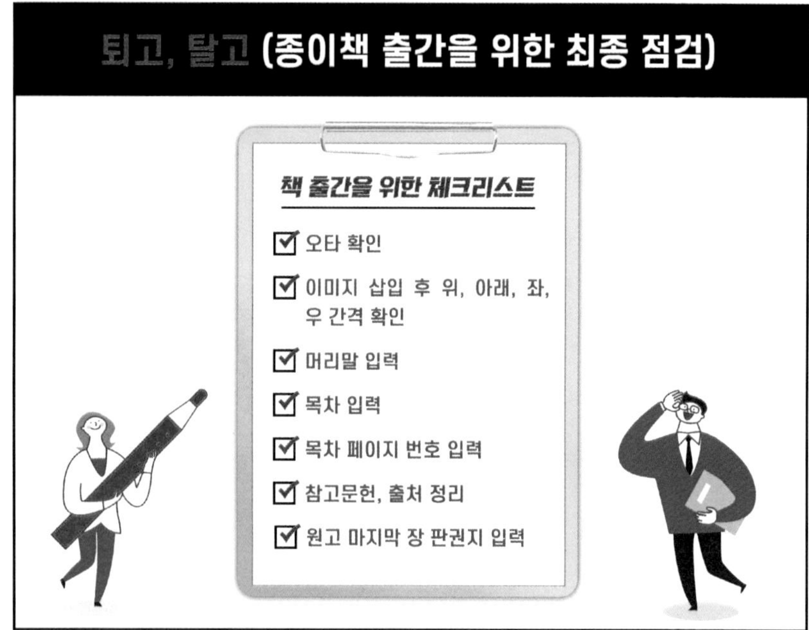

- 이미지 삽입 후 위, 아래, 좌, 우 간격 확인

한글(HWP)원고에 JPEG 파일을 삽입 하면 JPEG 이미지가 한글 규격 세팅해 놓은 규격대로 위, 아래, 좌, 우 변화 없이 삽입되는데 줄 간격은 맞지 않아서 이미지를 한 장씩 맞춰 줘야 한다.

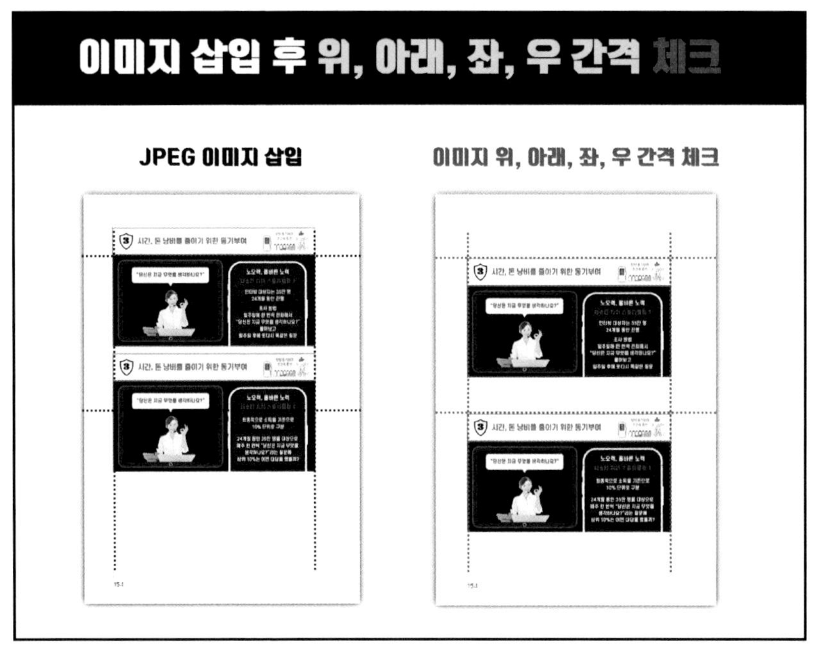

- 머리말 읽어

머리말의 국어사전 뜻.

책이나 논문 따위의 첫머리에 내용이나 목적 따위를 간략하게 적은 글. 말이나 글 따위에서 본격적인 논의를 하기 위한 실마리가 되는 부분.

<국어사전>

간단히 정리를 하면 책이 추구하는 목표, 방향이라고 생각하면 된다. 다음으로 나오는 2권의 책 머리말을 참고하자. 《300만원 동기부여 강의》, 《1조 리더십 강의》

방탄동기부여 PPT를 《300만원 동기부여 강의》 책으로 출간 했던 머리말.

머리말

세상에 동기부여 못하는 사람은 없다. 단지 동기부여 잘하는 방법을 모를 뿐이다.

특허청 등록! 등록 번호: 제 40-2072344 호

[최보규 자기계발코칭 창시자]

20,000명 심리 상담, 코칭 / 15년 2,000권 독서

자기계발서 100권 출간 / 강사 15년, 강의 6,000회

7G 직업

(출판사 대표, 작가, 심리 상담사, 코칭 전문가, 강사, 유튜버, 한집의 가장)

45년간 습관 320가지 만듦...

많은 경력과 시행착오, 대가 지불, 인고의 시간을 통해 알게 된 동기부여를 세계 최초로 공개한다.

스마트폰은 사용하지 않아도 배터리가 소모되듯 동기부여 또한 숨만 쉬어도 소모가 된다. 누군가에 의해서 충전하면 하루(1일) 가지만 초고속 충전하는 방법을 알면 100년 지속할 수 있다.

어떤 강의에서도 말하지 못한 동기부여!

어떤 강사도 말하지 못한 동기부여!

어떤 책에도 없는 동기부여!
어떤 영상에서도 볼 수 없는 내용의 동기부여!

방탄리더십 PPT를《1조 리더십 강의》책으로 출간 했던 머리말.

머리말

3고(고물가, 고금리, 고환율) 시대, 포노 사피엔스 시대, 4차 산업 시대, AI시대, 챗GPT 시대... 빠르게 변하는 현실 속에서 점점 더 힘들어지는 상황을 극복하고 차별화 리더십이 아닌 초월 리더십으로 업데이트하기 위한 방탄리더십 5단계 시스템!

1단계
노벨상 수상자 리더십, 성공한 리더의 리더십은 다 잊어라! 4차 산업 시대는 4차 리더십인 방탄 리더십 업데이트를 통해 천재지변 리더가 아닌 천재일우 리더
2단계
스트레스 관리, 마인드컨트롤이 잘 되는 리더 자존감, 멘탈 배터리 고속 충전하는 방법
3단계
삼성(진정성, 전문성, 신뢰성)을 높이는 습관을 통해 리더 행복 초고속 충전하는 방법
4단계

리더 자기계발, 동기부여책 200권, 영상 300개, 교육을 들어도 리더 자기계발, 동기부여가 안 되는 이유

5단계

퇴사를 막고 인재가 오래 머물게 하는 방탄 리더 품위 유지의무 10계명

리더는 누구나 하지만 방탄 리더는 아무나 못한다.

방탄 리더 1명이 10만 명을 변화시키고 먹여 살린다.

누구나 방탄 리더가 될 수 있었다면 난 절대로 방탄 리더를 선택하지 않았을 것이다.

어떤 강의에서도 말하지 못한 리더십!

어떤 강사도 말하지 못한 리더십!

어떤 책에도 없는 리더십!

어떤 영상에서도 볼 수 없는 내용의 리더십!

- 목차 입력

방탄 리더십 PPT는 목차 1 ~ 목차 6 까지 있다.
그림과 같이 PPT에 있는 목차를 그대로 한글 원고에 옮겨 쓰면 되고 목차 안에 세부적인 부 목차도 쓰면 된다. 방탄동기부여 PPT를《300만원 동기부여 강의》책으로 출간했던 목차를 참고하자.

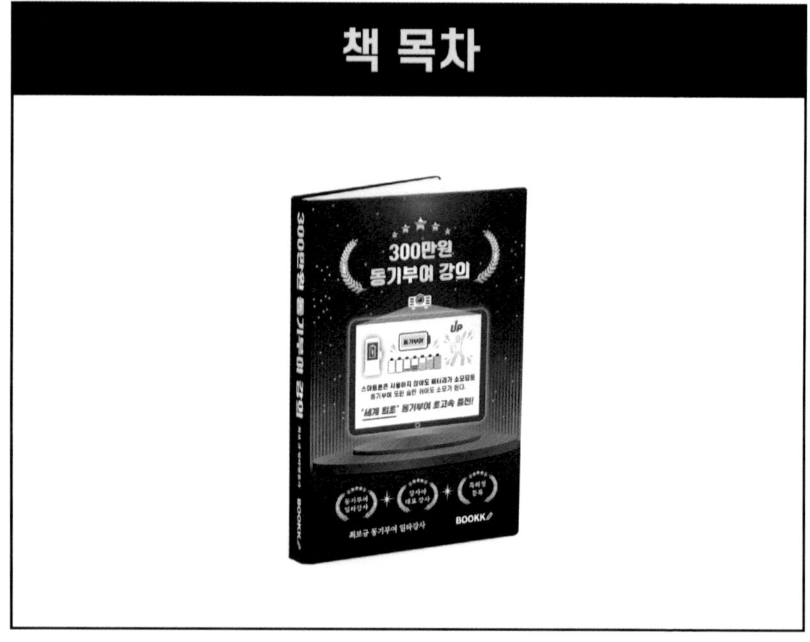

목차 입력

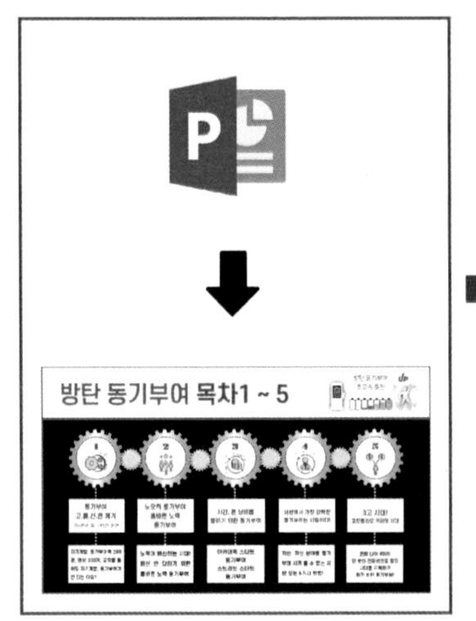

목차

▣ 300만 원 동기부여 강의 미리말
▣ 강의 스펙, 가치, 내공, 값어치
▣ 80억 분의 1 방탄동기부여 전문가 소개
▣ 300만 원 동기부여 강의 핵심 내용

◈ 0장. 세상 모든 사람의 마음을 열게 하는 강의집중 기법! 아이스브레이킹 기법!

◈ 1장. 동기부여 고.틀.선.편 깨기!
(고정관념, 틀, 선입견, 편견)
CLASS 1. 자기계발, 동기부여 책 200권, 영상 300개, 교육을 들어도 자기계발, 동기부여가 안 되는 이유?

◈ 2장. 노오력 동기부여가 아닌 올바른 노력 동기부여!
CLASS 2. 노력이 배신하는 시대! 배신 안 당하기 위한 올바른 노력 동기부여

6

목차 입력

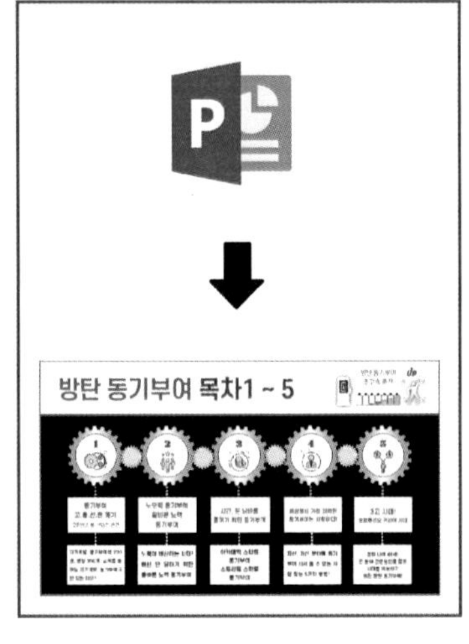

◈ 3장. 시간, 돈 낭비를 줄이기 위한 동기부여!

CLASS 3. 아카데믹 스타트 동기부여!
스트리트 스마트 동기부여!
◈ 4장. 세상에서 가장 강력한 동기부여는 사람이다!

CLASS 4. 자신, 자신 분야를 동기부여 시켜 줄 수 있는 사람 찾는 5가지 방법!

◈ 5장. 3고 시대! 포트폴리오 커리어 시대!
CLASS 5. 은퇴 나이 49세! 한 분야 전문성으로 힘든 시대를 극복하기 위한 방탄 동기부여!

◈ 총정리(피드엔드법칙)
◈ 세계 최초 방탄강사 사관학교
◈ 지속적인(100년) 수입을 창출할 수 있는 기술력을 체계적으로 배우는 방탄자기계발사관학교

◈ 참고문헌, 출처

7

– 목차 페이지 번호 입력

원고 1페이지부터 마지막 페이지까지 한 장씩 보면서 페이지 번호를 입력하면 된다. 페이지 번호가 틀리면 안 되기에 페이지 번호 입력한 다음에 한 번 더 확인해 주면 좋다. 방탄동기부여 PPT를《300만원 동기부여 강의》책으로 출간했던 목차 페이지 번호를 참고하자.

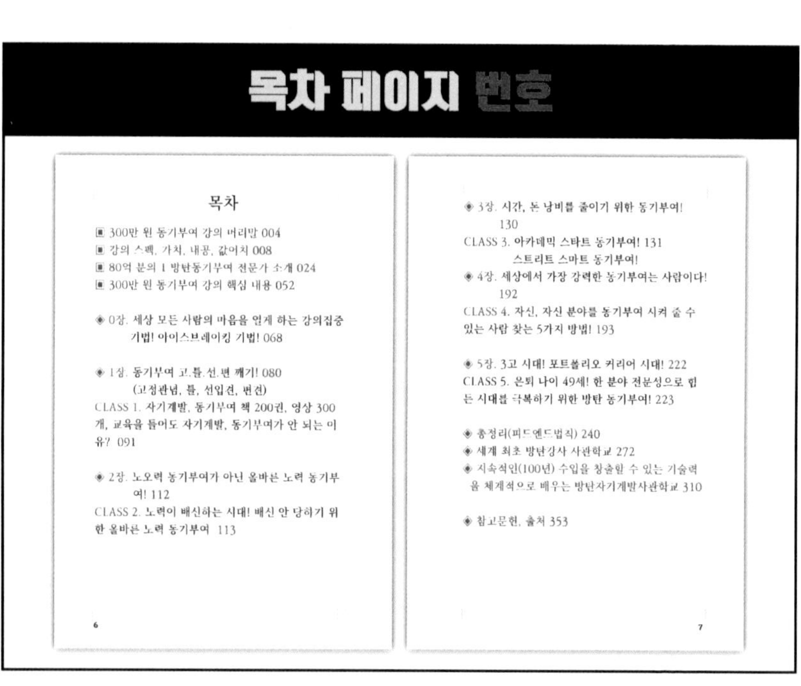

목차

- 참고문헌, 출처 정리

이미지, 스토리텔링, 책에서 발췌한 스토리텔링, 기사 내용, 보도 자료, 영상 정리한 내용, 유튜브 영상을 정리한 내용 등이 있다면 출처를 정확하게 밝혀야 한다.
출처를 남기지 않아 법적 조치(저작권법)를 당할 수도 있다는 것을 명심하자.

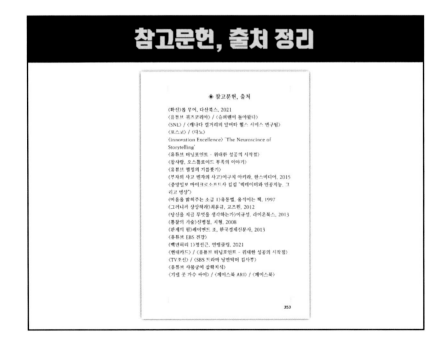

참고문헌, 출처 정리

◈ 참고문헌, 출처

〈확신〉톰 무어, 다산북스, 2021
〈유튜브 퀴즈코리아〉 / 〈슈퍼맨이 돌아왔다〉
〈SNL〉 / 〈캐나다 캘거리의 알버타 헬스 서비스 연구팀〉
〈포스코〉 / 〈다노〉
〈innovation Excellence〉 'The Neuroscince of Storytelling'
〈유튜브 터닝포인트 - 위대한 성공의 시작점〉
〈참사람, 오스틀로이드 부족의 이야기〉
〈유튜브 열정의 기름붓기〉
〈부자의 사고 빈자의 사고〉이구치 아키라, 한스미디어, 2015
〈중앙일보 마이크로소프트사 킴킴 "빅데이터와 인공지능, 그리고 명상"〉
〈마음을 밝혀주는 소금 1〉유동범, 움직이는 책, 1997
〈그러니까 상상하라〉최윤규, 고즈윈, 2012
〈당신은 지금 무엇을 생각하는가〉이규성, 라이온북스, 2013
〈통찰의 기술〉신병철, 지형, 2008
〈관계의 힘〉레이먼드 조, 한국경제신문사, 2013
〈유튜브 EBS 건강〉
〈백년허리 1〉정선근, 언탱글링, 2021
〈현대카드〉 / 〈유튜브 터닝포인트 - 위대한 성공의 시작점〉
〈TV조선〉 / 〈SBS 드라마 낭만닥터 김사부〉
〈유튜브 사물궁이 잡학지식〉
〈기댈 곳 가수 싸이〉 / 〈페이스북 ARI〉 / 〈페이스북〉

353

- 원고 마지막 장 판권지 입력

출판의 중요한 정보가 있는 마지막 페이지다.

bookk출판사 양식을 참고하고 이미지는 출간 승인 완료된《300만원 동기부여 강의》책 판권지다.

어린 왕자(제목을 적어주세요)

발 행 | 2024년 00월 00일

저 자 | 생텍쥐 페리(저자명, 필명을 적어주세요)

펴낸이 | 한건희

펴낸곳 | 주식회사 부크크

출판사등록 | 2014.07.15.(제2014-16호)

주 소 | 서울특별시 금천구 가산디지털1로 119 SK트윈타워 A동 305호

전 화 | 1670-8316

이메일 | info@bookk.co.kr

ISBN |

www.bookk.co.kr

3. 퇴고, 탈고
(종이책 출간을 위한 최종 점검)

판권지

300만원 동기부여 강의

(동기부여 일타강사! 동기부여 사용 설명서!)

발 행 | 2023년 11월 11일
저 자 | 최보규
편 집 | 서윤희
디자인 | 최보규
마케팅 | 최보규
펴낸이 | 한건희
펴낸곳 | 주식회사 부크크
출판사등록 | 2014.07.15.(제2014-16호)
주 소 | 서울특별시 금천구 가산디지털1로 119 SK트윈타워 A동 305호
전 화 | 1670-8316
이메일 | info@bookk.co.kr

ISBN |

www.bookk.co.kr

354

출판사 등록

매뉴얼

대한민국 평균 1권 자비출판 비용이 평균 300만 원 발생한다. 150권 출간 했다면 300*150= 4억 5천만 원이 발생했을까? 아니다! 방탄book기술력이 있다면0원이면 가능하다.

방탄book기술력이면 10권, 100권, 1.000권 출간도 0원으로 할 수 있다. 원고 작업 부터 책 출간까지 5단계로 쉽게 종이책을 출간할 수있는 방탄 book기술력을 세계 최초로 공개한다.

1) 자비출판이 1권 평균 300만 원 발생한다. 누군가는 100권 출간하는데 300,000,000원이 들어가고 누군가는 100권 출간하는데 0원이 들어간다.

필자가 방탄book기술력을 통해 부크크출판사(종이책, 전자책), 유페이퍼(전자책)에서 3년 동안 종이책 150권, 전자책 250권 총 400권을 등록하고 출간할 수 있었던 부크크출판사의 등록 매뉴얼을 시작하겠다.

시중에 출판사 90%가 책을 대량으로 생산한 후 재고를 판다. 그래서 자비출판이 기본 300만 원부터 시작을 하는 이유다. 부크크출판사(자가출판)는 출판 비용이 0원인 이유가 POD(책을 미리 생산하지 않고 주문이 들어오면 필요한 수량만 생산 시스템) 시스템이여서 가능하다.

종이책 등록 매뉴얼, 출판사 등록 매뉴얼을 배우기 위해서는 가장 먼저 등록할 출판사의 운영 방식을 알아야 된다. 다음은 부크크출판사(자가출판)의 운영 방식내용이다.

POD, 자가출판 플랫폼 "부크크(BOOKK)"
대량으로 책을 생산한 후 재고를 판매하는 방식으로 운

영되던 출판 산업에 새로운 변화를 가져온 출판 플랫폼 '부크크'

책을 먼저 생산하고 고객에게 주문을 받아서 판매하던 방식을 고객이 주문한 다음 수량에 맞게 생산해서 판매하는 방식 필요한 만큼의 책 제작이 가능해져, 재고 부담과 보관비용이 사라졌습니다. 출판 비용도 '0'원이 되었습니다.

이로써 세상에 알려지지 않았던 소중한 이야기들이 한 권의 책으로 탄생할 수 있게 되었습니다.

그렇게 10년이 흐른 지금 출간 도서 31,618종, 출간 저자 28,867명 이야기들이 ISBN 발급받은 한 권의 책이 되어 다양한 독자들에게 전해지고 있습니다.

원고와 표지 디자인만 있다면 부크크에서 출판이 가능합니다! 대부분의 경우 논스톱 출판이 가능하지만, 특별한 경우에는 반려되기도 해요. 반려 사유 수정 후 다시 제출해 주시면, 재심사를 도와드립니다. 교정&교열, 표지 디자인이 필요하시다면 작가 서비스에서 구매도 가능합니다. 주문 제작 방식으로 출판 과정에서 발생되는 비용&재고 '0'원(최소 주문 1권)

부크크는 책 제작이 아닌 책 주문 후 정산해 드리는 방식이기 때문에 출간 비용이 없습니다.

부크크 내 사이트 판매 기준: 인세 컬러 15%, 흑백 35%, 전자책 70%. 부크크에서 제작한 책은 대형 유통사에서 판매하실 수 있습니다. 부크크와 인세가 다릅니다. 흑백 15%, 컬러 10% 전자책은 부크크에서만 판매가 가능합니다.
온라인 유통망 확보(교보, 예스24 ,알라딘, 카카오 브런치 스토리, 북센 등)
10년이 넘는 시간 동안 부크크는 작가 분들께서 더 쉽고 편하게 책을 만들 수 있는 방법을 찾기 위해 고민하고, 다양한 시도를 해왔습니다.
그 결과 현재의 5단계 원스톱 출판 서비스가 제공되고 있습니다. 서비스는 아래와 같은 순서로 구성되어 있으며, 전자책의 경우 '도서 형태' 카테고리를 제외한 4단계로 구성되어 있습니다.
도서 형태(종이책) → 원고 등록 → 표지 디자인 → 가격 정책 → 최종 확인

<부크크(bookk)출판사>

누구나 노오력은 한다. 그래서 노력이 배신하는 시대가 되어 버렸다. 노오력만 하니 시간, 돈 낭비가 되어 결과도 나오지 않는다. 올바른 노력을 해야만 시간, 돈 낭비를 최소의 비용으로 최대의 효과를 내어 큰 결과물을 만들어 낼 수 있다.

이제는 올바른 노력을 알려주는 방탄book기술력을 활용

한 책 출간, 출판사 등록 매뉴얼을 통해 자신 분야와 6가지 수입을 연결시켜 월세, 연금성 수입이 나오는 무인 시스템을 만들자. 종이책 150권, 전자책 250권 총 400권 출간한 비밀을 모두 오픈한다. 기대해도 좋다. 책 출간, 출판사 등록 매뉴얼 시작한다.

대한민국 99%가 책 쓰기, 출간하는 방법만
교육, 코칭 한다!
6가지 수입 창출 책 쓰기, 출간 기술력을
교육, 코칭 하는 곳은 방탄book뿐이다.
방법만 배우면 평생
몸을 움직여서 돈을 벌어야 하지만
방탄book기술력을 배우면 움직이지
않아도 돈을 벌수 있는 자동 시스템을 만든다.
PPT로 책 출간

부크크
책 출간 매뉴얼 / 출판사 등록 매뉴얼
BOOKK
책만들기
작가서비스
서점
커뮤니티
①
로그인
책을 무료로 출판하고
작가가 되세요
BOOKK
5단계로 쉽게
종이책 만들기
5분만에 쉽게
전자책만들기
브런치 · 부크크POD
브런치 책만들기
BOOKK
작가 서비스

네이버에서 부크크를 검색하면 홈페이지가 나온다. 홈페이지에 들어가서 회원가입을 하고 메인 화면에 책 만들기를 클릭하면 5단계로 쉽게 종이책 만들기가 나온다. 클릭해서 들어가면 책 출간 1단계로 진입한다.

방탄동기부여 PPT를 《300만원 동기부여 강의》 책을 만들었던 부크크출판사에 등록 시스템을 세계 최초로 설명하겠다.

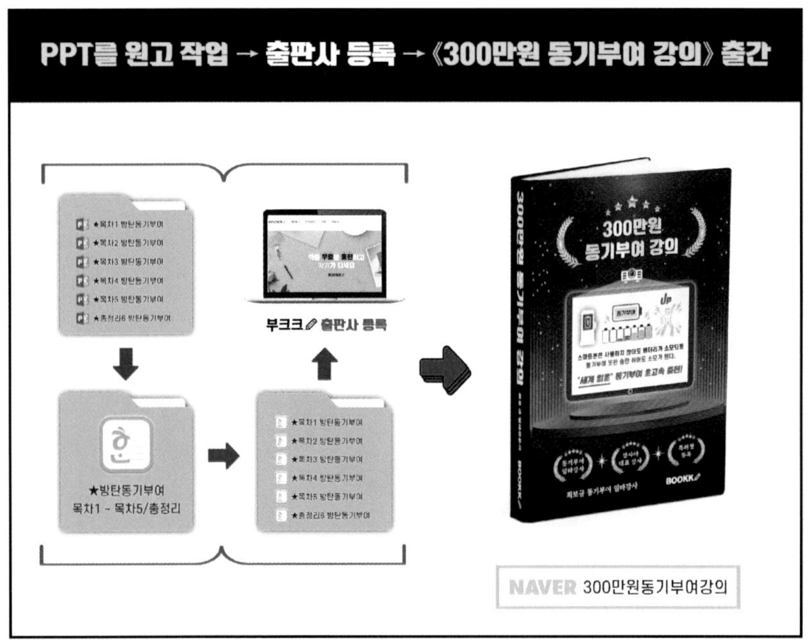

도서형태
원고등록
표지디자인
가격정책
최종확인
도서 컬러를 선택해주세요!
흑백
(표지-컬러, 내지-흑백)
컬러
(표지-컬러, 내지-컬러)
책 규격을 선택해주세요!
46판
A5
B5
A4
표지 재질을 선택해주세요!
아르떼(감성적인)
스노우(대중적인)
스노우(광택있는)
책 날개를 선택해주세요!
날개 있음
날개 없음
> 무료표지는 책날개를 지원하지 않습니다.
> A4사이즈에서는 날개를 사용할 수 없습니다.
임시서재
Step2 원고등록
제본 무선 제본
색상 표지 컬러 내지 컬러
규격 A5 148 * 210 mm
표지 스노우(광택있는)
스노우 250g, 유광코팅
내지 백색모조지 100g
장수 354 P
날개 있음
두께 21.07 mm
면지 백회색 앞뒤 1장
예상판매가격 34,700 원
예상수익 347,000 원
100부 판매시
저자 본인가 29,495 원
소장용가격 48,580 원
종이샘플 요청
원고서식 받기
《300만원 동기부여 강의》등록 매뉴얼

- 1단계. 도서 형태

① 책표지. 책 표지는 컬러만 있고 책 내지는 흑백, 컬러로 할 것인가 선택한다. 컬러로 하면 2배 정도 책값이 올라간다고 보면 된다. 《300만원 동기부여 강의》 책은 컬러로 선택을 했다. 이유는 이미지가 많고 일반 책들이 흑백으로 하는 경우가 많아서 차별화를 두기 위해 컬러로 했다. PPT로 책을 출간한다면 컬러로 해야 한다. 이미지가 많은 것도 있지만 SNS 시대에 대중들의 시선이 화려한 영상, 사진에 노출이 많아져서 보는 수준이 높아졌다. 책이 흑백이라면 대중들이 어떻게 보겠는가? 시대에 맞게 컬러풀하게 가야 한다.
글만 있다면 흑백으로 하면 된다. 이미지가 있다면 책 내지를 컬러로 하는 게 좋다.

② 책 규격. A5 책 규격이다. 148*210mm 일반도서, 소설, 에세이

③ 표지 재질. 표지 컬러다. 스노우(광택있는) 스노우 250g, 유광코팅) 종이 샘플을 요청해서 확인할 수도 있다. 별표가 있는 곳 종이 샘플 요청 클릭하고 받을 주소 입력하면 무료로 받아 볼 수 있다.
필자는 150권 출간하면서 80%는 스노우(광택있는)를

선택했다.

④ 책날개. 책날개가 있는 책과 날개가 없는 책 차이점은 이미지를 보고 판단하길 바란다.

날개가 없다고 책의 가치가 떨어지는 건 아니다.
날개가 있다고 책의 가치가 올라가는 것 또한 아니다.
하지만 이런 말이 있다. "신은 사람의 마음을 보지만 사람은 겉모습을 본다."라는 말처럼 날개가 없는 책과 날개가 있는 책을 보는 사람들에게 선택받을 확률은 100명이면 100명이 날개가 있는 책을 선택한다는 것이다.

당연히 표지가 아무리 좋아도 책 내용이 좋아야 선택하겠지만 하루만 해도 사람들은 스마트폰으로 대중매체, 유튜브, sns... 등에서 수천 개의 화려한 영상, 이미지를 본다. 이런 환경에서 자신 책이 선택받기 위해서는 사람들의 환경, 문화, 심리, 트렌드에 맞게 화려하게 만들어야 한다. 화려하게 해도 선택받을까, 말까이다.

선택은 자신이 하는 것이지만 20,000명 심리 상담, 코칭 하면서 알게 된 것은 책날개를 만들지 않고 책을 출간 했다가 후회해서 다시 책날개를 만들었다는 것을 참고해라.

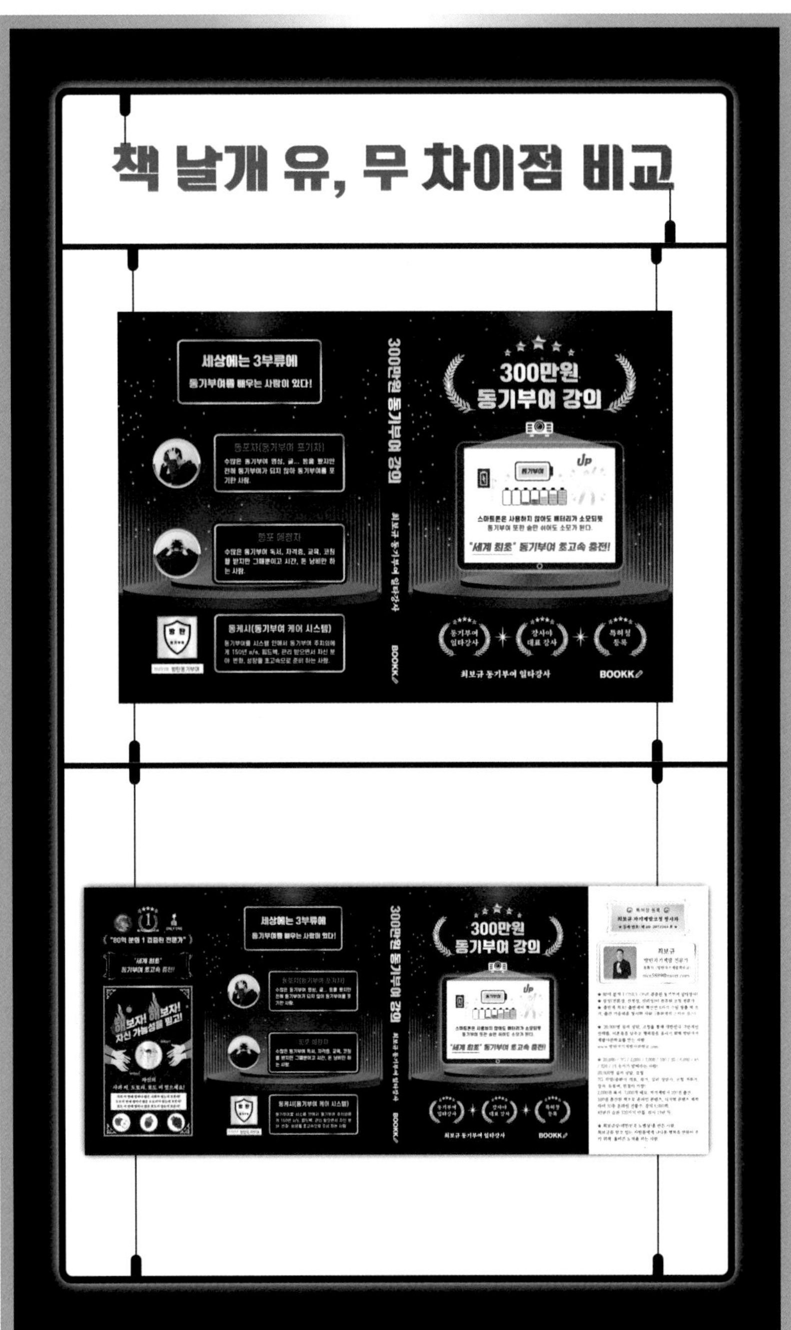
책 날개 유, 무 차이점 비교
세상에는 3부류에
동기부여를 배우는 사람이 있다!
300만원 동기부여 강의
300만원
동기부여 강의
스마트폰은 사용하지 않아도 배터리가 소모되듯
동기부여 또한 숨만 쉬어도 소모가 된다.
"세계 최초" 동기부여 초고속 충전!
동케시(동기부여 케어 시스템)
최보규 동기부여 일타강사
BOOKK
해보자! 해보자!
자신 가능성을 믿고!

⑤ 페이지 수. 장수, 페이지 수다. 페이지 수에 따라 책값이 정해진다. 부크크출판사에서는 50페이지 이하는 출간이 안되는 점을 참고하자. 평균 책 페이지는 250쪽이다.

방탄book기술력 코칭을 하다 보면 이런 질문을 하는 사람이 있다.

"100페이지로 만들면 책값이 낮아져서 대중들이 더 쉽게 책을 사지 않을까요? 박리다매(薄利多賣: 물건을 평균보다 싼 가격에 많이 팔아 이득을 극대화하는 판매 전략) 전략으로 하면 좋지 않나요?"

한번 생각해 보자. 시중에 있는 책 평균 250페이지, 한 권 가격 15,000원이다. 예를 들어 100페이지, 책 가격을 5,000원으로 한다고 했을 때 사람들이 싼 책을 보는 것이 아니다. 사람의 심리는 평균에서 많이 내려가면 가치, 질이 안 좋다고 판단한다. 가장 중요한 것은 책을 보는 사람들 수준이 높다는 것이다. 책을 보는 사람보다 책을 안 보는 사람들이 몇 배로 많지만 책을 보는 사람들은 수준이 높아서 저렴한 책보다는 돈을 지불하더라도 평균보다 수준 높은 책을 원한다는 것이다.

책을 안 보는 사람을 위해 책을 쓰는 것이 아니다. 책을 좋아하는 사람들을 대상으로 책 출간을 하는 것이다.

그래서 책을 쓸 때 수준 높은 책을 써야 되고 표지만 보더라도 "수준이 높겠다." "늘 책들이 비슷비슷해서 지겨웠는데 이 책은 다르겠는데."라는 책을 만들어야 한다. 표지만 보더라도 책값에 값어치를 할 거 같은지 못할 거 같은 지가 나온다. 책 표지에 대한 세부적인 내용은 뒤에 책 표지 등록 때 나올 것이다.

⑥ 다음 페이지. 원고 등록으로 페이지로 넘어간다. 원고 등록 페이지가 실질적인 책 등록 시작이다.

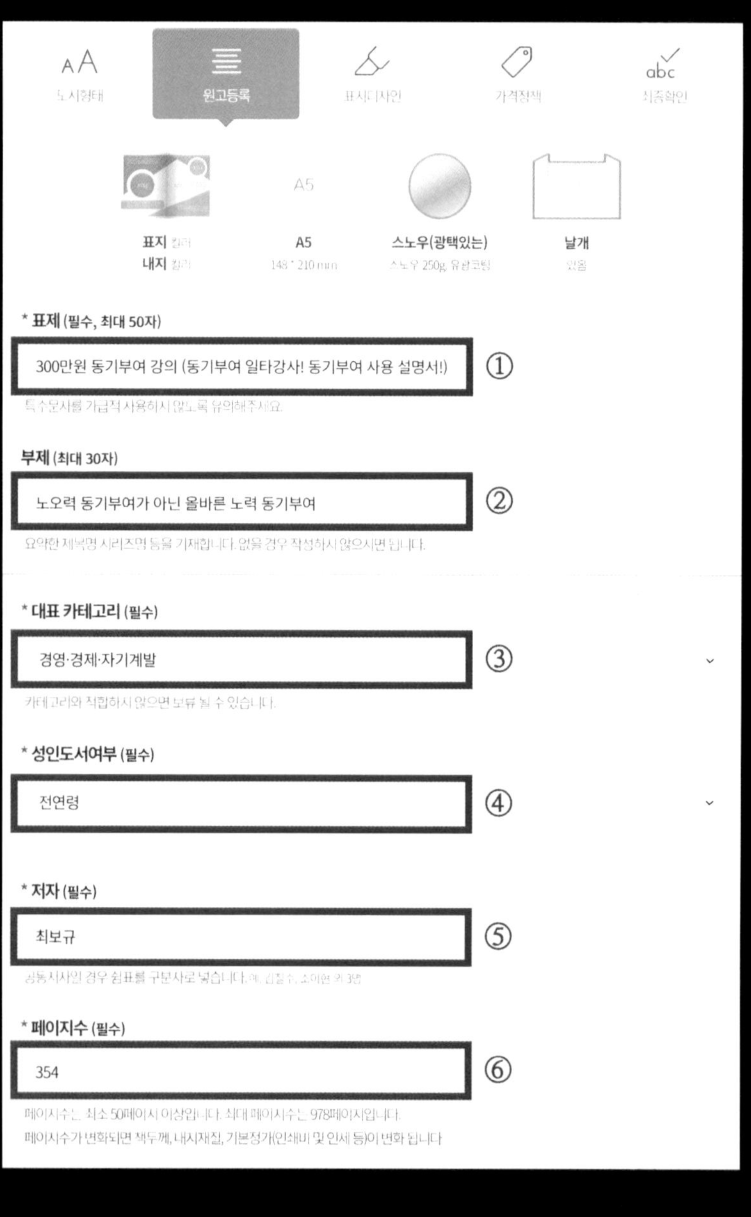
원고등록
A5
표지 컬러
내지 컬러
A5
148 * 210 mm
스노우(광택있는)
스노우 250g, 유광코팅
날개
있음
* 표제 (필수, 최대 50자)
300만원 동기부여 강의 (동기부여 일타강사! 동기부여 사용 설명서!)
①
부제 (최대 30자)
노오력 동기부여가 아닌 올바른 노력 동기부여
②
* 대표 카테고리 (필수)
경영·경제·자기계발
③
* 성인도서여부 (필수)
전연령
④
* 저자 (필수)
최보규
⑤
* 페이지수 (필수)
354
⑥
페이지수는 최소 50페이지 이상입니다. 최대 페이지수는 978페이지입니다.
페이지수가 변화되면 책두께, 내지재질, 기본정가(인쇄비 및 인세 등)이 변화 됩니다

- 2단계. 원고 등록

① 표제(책 제목). 책 제목을 책 내용에 맞게 만드는 것도 중요하지만 더 중요한 것은 자신 책 분야가 시중에 나와 있는 책 제목과 차별화가 느껴지게 책 제목을 만들어야만 선택받을 확률이 높아진다는 것이다. 그래서 자신 책 제목을 만들기 전에 시중에 있는 서점에 들어가서 자신 분야를 검색을 해보고 전체적으로 어떤 제목들이 많으며 베스트셀러 책 제목들은 어떤 제목을 쓰는지 확인하는 것은 책 제목 짓는데 기본이다.
자녀가 태어날 때 이름을 대충 짓는가? 인기 있는 이름들을 쓰는 경우도 있지만 100년 인생을 이름처럼 살아가라고 신중하게 짓는다. 책도 마찬가지다. 인생을 살아가다가 이름을 개명하듯이 책 이름도 바꿀 수 있지만 처음부터 제대로 지어야만 책의 가치가 더해지는 것이다. 필자의 책을 예로 들겠다. 출간한 책 제목인《300만원 동기부여 강의》를《동기부여 강의》로 만들었다면? 뻔하고, 식상한 책이라는 선입견이 생겨버려서 읽을 마음이 들지 않을 것이다. 기존에 동기부여 책과 다른 "이건 뭐지? 이런 책 처음 보는데?"라는 마음이 들어야 한다. 다만 제목이 튀지 않아도 표지를 럭셔리하게 만든다면 관심을 가질 수도 있다. 다음으로 나오는 이미지를 보면서 책 제목의 중요성을 참고하자.

책 제목 비교, 차이점1
동기부여 강의
동기부여 강의
스마트폰은 사용하지 않아도 배터리가 소모되듯
동기부여 또한 숨만 쉬어도 소모가 된다.
"세계 최초" 동기부여 초고속 충전!
최보규 동기부여 일타강사
BOOKK
예시
300만원
동기부여 강의
300만원 동기부여 강의
스마트폰은 사용하지 않아도 배터리가 소모되듯
동기부여 또한 숨만 쉬어도 소모가 된다.
"세계 최초" 동기부여 초고속 충전!
최보규 동기부여 일타강사
BOOKK
출간한 책
NAVER 300만원동기부여강의

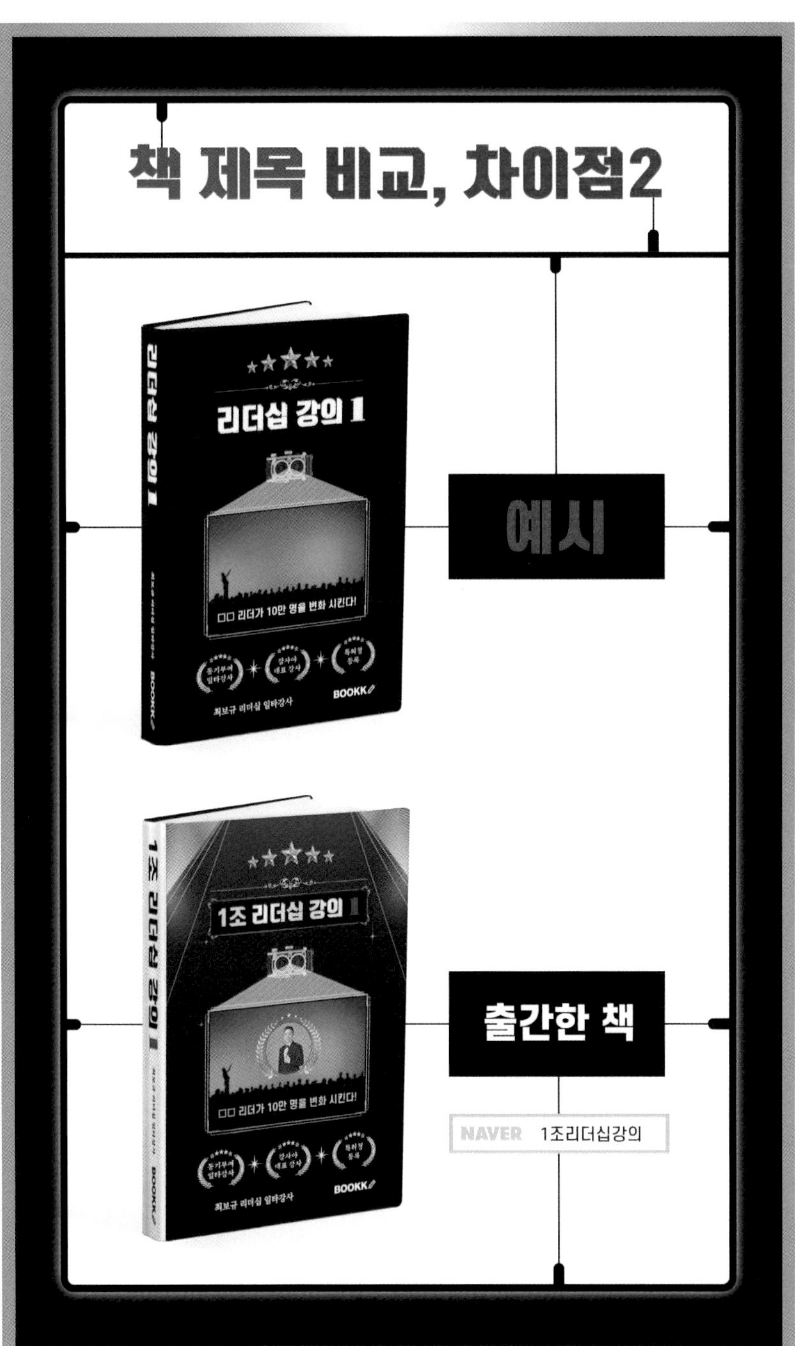
책 제목 비교, 차이점2
리더십 강의 1
□□ 리더가 10만 명을 변화 시킨다!
BOOKK
최보규 리더십 일타강사
예시
1조 리더십 강의 1
□□ 리더가 10만 명을 변화 시킨다!
BOOKK
최보규 리더십 일타강사
출간한 책
NAVER 1조리더십강의

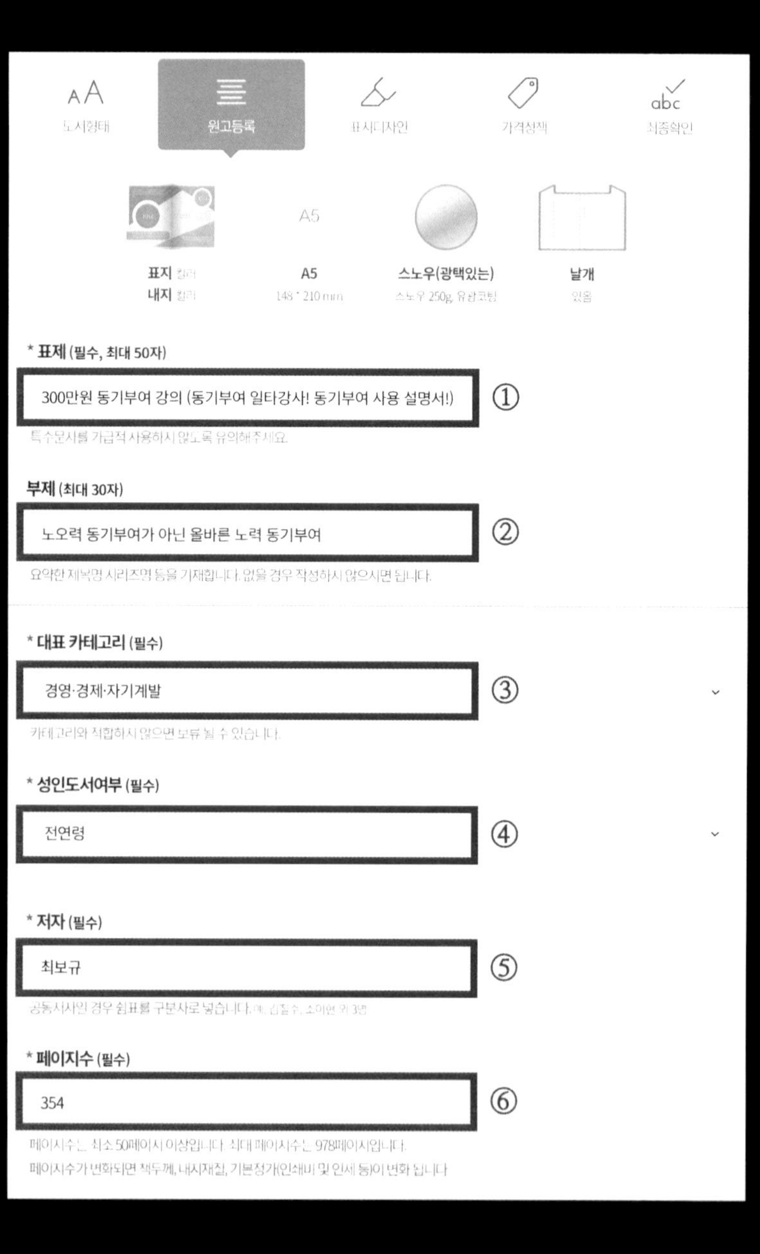

도서형태
원고등록
표지디자인
가격설정
최종확인
A5
표지 컬러
내지 컬러
A5
148 * 210 mm
스노우(광택있는)
스노우 250g, 유광코팅
날개
있음
* 표제 (필수, 최대 50자)
300만원 동기부여 강의 (동기부여 일타강사! 동기부여 사용 설명서!)
①
특수문자를 가급적 사용하지 않도록 유의해주세요.
부제 (최대 30자)
노오력 동기부여가 아닌 올바른 노력 동기부여
②
요약한 제목명 시리즈명 등을 기재합니다. 없을 경우 작성하지 않으시면 됩니다.
* 대표 카테고리 (필수)
경영·경제·자기계발
③
카테고리와 적합하지 않으면 보류 될 수 있습니다.
* 성인도서여부 (필수)
전연령
④
* 저자 (필수)
최보규
⑤
공동저자인 경우 쉼표를 구분자로 넣습니다.
* 페이지수 (필수)
354
⑥
페이지수는 최소 50페이지 이상입니다. 최대 페이지수는 978페이지입니다.
페이지수가 변화되면 책두께, 내지재질, 기본정가(인쇄비 및 인세 등)이 변화 됩니다

② 부제목. 요약한 제목명, 시리즈명 등을 기재한다. 없을 경우 작성하지 않아도 된다.

③ 대표 카테고리. 책 분야를 선택하는 곳이다. 자신 책 분야에 맞게 선택하면 된다. 강사라면 대부분 교육이기 때문에 경영, 경제, 자기계발을 선택하면 된다.

④ 성인도서 여부. 성인, 전 연령 둘 중에 하나 선택하면 된다.

⑤ 저자. 이름을 입력하면 된다. 공동저자일 경우는 쉼표로 구분해서 넣으며 된다. (예: 최보규, 최영웅 외 3명)

⑥페이지 수. 원고 총 페이지 수를 입력하면 된다. 페이지 수는 최소 50페이지 이상이어야 하고 최대 페이지 수는 978페이지다. 페이지 수에 따라서 책 두께, 내지 재질, 기본 정가(인쇄비 및 인세 등)가 정해진다.

#. 시중에 나와 있는 책 평균 가격 15,000원 / 책 페이지는 250페이지다. 페이지가 많으면 1권, 2권으로 쪼개서 출간하면 된다. (예: 400페이지라면 1권 200, 2권 200)

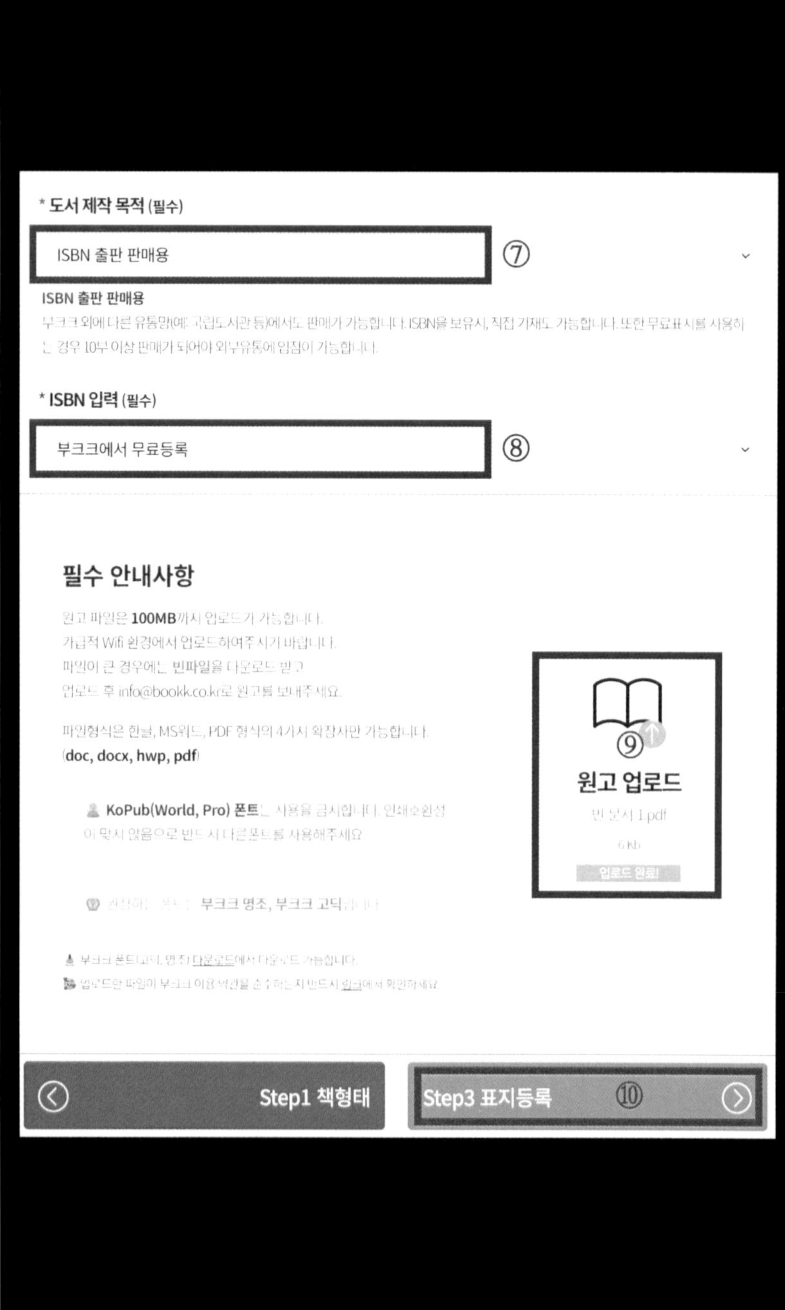
* 도서 제작 목적 (필수)
ISBN 출판 판매용
⑦
ISBN 출판 판매용
부크크 외에 다른 유통망(예: 국립도서관 등)에서도 판매가 가능합니다. ISBN을 보유시, 직접 기재도 가능합니다. 또한 무료표시를 사용하는 경우 10부 이상 판매가 되어야 외부유통에 입점이 가능합니다.
* ISBN 입력 (필수)
부크크에서 무료등록
⑧
필수 안내사항
원고 파일은 100MB까지 업로드가 가능합니다.
가급적 Wifi 환경에서 업로드하여주시기 바랍니다.
파일이 큰 경우에는 빈파일을 다운로드 받고
업로드 후 info@bookk.co.kr로 원고를 보내주세요.
파일형식은 한글, MS워드, PDF 형식의 4가지 확장자만 가능합니다.
(doc, docx, hwp, pdf)
KoPub(World, Pro) 폰트는 사용을 금지합니다. 인쇄호환성이 맞지 않음으로 반드시 다른폰트를 사용해주세요
부크크 명조, 부크크 고딕
부크크 폰트(고딕, 명조) 다운로드에서 다운로드 가능합니다.
업로드한 파일이 부크크 이용 약관을 준수하는지 반드시 링크에서 확인하세요.
⑨
원고 업로드
빈 문서 1.pdf
6 Kb
업로드 완료!
Step1 책형태
Step3 표지등록
⑩

⑦ 도서 제작 목적.

ISBN 출판 판매용, 일반 판매용, 소장용 3가지가 있다.

ISBN 출판 판매용은 부크크 외에 다른 유통망(예:국립도서관 등)에서도 판매가 가능하고 ISBN을 보유시, 직접 기재도 가능하며 무료표지를 사용하는 경우 10부 이상 판매가 되어야 외부 유통이 가능하다. ISBN을 단순하게 말을 하면 책의 주민등록번호라고 생각하면 된다. ISBN 번호가 있어야만 책을 판매하여 수입 창출 할 수 있는 조건이 주어진다.

일반 판매용은 외부 유통은 하지 않고 부크크 자체에서만 판매한다는 뜻이다.

소장용은 외부 유통은 하지 않고 부크크 자체에서도 판매하지 않는다는 뜻이며 '소장용' 말 그대로 자신만 본다는 뜻이다. 소장용으로 책을 출간하는 사람들은 자신 만족이나 가족, 소중한 사람들에게만 주기 위해서 만든다. 책 쓰기를 연습하기 위해서 소장용으로 만든 후에 다듬어서 다시 등록 후 심사, 승인받아서 외부 유통해서 수입을 창출하는 사람도 있다.

⑧ ISBN 입력. 부크크에서 무료 등록을 해 준다.

⑨ 원고 업로드. 원고 파일은 100MB까지 업로드가 가능하다. 파일이 큰 경우에는 빈 파일을 다운로드 받아서 업로드 후 info@bookk.co.kr로 원고를 보내면 된다.

이미지가 많은 원고는 100MB가 넘는 경우가 많다. 그래서 원고 업로드에 빈파일 hwp, 빈파일 pdf를 업로드하고 난 뒤에 부크크 메일로 원고 파일을 보내면 된다. 빈 파일 다운로드는 이미지에서 보면 빈 파일 글씨만 파란색이다. 빈 파일을 클릭하면 빈 파일을 다운로드가 된다. (hwp 빈 파일, pdf 빈 파일 2중에 하나) 다운로드 받은 파일을 원고 업로드 칸에 업로드하면 된다.

파일 형식은 한글, MS 워드, PDF 형식의 4가지 확장자만 가능하다. (doc, docx, hwp, pdf)
한글(hwp)에서 작업한 원고는 pdf파일로 변환해서 부크크출판사 메일로 보내면 된다.

⑩ 표지 등록 페이지 이동. 3단계 표지 등록 페이지로 넘어간다.

▶ 빈 파일 클릭 → 다운로드 된 한글 빈 파일 → 9번 원고 업로드에 삽입

#. 자체적으로 한글 빈 파일, PDF 빈 파일을 만들어서 업로드해도 된다.

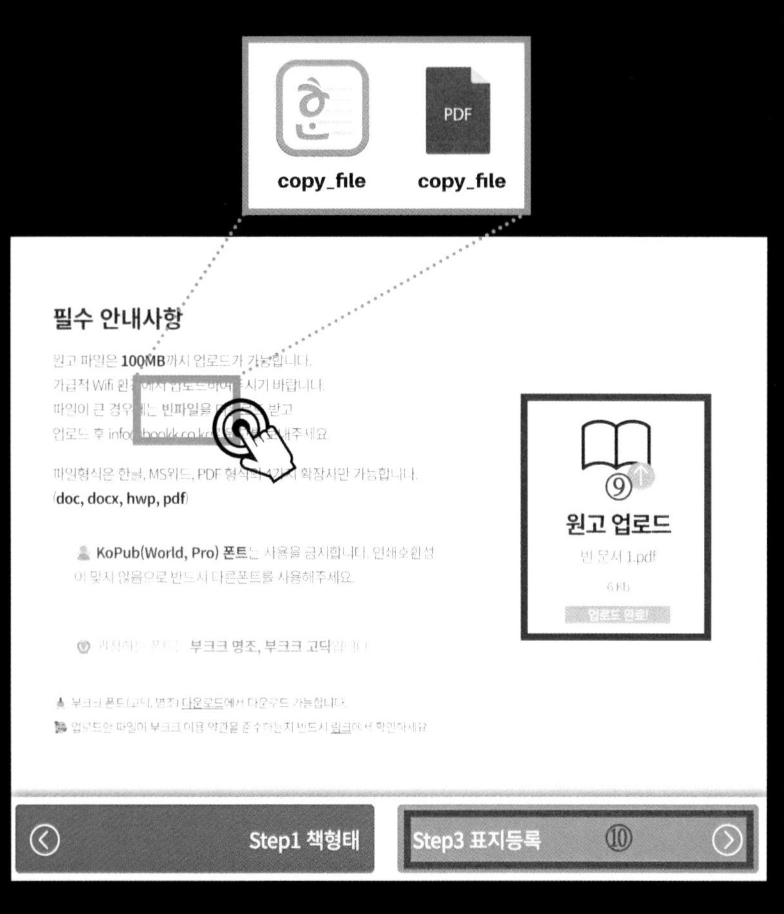

copy_file
PDF
copy_file
필수 안내사항
원고 파일은 100MB까지 업로드가 가능합니다.
(doc, docx, hwp, pdf)
KoPub(World, Pro) 폰트는 사용을 금지합니다. 인쇄호환성이 맞지 않음으로 반드시 다른폰트를 사용해주세요.
부크크 명조, 부크크 고딕
⑨
원고 업로드
빈 문서 1.pdf
Step1 책형태
Step3 표지등록
⑩

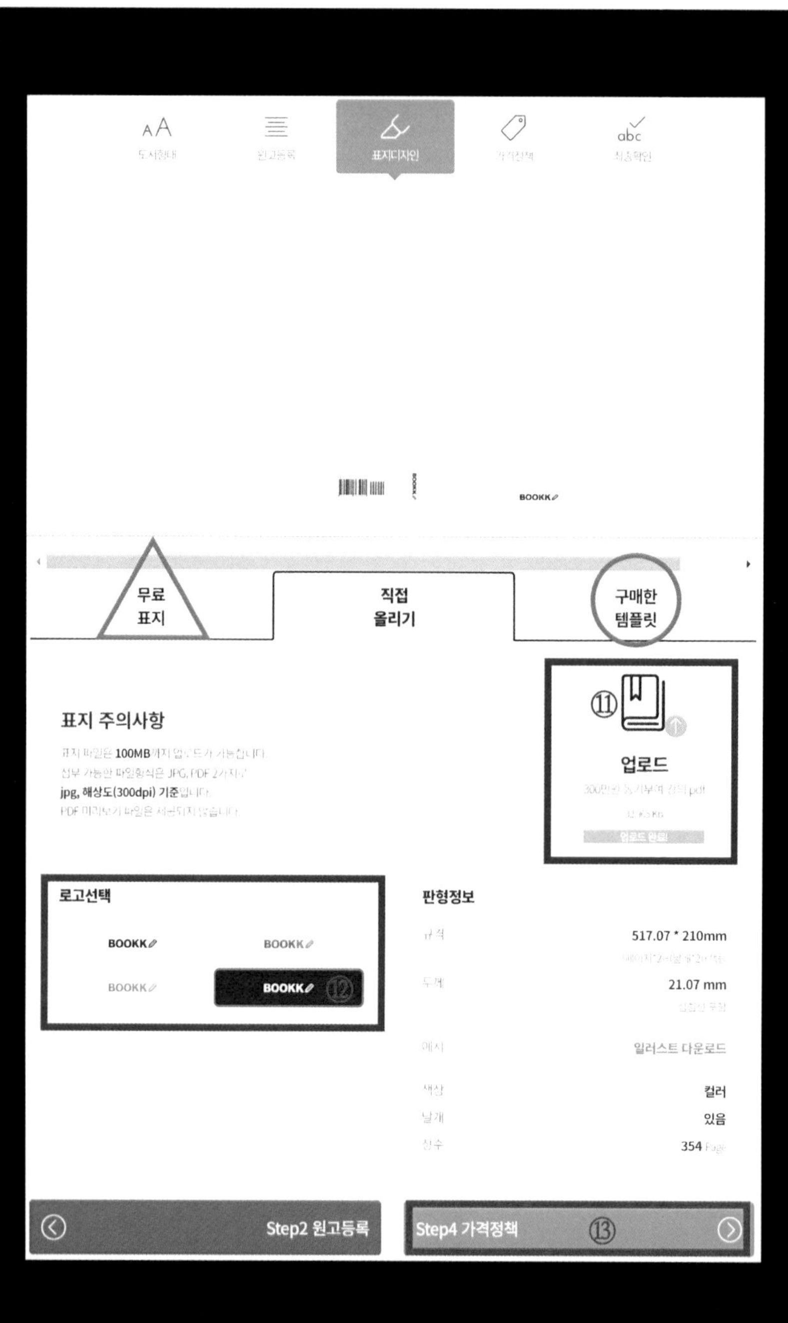

표지디자인
BOOKK
무료
표지
직접
올리기
구매한
템플릿
표지 주의사항
표지 파일은 100MB까지 업로드가 가능합니다.
jpg, 해상도(300dpi) 기준입니다.
⑪
업로드
로고선택
BOOKK
BOOKK
BOOKK
BOOKK
⑫
판형정보
517.07 * 210mm
21.07 mm
일러스트 다운로드
컬러
있음
354
Step2 원고등록
Step4 가격정책
⑬

⑪ 표지 업로드. 표지 파일은 100MB까지 업로드가 가능. 첨부 가능한 파일 형식은 JPG, PDF 2가지로 jpg, 해상도(300dpi) 기준.
⑫ 로고 선택. 책 표지 바탕색에 따라 로고 색을 선택할 수 있다.
⑬ 가격정책. 4단계 가격정책 페이지로 이동한다.

책 표지는 사람으로 비유를 하면 얼굴, 외모, 첫인상이고 표지가 책의 모든 것을 좌우하기도 한다.
첫인상 효과, 초두효과라는 심리적 용어가 있다. 사람의 외모, 태도, 언어, 의상 등을 보면서 평균적으로 7초 이내에 상대방에 대한 첫인상을 형성하게 된다.

책 표지도 첫인상 효과, 초두효과처럼 책 표지, 제목, 이미지를 보고 1차적으로 책을 초이스 할지 안 할지 판단한다.

지금 어떤 시대에 살고 있는가? 스마트폰으로 인해서 하루만 해도 영상, 이미지, 글... 눈이 아플 정도로 화려한 것을 수 만개는 본다. 한마디로 지금 시대 사람들은 예전에 비해 시각적인 수준이 높아졌다는 것이다.

이런 상황에서 책 표지, 제목, 이미지가 평범하거나 호기심을 유발, 궁금증 유발 "이런 책 표지는 처음 보는데 표지가 너무 신선하다. 표지가 럭셔리하다.", **보고 싶도록 만드는 표지를 만들어야만 선택할 확률이 높아지는 것이다. 다음은 지금 현실 속 사람들의 집중력에 대한 내용이다.**

겨우 8초, 금붕어보다 못한 인간의 집중력
소위 'MZ'라고 불리는 요즘 젊은 세대는 어렸을 때부터 늘 새로운 자극으로 가득한 디지털 환경에 노출된 채 자랐다. 그래서인지 한 가지 주제에 오랫동안 집중하기 상당히 어려운 뇌 구조를 지녔다고 한다. 뭔가에 집중할 수 있는 시간(Attention Span)에 관한 연구를 살펴보자. 아동이 주의해서 집중할 수 있는 시간은 얼마나 될까? '자신의 나이×1분' 정도라고 한다. 6세 어린이는 약 6분 정도 집중할 수 있다는 뜻이다. 이 시간은 개인에 따라 차이가 있고, 몰입하면 10~15분까지는 늘어날 수 있다.

너무 지루하지도 않고 그렇다고 아주 재미있지도 않은 평범한 수업을 하고 있다고 하자. 십 대 학생들은 보통 수업을 듣기 시작하면 약 10분 후부터 집중력이 떨어진다. 일반적으로 이들이 뭔가에 주의해서 집중할 수 있는 시간은 20분을 넘기기 어렵다. 따라서 수업 시작 후

10~20분이 지나면 신경전달물질이 고갈된 학생들은 이내 집중에 어려움을 느끼고 주의가 산만해진다. 그래서 유튜브 영상의 평균 길이는 15~20분이고, 테드(TED) 강연 길이는 18분이다. 집중력을 감안해 메시지를 확실히 전달하기 위한 시간이다. 드롭박스의 마케팅 신화를 쓴 실리콘밸리 최고의 마케터 션 앨리스(Sean Ellis)가 한 말을 약간 각색하여 들어보자.

"고객의 주의 집중을 원하신다고요? 사업 규모의 확장을 위해서는 시장이 원하는 언어를 사용해야 합니다. 언어의 시장 적합성이 무엇보다 중요하죠. 잠재 고객의 마음을 움직일 수 있는 말을 상상해 보세요. 당신이 만든 제품을 고객이 마주할 때 어떻게 해야 가장 효율적으로 전달할 수 있을지 생각해 보셨나요? 고객이 좋아하지 않는 언어로 구애한다면 필패입니다. 제품 가치를 알아줄 상대방이 없는 곳에서 헛스윙을 하는 거라고 생각하면 됩니다."

여기서 왜 고객의 마음을 끌어당길 언어에 몰두해야 하는지 그 이유가 나온다. 스마트폰이 생기기 전 고객이 광고에 집중할 수 있는 시간은 12초였다. 이제는 8초로 뚝 떨어졌다. 9초인 금붕어보다 못하다.

주의집중 시간의 변화
12초 - 2000년 인간의 평균 주의 집중 시간
8초 - 2015년 인간의 평균 주의 집중 시간
9초 금붕어의 주의집중 시간

인간의 평균 주의 집중 시간 인간의 평균 주의 집중 시간 금붕어의 주의 집중 시간 왜 이런 일이 발생했을까? 주변의 수많은 자극에 적응하다 보니 주의력이 줄어들었다는 것이 통설이다. 생각해 보라. 우리는 매일매일 넘치는 정보의 홍수 속에서 살아가고 있다. 수시로 오는 문자와 카카오톡 메시지, 귀찮아 들여다보지도 않는 이메일처럼 하루하루 우리의 신경을 산만하게 하는 요소가 차고 넘친다. 그 결과 집중해서 주의를 지속하는 시간이 줄어드는 것은 당연한 결과다. 게다가 여러 일을 한꺼번에 하는 멀티태스킹형 업무 방식에 길들여진 젊은 세 대에게 이런 현상은 더욱 심각하게 다가올 수밖에 없다.

뇌 신경세포를 뜻하는 뉴런과 마케팅의 합성어인 뉴로마케팅(Neuro Marketing)의 연구 결과를 보자. 브랜드의 색상이 소비자로 하여금 다양한 감정을 불러일으킨다고 한다. 소비자들이 상품을 구매하는 데 있어 시각적 효과가 약 95%를 차지한다고 하니, 디자인과 색감이 큐레이터에게는 아주 중요하다. 색은 브랜드를 인식하는 강력한 수단으로, 그리고 소비자의 신뢰를 확보하는 무기로 작용한다. 빨간색 코카콜라와 초록색 스타벅스 로고가 소비자의 지갑을 열게 하는 강력한 마케팅 도구로 활용되고 있다는 것은 마케팅 세계에서는 익히 아는 이야기다.

《감정 경제학》

금붕어의 집중력이 9초인데 지금 시대 사람들의 집중력이 8초라는 말이 씁쓸하기만 하다. 지금 현실 사람들의 심리를 알려주는 내용이었다. 어떤 분야든 지금 시대 사람들의 상태, 심리를 알아야만 공격적으로 영업, 마케팅을 할 수 있고 자신 분야 제품을 알릴 수 있는 것이다. 시각적인 효가가 95%를 차지한다는 것은 어마어마한 것이다. 그래서 책 표지 디자인이 중요하다고 말을 하는 것이다. 책 내용도 중요하지만 첫인상을 결정짓는 책 표지로 지금의 집중력 8초를 머물게 하지 못하면 끝이다.

20,000명 심리 상담 코칭 하면서 알게 된 책을 선택하는 사람들의 평균적인 순서가 있었다.

첫 번째 책 표지

두 번째 책 제목

세 번째 책 목차

네 번째 작가 스펙, 내공
다섯 번째 책 가격

"신은 사람의 마음을 보지만 사람은 외모를 본다."라는 말이 있듯이 신은 표지를 가리지 않고 보지만 독자들은 표지에서 70% 선택, 목차에서 30% 선택한다.
제목, 책 내용도 중요하지만 책 표지도 제목, 내용만큼이나 중요하다. 그래서 책 표지에 모든 정성을 쏟아야 한다. 위 사진에서 형광 핑크 삼각형에 있는 무료 표지가 있다. 무료 표지는 부크크출판사 자체에서 무료로 제공하는 표지다.

위 사진에서 형광 핑크 동그라미에 있는 구매한 템플릿은 부크크출판사 홈페이지에서 있는 작가 서비스가 있다. 표지 디자인 전문가에서 일정에 돈을 주고 의뢰하는 곳이다. 작가 서비스에서 고급 표지, 표지 디자이너, 내지 디자인, 교정, 교열 유료 서비스를 이용 할 수가 있다.

표지디자인
무료 표지
직접 올리기
구매한 템플릿
표지 주의사항
⑪
업로드
로고선택
BOOKK
⑫
판형정보
517.07 * 210mm
21.07 mm
일러스트 다운로드
컬러
있음
354
Step2 원고등록
Step4 가격정책
⑬

유료서비스 가격

고급 표지 90,000원 ~ 160,000원.

표지 디자인 280,000원 ~ 400,000원.

내지 디자인 기본 40장 80,000원 ~

교정, 교열 10페이지 15,000원 ~

1권 쓰고 말 거라면 책 표지를 돈을 주고 만들면 된다. 하지만 책을 10권, 100권, 1,000권을 출간할 수 있는 기술력을 이 책에서 배우고 있는데 책 표지를 언제까지 돈 주고 만들 것인가? 책 표지 만드는 기술력을 배우면 100년 수입 창출을 할 수 있다. 종이책 1권 제작하면

전자책(PDF)은 자연스럽게 만들 수 있게 된다. 한마디로 종이책 1권을 출간하면 온라인에 1층을 가지고 있는 건물주가 되는 것이다. 필자는 종이책 150권, 전자책 250권 총 400권 출간했다. 한마디로 400층의 온라인 건물주라는 것이다.

월세, 연금성 수입이 얼마 정도 발생할 거 같은가? 앞에서도 언급을 했던 내용 참고하자. 2024년 대한민국 현실은 5명 중 1명이 사기꾼이고 3혹[유혹, 현혹, 화혹(화려함에 혹하다)]에 빠져 3명 중 1명중 한명이 사기 당한다. 대검찰청에 따르면 연간 136만 건 범죄 중 가장 많이 발생하는 범죄가 1위는 사기다. 수입 인증, 통장 인증하는 사람들 90%는 “믿음을 줘야 크게 한탕을 칠 수 있다.”라는 심리가 있다. 수입 인증, 통장 인증하는 사람들이 다 사기꾼은 아니다. 하지만 단언컨대 사기꾼들은 수입 인증, 통장 인증을 한다는 것을 명심하자!

이번 생에 힘든 갓물주 위에 건물주는 힘들어도 온라인 건물주는 가능하다는 것이다. 최보규 방탄book 코칭 전문가의 PPT 디자인 수준인 마우(마우스만 움직일 줄 아는 우주 초보)에서 150권 표지를 만들 수 있었던 스토리텔링을 시작한다. 지금부터 상상을 초월하는 기술력을 오픈하기에 스마트폰 무음으로 해놓고 보길 바란다.

한 분야 전문가라면 이제는 자신 분야를 홍보하기 위한 디자인 스펙은 기본으로 해야 한다. PPT를 할 줄 아는 사람이라면 필수이다. 필자의 본업은 강사다. 15년 전 강사 직업을 시작으로 7G 직업(출판사 대표, 작가, 심리 상담사, 코칭 전문가, 강사, 유튜버, 한집의 가장)을 하고 있다.

강사 1년 차 PPT 디자인 수준이 상 → 중 → 하 → 마우(마우스만 움직일 줄 아는 우주 초보)에서 마우였다.
그런데 15년 전 PPT 디자인 수준이 마우였던 필자가 15년이 지난 지금도 PPT디자인 수준이 마우인 사람이 책과 연관된(종이책 표지, 종이책 3D 표지, 종이책날개 표지, 전자책 표지, 책에 들어갈 이미지 디자인, 책 출간 후 유튜브 홍보 영상 디자인, SNS 프로필 디자인... 등) 디자인 수준을 어떻게 끌어 올렸는지 150권 표지 디자인한 보고 냉정하게 판단해보길 바란다. 디자인을 보면 디자인 실력, 내공, 가치가 나온다.

#. 뒤에서 나오는 150권 표지 디자인 중에 1%만 공개하고 종이책 표지, 날개 표지 작업 노하우, PPT에서 책 표지, 날개 표지 만드는 노하우까지 공개한다. PPT 디자인 수준이 마우(마우스만 움직일 줄 아는 우주 초보)인 사람도 가능하다는 것을 필자가 증명해 보이겠다.

정가설정

55000 

* 최소가격 **34,700원**입니다.
* 최대 기본정가의 **3배**까지 설정할 수 있습니다.
* 소비자가격은 최소 가격보다 높아야합니다.
* 100원대 단위로 설정해야합니다.

정가인하

○ **네**, 작가 수익을 낮추고 소비자가격을 인하 하겠습니다.
◉ **아니요**, 소비자가격을 인하하지 않겠습니다.

외부서점 입점

◉ **네**, 외부 온라인 서점(교보문고, YES24, 알라딘 등) 입점 원합니다.
○ **아니요**, 부크크에서만 판매하며, 다른 서점은 원치 않습니다.

* 부크크는 필수로 입점되는 서점입니다.
* 무료 및 직접 완판 표지의 경우 유통사정책에 따라 입점 제약이 있을 수 있습니다.
* 무료 표지템플릿을 이용하는 경우 **10권이상 판매**가 되었을때 외부유통 신청이 가능합니다.

최종 정가 55,000원

부크크 서점 입점

기본정가	34,700원
인쇄비	24,290원
부크크수수료	8,250원
작업비 (추가가격반영비 등)	14,210원
정가인하	0원
내수익	8,250원

외부 서점 입점

기본정가	34,700원
인쇄비	24,290원
부크크수수료	8,250원
외부서점수수료	6,940원
작업비 (추가가격반영비 등)	10,020원
정가인하	0원
내수익	5,500원

Step3 표지디자인

⑭ 정가설정. 책 컬러, 책 페이지 수에 따라 가격이 자동으로 설정이 된다. 최대 기본정가의 3배까지 설정할 수 있다. 외부서점(교보문고, YES24, 알라딘, 웅진북센, 등) 입점 체크하고 책 인세는 부크크 자체에서 판매되면 15%, 외부 서점에서 판매 되면 10%다.

⑮ 최종 확인. 마지막 단계인 도서 소개, 도서 목차, 저자 경력, 소개 페이지로 이동한다.

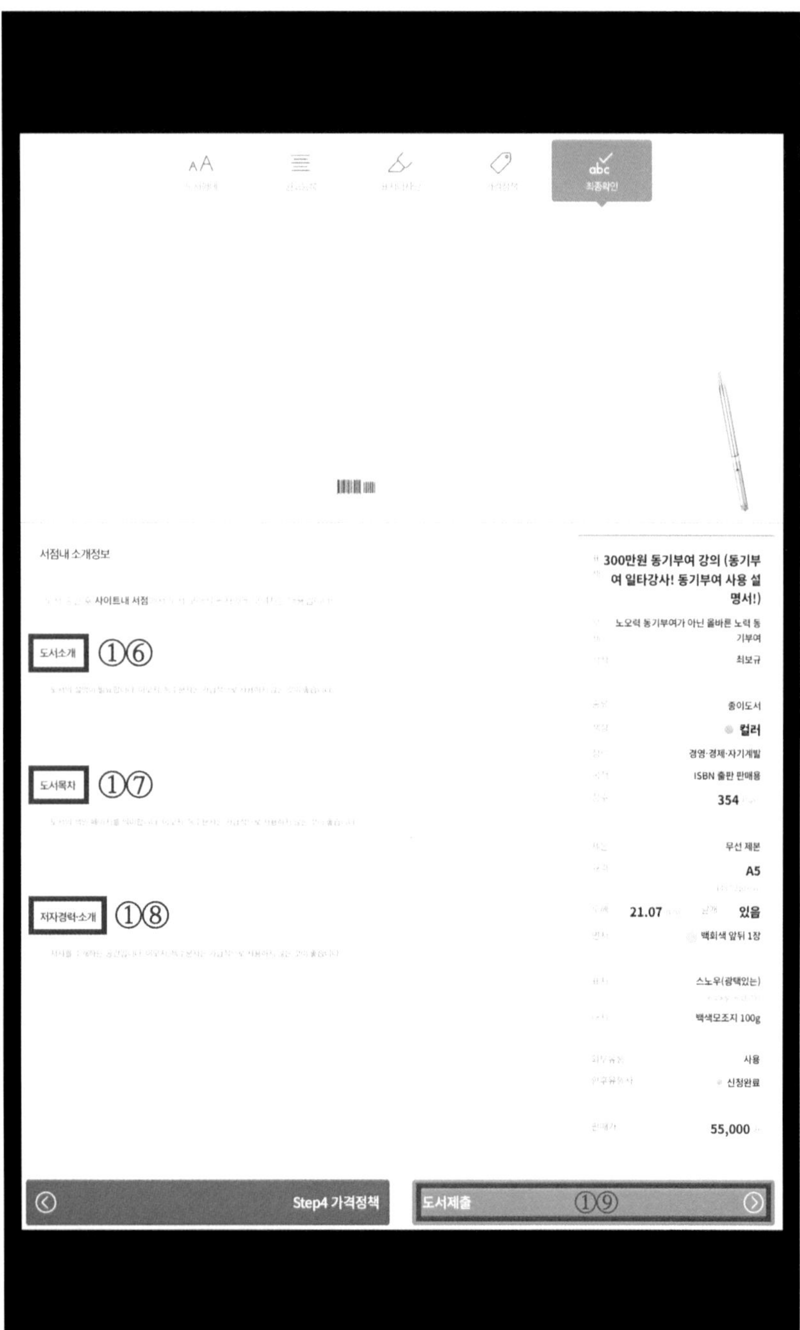

최종확인
서점내 소개정보
사이트내 서점
도서소개 ⑯
도서목차 ⑰
저자경력·소개 ⑱
300만원 동기부여 강의 (동기부여 일타강사! 동기부여 사용 설명서!)
노오력 동기부여가 아닌 올바른 노력 동기부여
최보규
종이도서
컬러
경영·경제·자기계발
ISBN 출판 판매용
354
무선 제본
A5
21.07
있음
백회색 앞뒤 1장
스노우(광택있는)
백색모조지 100g
사용
신청완료
55,000
Step4 가격정책
도서제출 ⑲

- 5단계. 최종 확인

⑯ 도서 소개. 책 소개를 입력하는 곳이다. 책 표지, 책 제목 다음으로 많이 보는 책 소개다. 책 소개를 보고 책을 구매할지 안 할지 판단한다. 다음으로 나오는《300만원 동기부여 강의》책 소개를 참고하자.

《300만원 동기부여 강의》책 소개

★ 80억 분의 1 ONLY ONE 검증된 동기부여 일타강사의 강의 교안 세계 최초 오픈!
※. 강사가 강의 교안을 오픈하는 것은 통장, 영업 기밀을 오픈하는 거와 같다.

★ 3고(고물가, 고환율, 고금리) 시대, 49세 은퇴 시대(20대 은퇴 예정자? 30대 은퇴 확정자? 40대 은퇴 위험군?) 점점 더 은퇴 나이가 낮아지고 앞으로 더 힘들어지는 상황에서 자신 가능성을 높이는 동기부여, 자신 분야와 연결하여 제2수입, 제3수입을 지속적으로 만들 수 있는 방법을 제시하는 동기부여를 해 줄 것이다.

특허청 등록! 등록 번호: 제 40-2072344 호 [최보규 자기계발코칭 창시자]
20,000명 심리 상담, 코칭 / 15년 2,000권 독서

자기계발서 100권 출간 / 강사 15년, 강의 6,000회
7G 직업 (출판사 대표, 작가, 심리 상담사, 코칭 전문가, 강사, 유튜버, 한집의 가장)
45년간 습관 320가지 만듦...
많은 경력과 시행착오, 대가 지불, 인고의 시간을 통해 알게 된 동기부여를 세계 최초로 공개한다.

★ 어떤 강의에서도 말하지 못한 동기부여!
★ 어떤 강사도 말하지 못한 동기부여!
★ 어떤 책에도 없는 동기부여!
★ 어떤 영상에서도 볼 수 없는 내용의 동기부여!

⑰ 도서 목차. 책의 목차를 입력하는 곳이다. 다음으로 나오는《300만원 동기부여 강의》책 목차 참고하자.

《300만원 동기부여 강의》책 목차

⑱ 저자 경력, 소개. 작가의 스펙이나 소개을 입력하는 곳이다. 다음으로 나오는《300만원 동기부여 강의》책 저자 경력, 소개를 참고하자.

《300만원 동기부여 강의》책 저자 경력, 소개

★ 80억 분의 1 ONLY ONE 검증된 동기부여 일타강사!

★ 대한민국 특허청 등록 [등록 번호: 제 40-2072344호] [최보규 자기계발코칭 창시자]

★ 삼성(전문성, 진정성, 신뢰성)이 검증된 코칭 전문가.

★ 출판계 최초! 출판계의 혁신인 6가지 수입 창출 책 쓰기, 출간 기술력을 창시한 사람. [출판계의 스티브 잡스]

★ 20,000명 심리 상담, 코칭을 통해 많은 사람들을 살리고 함께 울고, 웃고, 공감으로 행복을 주는 동기부여

전문가.
대한민국 극단적인 선택률, 이혼율을 낮추고 행복률을 올리기 위해 방탄자기계발사관학교를 만든 사람.
www.방탄자기계발사관학교.com

★ 20,000 / 7G / 2,000 / 7,000 / 100 / 50 / 6,000 / 45 / 320 / 15 숫자가 말해주는 사람!
20,000명 심리 상담, 코칭.
7G 직업(출판사 대표, 작가, 심리 상담사, 코칭 전문가, 강사, 유튜버, 한집의 가장)
2,000권 독서. 7,000개 메모. 자기계발서 100권 출간.
100권 출간한 책으로 온라인 콘텐츠, 디지털 콘텐츠 제작하여 50층 온라인 건물주.
강의 6,000회. 45년간 습관 320가지 만듦. 강사 15년차.

★ 최보규상(대한민국 노벨상)을 만든 사람.
최보규를 알고 있는 사람들에게 나다운 행복을 만들어 주기 위해 올바른 노력을 하는 사람.

⑲ 도서 제출. 심사, 승인을 받기 위한 최종 단계

최종제출 유의사항

동의 후 제출이 되면, 제출하신 표지와 내지 기준으로 입점을 위한 심사가 진행됩니다.

부크크에서 승인처리 한 후 다음 영업일 이내까지는 무료로 원고 교체가 가능합니다.
이후 정해진 파일교체일에 진행되며, **5,000원의 비용이 발생 됩니다.**

(예) 금요일 오후 5시 승인시 업무마감 오후 6시라면, 다음 주 월요일 영업시간 내 무료 교체가 가능합니다.

승인된 도서는 도서판형, 총페이지수, 제목, 저자명, 도서정가, 날개유무 등을 변경 할 수 없습니다.

돌아가기

bookk.co.kr 내용:

해당 단계를 진행하게되면 심사를 위한 제출을 하게 됩니다. 해당 도서를 최종 제출을 처리 할까요?

취소

⑳ 동의 후 제출. 동의 후 제출을 클릭하면 임시 서재로 저장이 된다. 동의 후 제출이 되면, 제출한 표지와 내지로 입점을 위한 승인 심사가 진행 된다.

②① 확인. 확인을 누르면 심사를 받는 것이다. 심사를 한 번에 승인받기 위해서는 취소를 누른 다음에 임시 서재에 저장되어 있는 것을 다시 꼼꼼하게 체크를 하고 확인을 누르는 것이 좋다.

심사는 2~3일 정도 걸리는데 승인 반려가 뜨면 시간이 더 길어지기에 임시 서재에 저장해서 꼼꼼하게 빠진 부분은 없는지 한 번 더 확인하는 것이 좋다.

- 심사, 승인 기준

1. 원고가 제작 가능한 규격.
2. 책으로 만들어졌을 때 여백 가능.
3. 서체가 당사 인쇄기기와 호환 유무.
(서체의 경우 문체부체, kopubpro, kopubworldpro 체는 사용 안 됨)
4. 이미지의 해상도나 저작권에 문제가 있을 것 같은 경우에는 저자에게 확인 요청.

필자가 부크크 출판사에서 종이책 150권, 전자책 100권, 유페이퍼 출판사 전자책 150권 총 450권을 출간 하면서 알게 된 것은 부크크 출판사, 유페이퍼 출판사들 심사, 승인 기준이 까다롭지가 않다는 것이다.

심사, 승인 기준 한 번만 통과하면 그 다음에는 심사, 승인 기준이 감이 오기에 수월하게 진행을 할 수 있다. 앞에서 나온 부크크 출판사 종이책 등록 기준, 뒤에 나오는 유페이퍼 출판사 등록 기준을 따라 한다면 심사, 승인은 무난하게 통과할 것이다.

지금까지 부크크출판사의 종이책 등록 매뉴얼 순서를 보면서 이런 생각을 하는 두부류에 사람들이 나온다.

첫 번째 부류

"우와! 책 출간 방법이 이렇게 쉬웠어! 그토록 찾던 책 출간 방법이 여기 있었는데 지금까지 헤매던 시간들을 보상받는 느낌이다. 최보규 방탄book 코칭 전문가님께 감사하다. 부크크출판사 등록 순서대로 하면 돈 안 들이고 혼자서 충분히 할 수 있을 거 같다. 책 출간하는데 이렇게 돈 안 들이고 쉽게 책 출간해도 되나? 진짜 대박이다!"라는 생각이 들 것이다. 이런 생각이 충분히 들 수 있다. 하지만 정작 중요한 것을 모르고 있다.

부크크출판사에 책 출간 등록 매뉴얼은 책 출간만 할 수 있는 방법이지 출판계의 혁신인 방탄book기술력까지 할 수 있는 것이 아니다. 책을 출간해서 6가지 수입을 창출 할 수 있는 방탄book기술력 접목은 ONLY ONE인 최보규 방탄book기술력 창시자밖에 할 수 없다는 것이다.

20,00명 심리 상담, 코칭 하면서 알게 된 것이 있다. 방탄book기술력 과정이 3단계가 있다. 이코노미 코칭, 비지니스 코칭, 퍼스트 클래스 코칭 중 기초 과정인 이코

노미 코칭 과정을 배우면 혼자서도 충분히 할 수 있을 자만심이 생겨 혼자서 책 등록을 하다가 어려워서 도움을 요청하는 사람들이 많았다. 쉬운 설명이라도 자신이 막상 하면 어려운 경우가 많다.

두 번째 부류

"음... 시중에 책 쓰기 책, 책 출간 책보다는 좀 더 쉽게, 디테일하게 설명을 했지만 혼자서 하기가 쉽지 않을 거 같은데... 최보규 방탄book기술력 창시자님도 마우 실력으로 150권을 출간 했다고 했는데... 마우 수준인 나는 그래도 어렵다."라는 자신감 없는 생각이 들 것이다. 자신감 없는 생각이 드는 것은 지극히 자연스러운 것이다.

단언컨대 시중에 많이 있는 책 쓰기, 책 출간 책들 중에 이렇게까지 세부적으로 디테일하게 초보자 눈높이에서 설명해 놓은 것을 보고도 시도를 안 한다면 그 어떤 책 쓰기, 책 출간 책을 보더라도 할 수 없을 것이다.

자신을 못 믿는 사람들이 많을 것이다. 하지만 자신을 믿어주는 최보규 방탄book기술력 창시자를 믿고 시작하면 된다. 우주 최강 책임감 150년 a/s, 피드백, 관리를 받고 싶다면 방탄book기술력 교육, 코칭을 받길 바란다.

강사 비수기 5개월 극복 시스템
방탄강사기술력 12단계 시스템

1
ONLY ONE
"80억 분의 1 검증된 전문가"
특허청 등록
최보규 자기계발코칭 창시자
등록 번호: 제 40-2072344 호
특허청 등록
최보규 강사책출간 코칭전문가
등록 번호: 제 40-2200794 호
특허청 등록
최보규 리더동기부여 코칭전문가
등록 번호: 제 40-2128786 호
대한민국 강사 섭외 NO1 '강사야'
'강사야' "대표 일타 강사 최보규"
GANGSAYA 강사섭외 최보규
로그인 회원가입
전체분야 강사프로필 섭외문의 분야별특강 커뮤니티 추천강사
섭외문의무료등록
최보규강사
특허청 등록으로 검증된 강사!
방탄 동기부여/리더십/자기계발
동기부여/리더십/자기계발 업데이트!
저서 100권의 내공을 통한 세계 최초 1+4를 주는 가성비 강사!
(강의메세지+즐거움+스토리텔링+실천 사용 설명서 제공)
Google 자기계발아마존
YouTube 방탄자기계발
NAVER 강사야
NAVER 최보규

최보규 방탄동기부여 전문가
검증된 PT; 강의, 맞춤 코칭, 컨설팅
특허청 등록
최보규 자기계발코칭 창시자
등록 번호: 제 40-2072344 호
최보규 대표
010-6578-8295
특허청 등록
최보규 리더동기부여 코칭전문가
등록 번호: 제 40-2128786 호
방탄자기계발사관학교는 국가등록 민간자격증 발급 기관! 명품 인재 양성 기관!
리더십코칭전문가
동기부여코칭전문가
자기계발코칭전문가
강사코칭전문가
책쓰기코칭전문가
리더 분야
동기부여 분야
자기계발 분야
강의, 강사 분야
책쓰기, 책출간 분야
<저자 최보규>
<저자 최보규>
<저자 최보규>
<저자 최보규>
<저자 최보규>
방탄 리더십
리더 7대의무교육
리더 품위유지의무
리더 은퇴, 재테크
리더 동기부여
리더 스피치
리더 사명감, 인성
리더 기본기, 태도
리더 자존감, 멘탈
리더 습관, 행복
리더 인간관계
인재 양성 매뉴얼
리더 감정컨트롤
리더 스트레스관리
리더 라포형성기법
리더 상담기법
리더 코칭기법
리더 스토리텔링
7대 동기부여
변화,성장동기부여
비전 동기부여
열정 동기부여
사원 동기부여
임원진 동기부여
직급별 동기부여
사랑 동기부여
자존감 동기부여
자신감 동기부여
자기관리 동기부여
자기계발 동기부여
멘탈 동기부여
습관 동기부여
긍정 동기부여
인간관계 동기부여
인재양성 동기부여
행복 동기부여
7대 자기계발
변화,성장자기계발
비전 자기계발
열정 자기계발
사원 자기계발
임원진 자기계발
직급별 자기계발
사랑 자기계발
자존감 자기계발
자신감 자기계발
자기관리 자기계발
자기계발 자기계발
멘탈 자기계발
습관 자기계발
긍정 자기계발
인간관계 자기계발
인재양성 자기계발
행복 자기계발
강사 7대 의무교육
강사 인성, 매너
강사 품위유지의무
강사1~3년 차
강사료 올리기 위한 준비, 스펙 쌓기.
강사4~10년 차
강사료 올리기 의한 준비, 스펙 쌓기.
강사10~20년 차
강사료 올리기 위한 준비, 스펙 쌓기.
강사 스킬UP
강사 트레이닝
강의 스토리텔링 기법
강의 SPOT 기법
강사 양성 매뉴얼
강사 양성 시스템
책 쓰기 동기부여
책 출간 동기부여
작가 품위유지의무
책 쓰기, 책 출간 10G
매뉴얼, 시스템.
100권 출간으로 월세, 연금성 수입 창출전수.
강의 교안으로 책 쓰고 책 출간.
출간한 책으로 강의 교안 작업.
출간한 책으로 온라인, 디지털 콘텐츠 제작.
6가지 수입을 창출 하는 책 쓰기, 책 출간.
100년 지속 할 수 있는 기술력을 배우는 책 쓰기, 책 출간.
Google 자기계발아마존
YouTube 방탄자기계발
NAVER 방탄자기계발사관학교
NAVER 최보규

명품 자기계발
방탄 동기부여
명품 동기부여
방탄동기부여 전문가
www.방탄자기계발사관학교.com
방탄리더 동기부여 1
BOOKK
최보규 대표
상담, 코칭, 강의, 컨설팅 문의
010-6578-8295
어제의 나는 잊어라!
살아온 날로 살아갈 날단정 짓지 말자!
자신을 못 믿겠다면 자신을 믿어주는
최보규 방탄동기부여 전문가를 믿고 시작합시다!
세상, 현실아 덤벼라!
몸, 머리, 마음을
강하게 해드립니다.!
Google 자기계발아마존
YouTube 방탄자기계발
NAVER 방탄동기부여
NAVER 최보규

◈ 참고문헌, 출처

<ENB교육뉴스방송(http://www.enbnews.org)>
<이코노뉴스(http://www.econonews.co.kr)>
《나다운 방탄리더십》 최보규, 부크크, 2023
《감정 경제학》 조원경, 페이지2북스, 2023
(2020년 8월 11일 앙코르메일) <고도원의 아침편지>
<담양뉴스>
《방탄 리더 인재양성 1》 최보규, 부크크, 2023
《왓칭》 김상운, 정신세계사, 2016
<유튜브 북토크>
<부크크(bookk)출판사>

강사 비수기 5개월 1
(돈 못 버는 강사 돈 버는 강사)

발 행 | 2024년 08월 08일
저 자 | 최보규, 서윤희
편 집 | 최보규, 서윤희
디자인 | 최보규, 서윤희
마케팅 | 최보규
펴낸이 | 한건희
펴낸곳 | 주식회사 부크크
출판사등록 | 2014.07.15.(제2014-16호)
주 소 | 서울특별시 금천구 가산디지털1로 119 SK트윈타워 A동 305호
전 화 | 1670-8316
이메일 | info@bookk.co.kr

ISBN | 979-11-410-9854-4

www.bookk.co.kr